JN311499

子宮内膜細胞診の実際

臨床から報告様式まで　　第2版

編著　矢野 恵子　子宮内膜細胞診勉強会 主宰

近代出版

第2版　発刊に寄せて──日々，向上を目指して──

　この度，『子宮内膜細胞診の実際─臨床から報告様式まで─』第2版を発刊することとなりました。実現に向け，多大なるご尽力を賜りました関係各位に心より感謝申し上げます。中でも近代出版には大変お世話になりました。厚く御礼を申し上げます。

　平成24年5月発刊の初版は多くの方々にご支持いただき，増刷を含めて完売を果たすことができました。大変光栄なことと，心より感謝申し上げております。顧みますと，初版は主宰を務めております子宮内膜細胞診勉強会─内膜細胞診の精度保証を考える会─が，平成24年4月に第10回を迎える記念として発刊されたものでした。以後，12年の間，コロナ禍の停滞期間もありましたが，勉強会は継続して開催され，多くの参加者の方々と共に学び，精度向上についての討論を重ねることができました。平成27年に日本臨床細胞学会から発刊された細胞診ガイドラインに，記述式内膜細胞診報告様式や液状化検体細胞診についての解説が掲載され，今後の診断精度向上が期待されて以降，課題は多岐にわたってきました。記述式内膜細胞診報告様式は国際基準であるヨコハマシステムへと発展を遂げ，液状化検体細胞診の応用も沈降法のみならず，フィルター法での実装も叶う時代となりました。本書を改訂するにあたり，子宮内膜細胞診に求められていることをより明確にし，共通言語としての組織学的背景の理解を目指すこと，組織診断名ではなく生じている形態学的変化を観察する能力を培うことを目標としました。

　また，この巻頭言の執筆にあたり，初版巻頭言に「会の代表としてなによりも嬉しかったことは繰り返し熱心に参加くださる方々がおられること」と記載した自身の心情を思い起こし，今後も実臨床の場で日々臨床材料と向き合っておられる方々と共に診断精度向上を目指し続ける決意を固めることができました。

　最後になりましたが，これまで多忙な中にもかかわらず講演やワークショップにご協力くださった講師の先生方，長きにわたりご支援くださった松浪硝子工業株式会社様，勉強会スタッフの岩井宗男氏，川辺民昭氏，阿比留仁氏，幸田康晴氏，身近で支えてくれた小椋聖子氏，城戸貴之氏に深く感謝申し上げます。

　　令和6年8月吉日

関西医療大学 教授
子宮内膜細胞診勉強会 主宰

矢野　恵子

発刊によせて

　平成24年に内膜細胞診勉強会 −内膜細胞診の精度保証を考える会− から「子宮内膜細胞診の実際 −臨床から報告様式まで−」の初版が発刊されました。本書は，それまでの10年間にわたり同勉強会が有志に対して行ってきた講義や実習の内容をまとめたものです。その後早や10年が経過し，この度改訂版が出版されることになりました。

　我が国における子宮体癌は，ライフスタイルの欧米化とともに近年さらに増加傾向にあり，国立がん研究センターがん対策情報センターによれば，現在子宮癌全体の50％を超えています。その早期発見，予防には前癌状態とされる内膜増殖症を的確に診断することが重要であり，月経不順や閉経後出血などのリスク因子がある場合には，積極的に内膜細胞診を行う必要性があります。

　子宮内膜は，年齢，月経周期によって変化し，細胞組織の形態は日々変化しています。腫瘍性病変のみならず，炎症性変化やホルモン異常による過剰増殖，剥離など，様々な病態を細胞診所見から推定する難しさは日常的に経験することです。女性の性機能は視床下部—下垂体—卵巣系を中心に営まれ，この内分泌学的不調が内膜の機能異常や腫瘍性病変の発生に密接に関連しています。したがって，内膜細胞診のさらなるスキルアップには，その内分泌学的背景や臨床所見，さらにその組織形態を十分に理解することが不可欠と思われます。

　本書は，過去の勉強会を通じて提示されたレクチャーやカンファレンスの要点，厳選された細胞診像が呈示されており，日常業務の拠り所として，またセルフチェックによる再確認や再学習のテキストとして非常に役立つ内容となっております。内膜細胞診はとかく難しいとの印象がありますが，自らの判定精度向上を心がけている細胞検査士のために，また，これから細胞診を学び細胞診専門医や細胞検査士を目指そうという方のために，本書は十分活用いただけるものと信じております。

　最後になりましたが，本書の発行にあたり，企画，制作，改訂にご尽力された内膜細胞診勉強会の幹事諸氏ならびに多大なご支援をいただいた近代出版に深く感謝申し上げます。

　　令和6年8月吉日

　　　　　　　　　　　　　　　　　　　　　畿央大学大学院 健康科学研究科 教授
　　　　　　　　　　　　　　　　　　　　　日本臨床細胞学会 常務理事
　　　　　　　　　　　　　　　　　　　　　細胞診専門医 委員長
　　　　　　　　　　　　　　　　　　　　　　植田　政嗣

執筆者紹介
(執筆順)
2024年6月現在

矢野　恵子（やの　けいこ）
関西医療大学保健医療学部臨床検査学科教授
- 1982年　国立大阪南病院附属臨床検査技師学校卒業
- 1983年　大阪府立成人病センター細胞検査士養成講修了
- 1987年　大阪府済生会野江病院病理診断科入職
- 2002年～　子宮内膜細胞診勉強会主宰
- 2003年　日本臨床細胞学会技師賞受賞
- 2006年　日本臨床細胞学会2005年度学術奨励賞受賞
- 2009年　倉敷芸術科学大学大学院博士課程修了（工学）
- 2007年～2011年　大阪府細胞検査士会会長
- 2017年～　関西医療大学保健医療学部臨床検査学科教授

植田　政嗣（うえだ　まさつぐ）
畿央大学大学院健康科学研究科教授
- 1982年　大阪医科大学卒業
- 1982年　大阪医科大学産婦人科学教室研修医
- 1990年　大阪医科大学産婦人科学教室助手
- 1995年　大阪医科大学産婦人科学教室講師
- 2001年　大阪医科大学産婦人科学教室助教授
- 2004年　大阪医科大学婦人科腫瘍科科長
- 2006年　大阪がん循環器病予防センター婦人科検診部長
- 2016年　大阪がん循環器病予防センター副所長
- 2018年　畿央大学大学院健康科学研究科教授
- 2019年　畿央大学臨床細胞学研修センター長

加藤　久盛（かとう　ひさもり）
神奈川県予防医学協会中央診療所婦人科外来・健診総合外来担当
- 1982年　日本医科大学卒業/室岡産婦人科学教室入局
- 1986年　日本医科大学大学院卒業（産婦人科および第二病理学教室）
- 1995年　日本医科大学第一病院産婦人科学教室講師
- 2013年　神奈川県立がんセンター婦人科部長兼手術室部長
- 2014年　第55回日本臨床細胞学会春期大会副会長で開催
- 2016年　日本臨床細胞学会常務理事（細胞検査士委員会）
- 2021年　横浜市立大学医学部大学院客員教授
- 2023年　神奈川県予防医学協会中央診療所勤務

矢納　研二（やのう　けんじ）
鈴鹿中央総合病院産婦人科医員（嘱託医）
- 1984年　信州大学医学部卒業
- 2000年　三重大学医学部産婦人科講師
- 2005年　鈴鹿中央総合病院産婦人科医長
- 2011年　三重大学医学部臨床教授
- 2017年　鈴鹿中央総合病院産婦人科部長

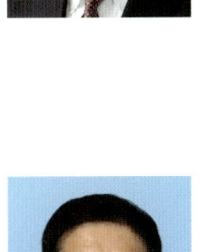

森谷　卓也（もりや　たくや）
川崎医科大学副学長・病理学教授
- 1984年　川崎医科大学卒業
- 1989年　米国ジョージワシントン大学留学
- 1992年　川崎医科大学人体病理学Ⅱ講師
- 1995年　川崎医科大学附属川崎病院病理部医長
- 1998年　東北大学病院病理部副部長・助教授
- 2007年　川崎医科大学病理学2教授・現代医学教育博物館副館長
- 2013年　川崎医科大学学長補佐
- 2023年　川崎医科大学副学長

柳井　広之（やない　ひろゆき）
岡山大学病院病理診断科教授/病理診断科長
- 1991年　岡山大学医学部卒業
- 1996年　岡山大学大学院医学研究科修了
- 1997年　国立福山病院第一研究検査科長
- 2000年　広島市民病院病理部副部長
- 2004年　岡山大学医学部歯学部附属病院病理部助教授
- 2011年　岡山大学病院病理診断科教授

三上　芳喜（みかみ　よしき）
熊本大学病院病理診断科教授
- 1990年　弘前大学医学部卒業
- 1990年　東北大学病院病理部医員（研修医）
- 1992年　川崎医科大学附属病院シニアレジデント
- 1996年　川崎医科大学病理学講師
- 1997年　ニューヨーク大学医療センター客員フェロー
- 1998年　川崎医科大学病理学講師（復職）
- 2002年　東北大学大学院医学系研究科病理形態学分野講師
- 2005年　京都大学医学部附属病院病理診断部講師
- 2007年　京都大学医学部附属病院病理診断部准教授
- 2014年　熊本大学病院病理診断科教授

小椋　聖子（おぐら　せいこ）
関西医療大学保健医療学部講師
- 1986年　国立大阪南病院附属臨床検査技師学校卒業
- 1990年　大阪府済生会野江病院病理診断科入職
- 2017年　香川大学大学院博士課程修了（医学）
- 2024年　関西医療大学保健医療学部講師

城戸　貴之（きど　たかゆき）
大阪府済生会野江病院病理診断科
- 2010年　京都大学医学部保健学科検査技術科学専攻卒業
- 2012年　京都大学大学院医学研究科人間健康科学系専攻修士課程修了
- 2013年　大阪府済生会野江病院病理診断科

Ⅲ　欧米文献から見た内膜細胞診の実情と課題

目 次

発刊に寄せて　i
執筆者紹介　iii

基礎知識と細胞判定法

I 子宮内膜細胞診と臨床（植田　政嗣）―― 2

1. はじめに　2
2. 月経周期と子宮内膜組織像　2
3. 内膜腺間質破綻（EGBD）　3
4. 子宮内膜増殖症　4
5. 子宮体癌　4
6. タモキシフェン服用者への対応　6
7. おわりに　9

II 臨床における子宮内膜細胞診の有用性（加藤　久盛）―― 10

1. はじめに　10
2. 内膜細胞採取のコツ　11
3. 細胞診の有用性についての検討　11
4. 子宮体癌特殊型に対する内膜細胞診の有用性　12
5. 子宮頸部および内膜細胞診に出現する子宮外腫瘍について　12
6. おわりに　13

III 子宮内膜細胞診報告様式 The Yokohama System（TYS）（矢納　研二）―― 15

1. 記述式子宮内膜細胞診報告様式からヨコハマシステムへの変遷　15
2. 記述式子宮内膜細胞診報告様式とヨコハマシステムとの共通点，相違点　16
3. ヨコハマシステムについて　17
4. ヨコハマシステムが果たす役割　17
5. ヨコハマシステムによってもたらされた新しい知見　17
6. ヨコハマシステムの未来　18

IV 内膜細胞診断に必要な病理学的知識（森谷　卓也）―― 19

1. はじめに　19
2. 生理的状態における子宮内膜の組織像　19
3. 前駆病変の診断と亜分類　21
4. 子宮内膜増殖症・子宮内膜異型増殖症と鑑別を要する非腫瘍性病変の組織像　23
5. 子宮内膜異型増殖症と高分化類内膜癌の鑑別　25
6. 類内膜癌の病理組織学的特徴　26
7. 類内膜癌以外の組織型　28
8. 分子遺伝学的立場からみた子宮体癌の新しい分類　29

V 記述式報告様式における子宮内膜異型細胞の背景となる組織像（柳井　広之）―― 31

1. ヨコハマシステムにおける子宮内膜異型細胞　31
2. 子宮内膜上皮の化生　31
3. 乳頭状増殖 papillary proliferation　34
4. 癌，AEH/EIN　34

VI 類内膜癌における分子遺伝学的分類（三上　芳喜）―― 35

1. はじめに　35
2. 子宮内膜癌の病理組織分類と歴史的経緯　35
3. 子宮内膜癌の分子分類　36
4. リンチ症候群　40
5. おわりに　41

VII 子宮内膜細胞診の基礎（矢野　恵子）──────── 42

1. 子宮内膜細胞診の特徴　42
2. 構造異型を加味した細胞診断の実際　42
3. 細胞所見　45
4. 子宮内膜異型細胞
   （atypical endometrial cells：ATEC）の細胞像　47

VIII ホルモン不均衡内膜および細胞質変化（化生）の細胞像（矢野　恵子）──────── 50

1. はじめに　50
2. ホルモン不均衡内膜の細胞像　50
3. 子宮内膜に生じる細胞質変化（化生）について　55
4. おわりに　58

IX 子宮内膜細胞診における液状化検体細胞診の有用性（小椋　聖子）──────── 60

1. はじめに　60
2. 標本作製法　60
3. 子宮内膜細胞診におけるLBCの特徴　60
4. 直接塗抹法，SurePath™，ThinPrep® における
   細胞像の比較　64

症例アトラス

矢野　恵子，城戸　貴之

症例1	増殖期内膜	70	症例23	異型ポリープ状腺筋腫	100
症例2	分泌期内膜	72	症例24	子宮内膜増殖症	102
症例3	増殖期内膜	74	症例25	子宮内膜増殖症	104
症例4	分泌期内膜	75	症例26	子宮内膜増殖症	105
症例5	増殖期内膜	76	症例27	子宮内膜異型増殖症	106
症例6	分泌期内膜	78	症例28	類内膜癌，G1	108
症例7	月経期内膜	80	症例29	類内膜癌，G1	110
症例8	萎縮内膜	81	症例30	類内膜癌，G1	112
症例9	萎縮内膜	82	症例31	類内膜癌，G1	114
症例10	細胞質変化（化生）を伴う萎縮内膜	83	症例32	類内膜癌，G1	116
症例11	細胞質変化（化生）を伴う萎縮内膜	84	症例33	類内膜癌，G1	118
症例12	細胞質変化（化生）を伴う萎縮内膜	85	症例34	類内膜癌，G1	119
症例13	細胞質変化（化生）を伴う萎縮内膜	86	症例35	細胞質変化（化生）を伴う類内膜癌，G1	120
症例14	細胞質変化（化生）を伴う内膜炎	88	症例36	細胞質変化（化生）を伴う類内膜癌，G1	122
症例15	細胞質変化（化生）を伴う内膜炎	90	症例37	扁平上皮への分化を伴う類内膜癌，G1	124
症例16	IUD挿入による内膜炎	92	症例38	扁平上皮への分化を伴う類内膜癌，G1	126
症例17	内膜腺間質破綻	93	症例39	粘液性成分を伴う類内膜癌，G1	128
症例18	内膜腺間質破綻	94	症例40	粘液性成分を伴う類内膜癌，G1	130
症例19	内膜腺間質破綻	96	症例41	類内膜癌，G2	132
症例20	内膜腺間質破綻	97	症例42	類内膜癌，G3	134
症例21	内膜腺間質破綻	98	症例43	漿液性癌	136
症例22	不調増殖期内膜	99	症例44	漿液性癌	138

索引　140

基礎知識と細胞判定法

I 子宮内膜細胞診と臨床

1 はじめに

　成熟女性の子宮内膜は卵巣ホルモンの刺激によって，妊卵の着床に都合の良い形態と機能を整える。この着床に適した内膜の状態は，妊娠しない限り規則正しく再生される。排卵までの月経周期前半はエストロゲン（estrogen：E）によって，排卵後の周期後半は主にプロゲステロン（progesterone：P）によりコントロールされている。EP活性は脳下垂体から分泌される性腺刺激ホルモンである卵胞刺激ホルモン（follicle-stimulating hormone：FSH）と黄体形成ホルモン（luteinizing hormone：LH）により調節されており，さらにFSHとLHは視床下部を通して中枢神経系の影響を受ける（図I-1）。このように，女性の性機能は視床下部─下垂体─卵巣系を中心に営まれ，この内分泌学的不調が内膜の機能異常や腫瘍性病変の発生に密接に関連している[1]。本章では，子宮内膜の細胞病理学的変化を正しく理解するために，まず女性の生殖内分泌機能と内膜組織変化について述べる。その上で，主として臨床面から，機能性出血，子宮内膜増殖症，子宮内膜癌などの病態について内視鏡所見を含めて概説したい。

2 月経周期と子宮内膜組織像

　卵巣から分泌されるE値やP値の変動により，子宮内膜は増殖・分化・剥離という周期的変化を起こすが，そのホルモン分泌は，卵巣内での卵胞発育，排卵，黄体形成という現象に基づいている（図I-2）。

　卵胞発育に伴い産生されるEの増加により，子宮内膜腺上皮は急速に増殖し，腺管はらせん状形態を示すようになる。次に，排卵後の黄体で産生されるEとPの作用により，増殖した腺上皮は分泌現象を開始し，間質は充血し浮腫状になる。そして，黄体の退縮に伴いEとPが急激に減少するため，子宮内膜表層の血管系の変化（うっ血，拡張，収縮）が起こり，内膜組織が壊死に陥り，内膜機能層と基底層の境界で内膜が剥離するのが月経である。

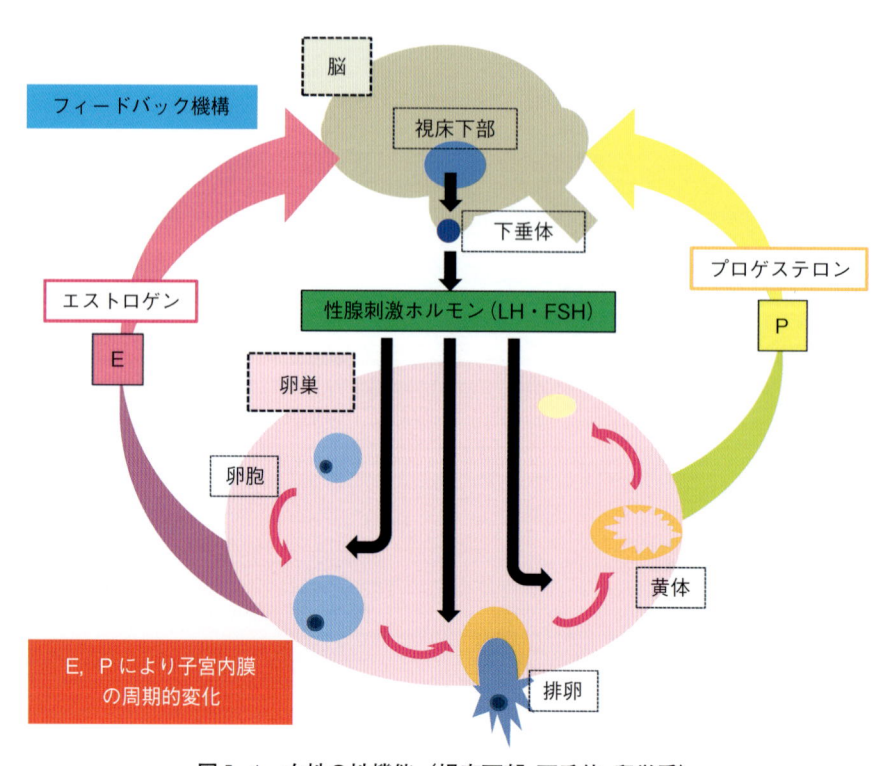

図I-1　女性の性機能（視床下部-下垂体-卵巣系）

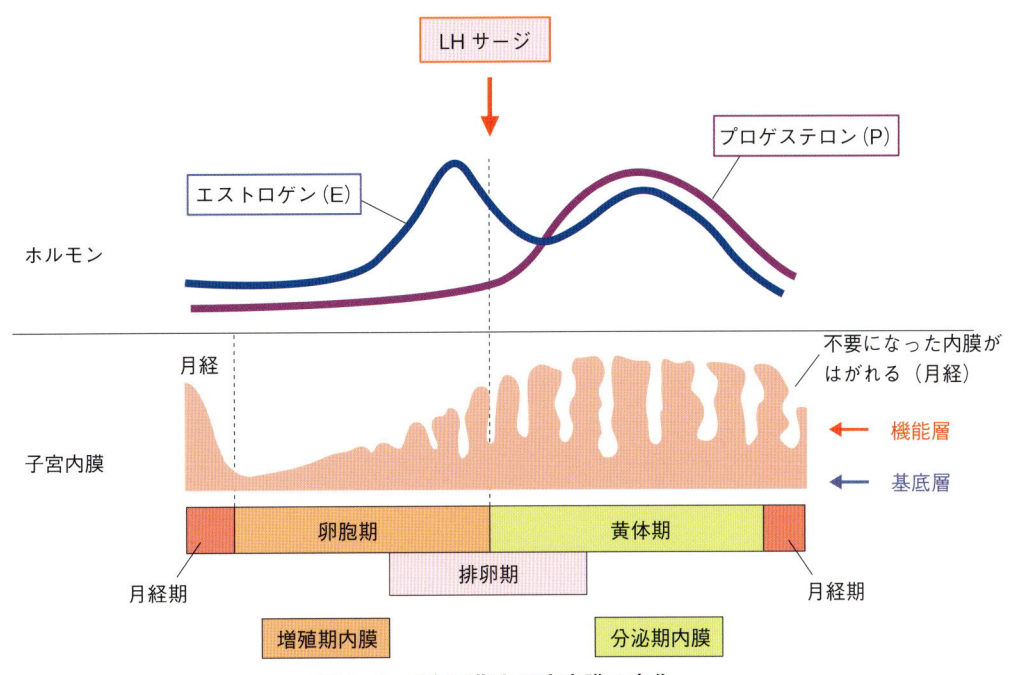

図Ⅰ-2　月経周期と子宮内膜の変化

正常子宮内膜増殖期（周期13日目）　正常子宮内膜分泌期（周期23日目）

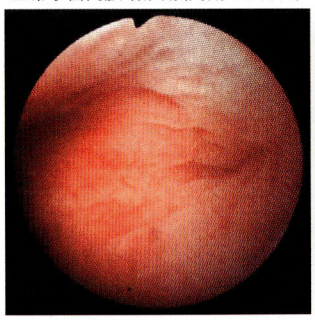

淡紅〜赤紅色調の内膜が肥厚し腔内に盛り上がる。その表面には斑点状の腺開口部が散見され，上皮下には血管が透見される。

間質浮腫のため白黄色を帯びた半透明の内膜が非常に厚く起伏に富むようになり，腺開口部と皺壁が著明となる。

図Ⅰ-3　正常子宮内膜の子宮鏡所見

増殖期ならびに分泌期の典型的な子宮鏡像を図Ⅰ-3に示す。子宮内膜機能層の完全な脱落が起こり，再びEが増加してくると，剥離せずに残った子宮内膜の間質，腺，血管の増殖が促進され，コイル状動脈の血管収縮が著明になり，次第に止血して月経が終了する。

このように，ホルモンの影響を受けるのは，内膜の上層および中層の機能層（functional layer）であり，基底層（basal layer）は分泌期後期の高P環境下でもE支持性内膜像を維持するので，非機能層（non-functional layer）とも呼ばれる。

3　内膜腺間質破綻（EGBD）

卵巣機能不全や更年期には，しばしば無排卵性周期に伴う内膜の異常がみられ，子宮内膜増殖症類似の変化を示す場合がある。Shermanら[2]は，無排卵性周期にみられるホルモン不均衡内膜について以下のように述べている。

① 排卵が障害され成熟卵胞が存続し，黄体が形成されないと内膜は増殖するが分泌期に移行しない。

② その後，Eの消退出血または長期持続後破綻出血が起こるが，その際に内膜は成熟せず断片化する。

③ この状態を内膜腺間質破綻（endometrial glandular and stromal breakdown：EGBD）と呼び，その組織像は出血やフィブリンの析出に加えて，間質の脱落に起因する内膜腺の断片化や変性凝集を起こした間質細胞集団がみられる。

④ それぞれの出現パターンによって，proliferative phase with breakdown，不調増殖期内膜（disordered proliferative phase：DPP），focal glandular crowningのように記述され，DPPは子宮内膜増殖症と同様の変化が部分的に起こっている。

清水ら[3]は，その細胞診標本に，変性した小型の拡張腺管やフィブリンに埋もれた拡張・分岐集塊が観察され，EGBDと子宮内膜増殖症を比較すると，EGBD症例では増殖症例に比較して腺管の狭いものが多く，組織像で観察される腺管の断片化を反映していると述べている。またEGBD症例で特徴的であるのは変性した間質細胞の凝集像で，これは再検時にしばしば消失することから，子宮内

膜増殖症の間質細胞とは区別して観察すべきであるとしている。

無排卵性周期に伴うホルモン不均衡内膜においては，不正性器出血や内膜肥厚を伴うため，細胞診検査の臨床的役割は極めて重要と思われる。

4 子宮内膜増殖症

子宮内膜の過剰増殖を子宮内膜増殖症という。「子宮体癌取扱い規約」[4]では，上皮細胞の異型の有無によって，子宮内膜増殖症と子宮内膜異型増殖症に分類されている。

その発生原因は，多くの場合，長期間にわたって持続するE刺激（unopposed estrogen）である。その最も一般的な原因は排卵障害であり，子宮内膜増殖症例の約3/4は規則的な排卵を認めないことが報告されている[5]。この他に内因性，外因性のE過剰状態が原因になることもある。前者には顆粒膜細胞腫に代表されるE産生腫瘍，後者にはE補充療法が挙げられる。

子宮内膜増殖症例の平均年齢は子宮体癌症例より5〜10歳若く，40歳代である。70％以上が不正出血を主訴としており[6]，規則的に排卵がみられる症例は少なく，高率に月経周期の不整がある[5,6]。また，不妊症患者では内膜の増殖性病変に留意すべきであるという報告がみられる[7]。

診断には内膜細胞診と経腟超音波検査が有用であるが，確定診断は通常4方向内膜搔爬による病理診断でなされる。内膜生検で増殖症と診断された症例の中にはしばしば体癌が混在することから，症例により子宮鏡や全面搔爬による詳細な検索が必要である。子宮内膜増殖症の子宮鏡像を図Ⅰ-4に示す。また，子宮内膜増殖症は体癌の前癌病変として認識されており，特に，子宮内膜異型増殖症の癌化率は21.4〜33.3％[8]と報告されているため，子宮体癌の直前の病変として重要である。

子宮内膜異型増殖症は，その高い癌化率から積極的な治療が必要で，閉経後や妊孕能の温存を希望しない症例では，単純子宮全摘出術が推奨される。子宮を温存する場合には，プロゲスチン製剤であるメドロキシプロゲステロン酢酸エステル（medroxyprogesterone acetate：MPA）の高用量投与が選択される。

5 子宮体癌

我が国における子宮体癌は，ライフスタイルの欧米化とともに近年増加傾向にあり，子宮癌全体の約50％にも達している。子宮体癌は臨床病理学的に大きく2つに分類できる[9]。Ⅰ型は子宮体癌全体の約8割を占め，閉経前後に前癌状態（子宮内膜増殖症）からEの持続的刺激により発生，増殖すると考えられている。組織学的には高分化類内膜癌で，E受容体（ER）やP受容体（PR）陽性で予後良好である。一方，Ⅱ型はEの曝露とは関係なく，閉経後の萎縮内膜から直接発生し，組織学的には低分化類内膜癌もしくは特殊型で，予後不良である（表Ⅰ-1）。それぞれの体癌は遺伝子変異においても異なる傾向を示し（図Ⅰ-5），腫瘍発生機序も異なるものと考えられている[10]。

その診断には内膜細胞診や超音波検査などが有用であるが，確定診断は内膜組織診によってなされる。子宮腔内は直接的には不可視領域であり，正確な狙い生検を行うためには，子宮鏡（hysteroscope）が不可欠である。子宮腔内を直視下にくまなく観察することにより，子宮体癌はもとより，その前癌病変とされる子宮内膜増殖症や子宮内膜ポリープなどの良性病変も的確に診断することができる[11]。子宮鏡による観察所見としては，内膜の性状，腺口，隆起，表面構造，血管像，透明度，色調，硬度および壊死などに留意する。悪性腫瘍では様々な異常血管がみられ，不規則な走行や血管拡張を示す（図Ⅰ-6）。なお，子宮筋層あるいは頸管への癌浸潤の評価にはMRI検査が有用で，術式の決定に参考となる。以上の子宮体部病変の診断手順を図Ⅰ-7に示す。

子宮体癌に対する治療の第一選択は手術療法である。骨盤あるいは傍大動脈リンパ節郭清の要否は原発巣の進行度などにより判断するが，術後追加治療も含めた具体的なフローチャートは「子宮体癌治療ガイドライン2018年版」[12]に示されている（図Ⅰ-8）。一方，妊孕能温存を考慮する症例はⅠa期までが対象で，子宮内膜増殖症と同様に高用

子宮内膜増殖症（単純型：旧分類）

嚢胞状に拡張した内膜がみられるが表面は平滑で，腺開口は不明瞭である。上皮下に細い血管が透見される。

子宮内膜増殖症（複雑型：旧分類）

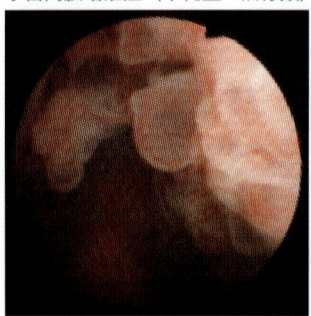

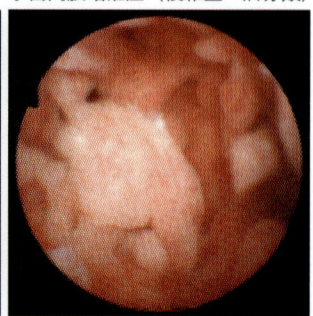

表面は比較的平滑で，腺開口は不明瞭である。やや拡張した血管がみられるが線状で，怒張した血管は認められない。

図Ⅰ-4　子宮内膜増殖症の子宮鏡所見

表Ⅰ-1　子宮体癌の臨床病理学的分類

	Ⅰ型	Ⅱ型
発症率	80％	≦20％
発症年齢	閉経前／閉経早期	60＜
組織型	類内膜癌	特殊型
細胞分化度	高分化・中分化	低分化
前癌病変	内膜増殖症	萎縮内膜
E依存性	あり	なし
予後	良好	不良

I 子宮内膜細胞診と臨床

I型子宮体癌

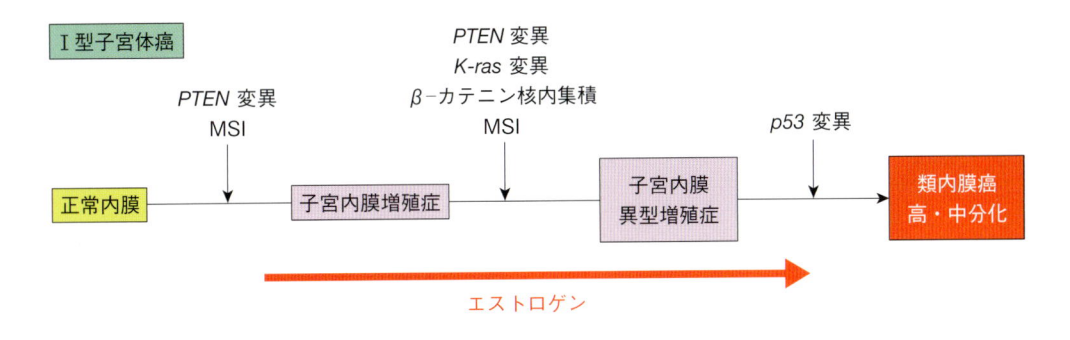

正常内膜 →(PTEN変異, MSI)→ 子宮内膜増殖症 →(PTEN変異, K-ras変異, β-カテニン核内集積, MSI)→ 子宮内膜異型増殖症 →(p53変異)→ 類内膜癌 高・中分化

エストロゲン →

II型子宮体癌

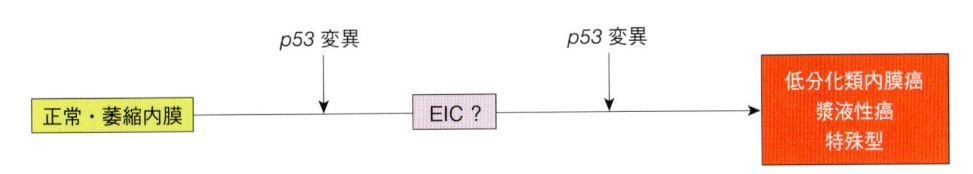

正常・萎縮内膜 →(p53変異)→ EIC? →(p53変異)→ 低分化類内膜癌 漿液性癌 特殊型

図 I-5 子宮体癌のタイプ別にみた発癌機構

MSI：microsatellite instability（マイクロサテライト不安定性）
EIC：endometrial intraepithelial carcinoma（子宮内膜上皮内癌）

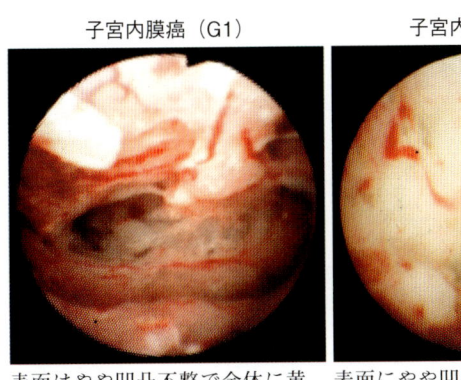

子宮内膜癌（G1）: 表面はやや凹凸不整で全体に黄白色〜橙赤色を示し，表面粗造で，不規則に走行する異型血管がみられる。

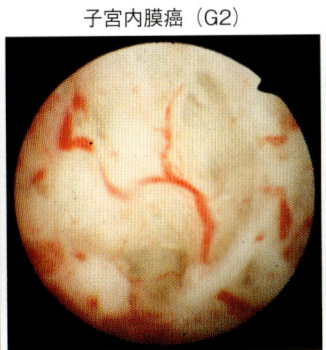

子宮内膜癌（G2）: 表面にやや凹凸のある黄白色調の瘤状隆起で，不規則に走行する異型拡張血管がみられる。

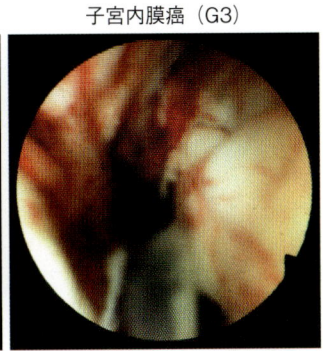

子宮内膜癌（G3）: 表面は凹凸不整で，黄赤色調の広基性の瘤状隆起である。一部に壊死や潰瘍が形成され曲折した異型血管がみられる。

図 I-6 子宮体癌の子宮鏡所見

一次検診施設（細胞診によるスクリーニング）で疑陽性以上
↓
二次，三次検診施設での精密検査（部位別搔爬，全面搔爬，子宮鏡下生検）
↓
子宮内膜増殖症および子宮内膜異型増殖症
細胞診，子宮鏡診，組織診による最終診断
子宮内膜癌（Ia以上）
子宮鏡による頸管浸潤およびMRIによる筋層浸潤度の把握，直腸診，DIP，膀胱鏡，直腸鏡による進行期決定

図 I-7 子宮体部病変の診断手順

前駆病変: 子宮内膜増殖症，子宮内膜異型増殖症 若年者
内膜癌: Ia Ib II III, IV

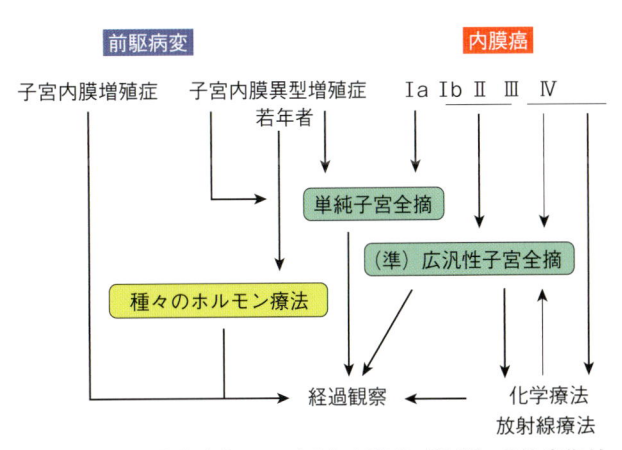

→ 単純子宮全摘
→ （準）広汎性子宮全摘
→ 種々のホルモン療法
→ 経過観察
→ 化学療法 放射線療法

図 I-8 子宮内膜増殖症および子宮内膜癌（体癌）の治療指針

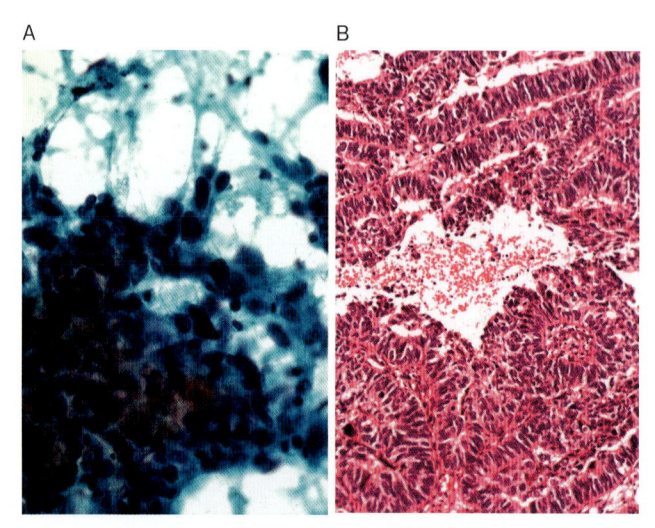

図Ⅰ-9 子宮内膜癌の細胞診および組織診所見（A：Pap.染色，×400，B：HE染色，×100）

A：内膜細胞診では重積性の著明な樹枝状の突出を伴うクラスターがみられる。
B：組織像は"back to back" arrangementを示す高分化類内膜癌である。

Cytologic and histologic features of endometrioid carcinoma
A：Cell clumps with irregular protrusion pattern
B：G1 adenocarcinoma with back to back arrangement

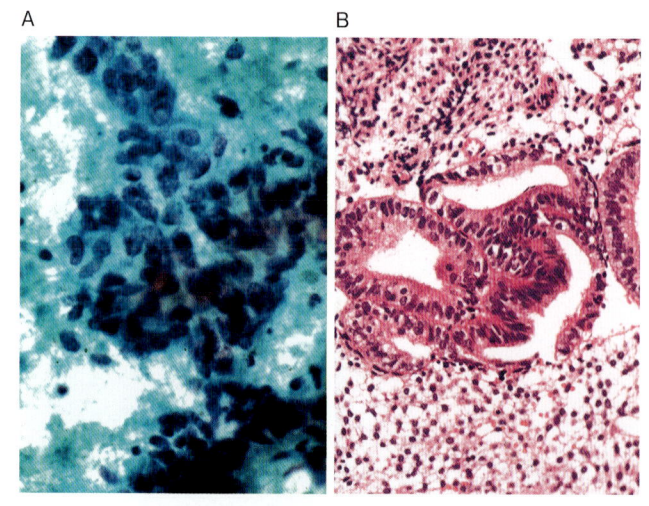

図Ⅰ-10 子宮内膜異型増殖症の細胞診および組織診所見（A：Pap.染色，×400，B：HE染色，×200）

A：内膜細胞診では半島状の突出を伴うクラスターがみられるが核異型は著明ではない。
B：組織像では細胞異型，構造異型ともに認められるが浸潤像はない。

Cytologic and histologic features of atypical endometrial hyperplasia
A：Cell clumps with irregular branched pattern
B：Atypical endometrial hyperplasia

量MPA投与が選択される。ある程度の有効性は認められているが，再発率も高いため厳重な経過観察が必要である[13]。

6 タモキシフェン服用者への対応

最近の子宮体癌検診において，タモキシフェン（Tamoxifen：TAM）服用患者への対応が重要視されている。TAMは原発乳癌の術後補助療法および閉経後再発乳癌の内分泌療法薬として最も汎用されているが，近年，TAMの長期服用により，子宮体癌の発生頻度が増加することが報告され，問題視されている。

E類似構造をもつTAMは，ERに対してEと競合することにより抗E作用を示す。乳癌はホルモン依存性の癌であり，特にEがその増殖に関与しているため，TAMは乳癌治療薬として術後の維持療法などにしばしば用いられ，無病期間の延長と対側乳癌の発生抑制ならびに生存期間の延長をもたらしている[14]。近年，乳癌患者数の増加とともにTAM治療症例も漸増傾向にあるものと思われるが，それとともに副作用としての不正性器出血，月経異常，子宮内膜ポリープ，子宮内膜増殖症，子宮内膜癌および卵巣嚢胞などが指摘，報告されてきた。これらの種々の症状や病態に関して産婦人科医が外科医から相談を受ける機会も多くなっており，TAM服用者に対する婦人科検診が重要視されている[15]。

この中で最も問題となるのは子宮内膜癌の発生であり，すでにTAMの添付文書には1990年より子宮内膜癌を含めた副作用が記載されている。TAMの正確な作用機序は十分には解明されていないが，ERと結合し，TAM-ER複合体がDNAと結合することにより作用する。これにより核内のERの補充が阻害されてERが減少し，抗E作用が発現すると考えられている。しかし，TAMは抗E作用とともにE作用的な性質も併せ持ち，腟上皮や子宮内膜に対してE作用を示すことが報告されている[16]。すなわち，Eの産生されない閉経後状態ではTAMがERと結合してEに作用し，未閉経状態ではTAMの抗E作用により視床下部─下垂体系が直接刺激され，血中FSH・LHレベルが上昇することによりE作用が惹起されるものと考えられている。TAMの影響により発生する内膜病変を検出するには細胞診が非常に有効であり，TAM服用中は，ハイリスク症例では少なくとも6カ月〜1年ごとの内膜細胞診が推奨される。また，適宜経腟超音波検査を併用し卵巣病変の発見に努めるべきである[11]。

我々は，乳癌術後にTAMを投与された68例中，不正性器出血や過多月経などの主訴の下に内膜細胞診が施行された23例を対象にその細胞像を検討した。23例中，陽性2例，疑陽性3例，陰性18例であった。また，子宮鏡下に内膜組織診が施行されたのは19例で，そのうち腫瘍性変化としては，子宮内膜ポリープ4例，子宮内膜増殖症1例，子宮内膜異型増殖症1例，高分化類内膜癌1例がみられた。

内膜細胞診陽性の腺癌症例では，重積性の著明な内膜腺のクラスターがみられ，核異型も強く，クラスターの辺縁には樹枝状の突出や配列の乱れが観察された（図Ⅰ-9A）。

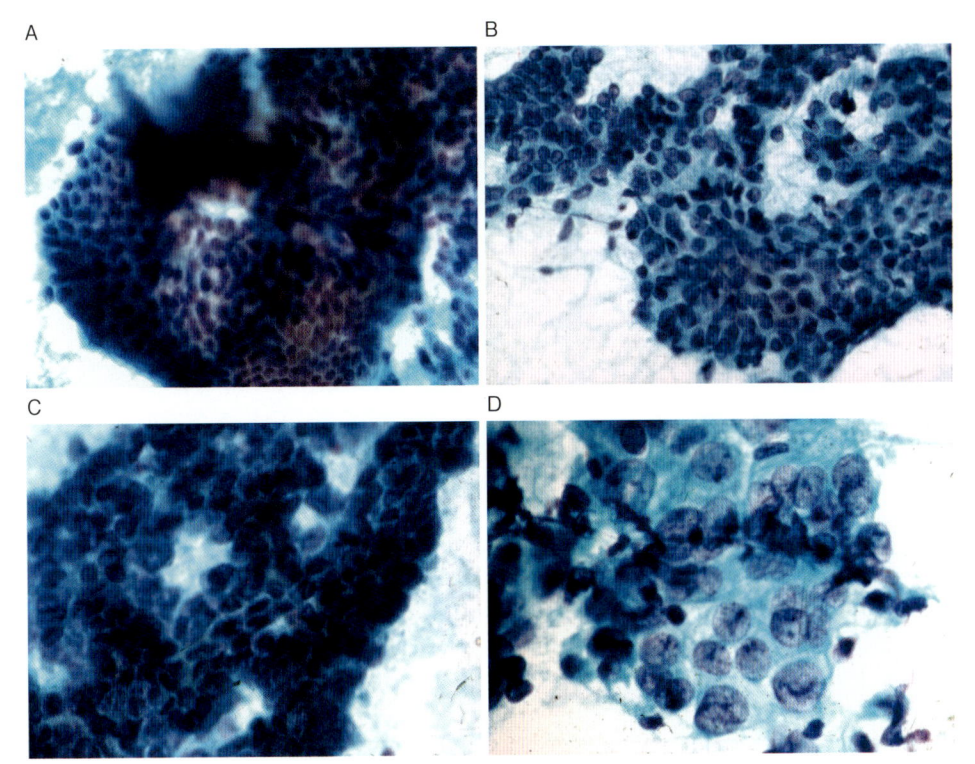

図Ⅰ-11 TAM投与中の子宮内膜細胞診所見（Pap. 染色, A, B：×200, C, D：×400）
A：軽度のバスケット状構造　B：クラスター辺縁の不規則な突出像　C：不規則な内膜腺の拡張
D：分泌期内膜に類似した軽度核異型を伴う内膜腺集群

Endometrial cytologic findings in tamoxifen-treated breast cancer patient
A : Cell clumps with dilated pattern　B : Cell clumps with branched pattern　C : Cell clumps with irregular dilated pattern　D : Cell clumps resembling secretary endometrium with mild nuclear atypia

---

同症例の組織像では，"back to back" arrangement を示す高分化類内膜癌が認められた（図Ⅰ-9B）。内膜細胞診疑陽性の子宮内膜異型増殖症例では，やや重積性のある内膜腺のクラスターの一部に半島状の突出がみられるものの，辺縁は比較的なめらかで，さらにクロマチンの増量と軽度の核間距離の不均等性が認められたが，核異型は著明ではなかった（図Ⅰ-10A）。組織像では細胞異型，構造異型ともに認められたが浸潤像はなかった（図Ⅰ-10B）。

内膜細胞診陰性の18例を再検鏡してみると，大部分が萎縮性変化を呈していたが，そのうち5例に増殖期内膜と考えられる像が認められた。5例の細胞診検体を詳細に観察すると，図Ⅰ-11A のように軽度のバスケット状構造を示し，腺の拡張を示唆する所見や，図Ⅰ-11B のように核異型はみられないが，クラスターの辺縁に不規則な突出を伴い，軽度の構造異型を示すもの，図Ⅰ-11C のように重積性のやや目立つクラスターや，図Ⅰ-11D のように胞体が比較的豊富で，分泌期内膜に類似した集塊の辺縁に，ごく軽度の核の大小不同と核間距離の不均等性が認められる部分も観察された。

一方，TAM投与中の内膜細胞診像の経時的変化について検討した。症例は49歳，閉経前で乳癌術後より TAM 20mg/日を17カ月間投与されている。図Ⅰ-12A は投与前で，通常の増殖期内膜の像を示しており，6カ月投与後でも図Ⅰ-12B のように特に異常はみられないが，12カ月後には図Ⅰ-12C のように細胞異型は目立たないものの，クラスターの辺縁に不規則な突出を伴う軽度の構造異型がみられ，さらに17カ月後の投与終了時には，図Ⅰ-12D のように重積性が増し，やや核クロマチンの増加が認められた。図Ⅰ-13 は，同症例の TAM 投与終了後の経過観察中に疑陽性と判定された細胞診像で，出現している内膜腺集群の一部に核間距離の不均等性や配列の乱れが目立ち，核クロマチンの増量や一部では核小体も目立つなど，子宮内膜異型増殖症を疑わせる像を呈した。しかし，同時期の内膜組織診では腫瘍性病変は検出されず，その後も厳重に経過観察している。

このように，乳癌術後 TAM 投与症例の検討では，高分化類内膜癌1例と子宮内膜増殖症2例が検出され，時に細胞診陰性例においても軽度の重積性や配列の乱れを伴う増殖期内膜の像が観察された。また，TAM投与量の増加に伴って，経時的に構造異型や細胞異型が増す症例がみられた。これらは，TAM の投与が，症例によっては E 作用による内膜の過剰増殖状態を惹起する可能性を示唆しており，本剤投与中には注意深い内膜の評価が必要と思われる。

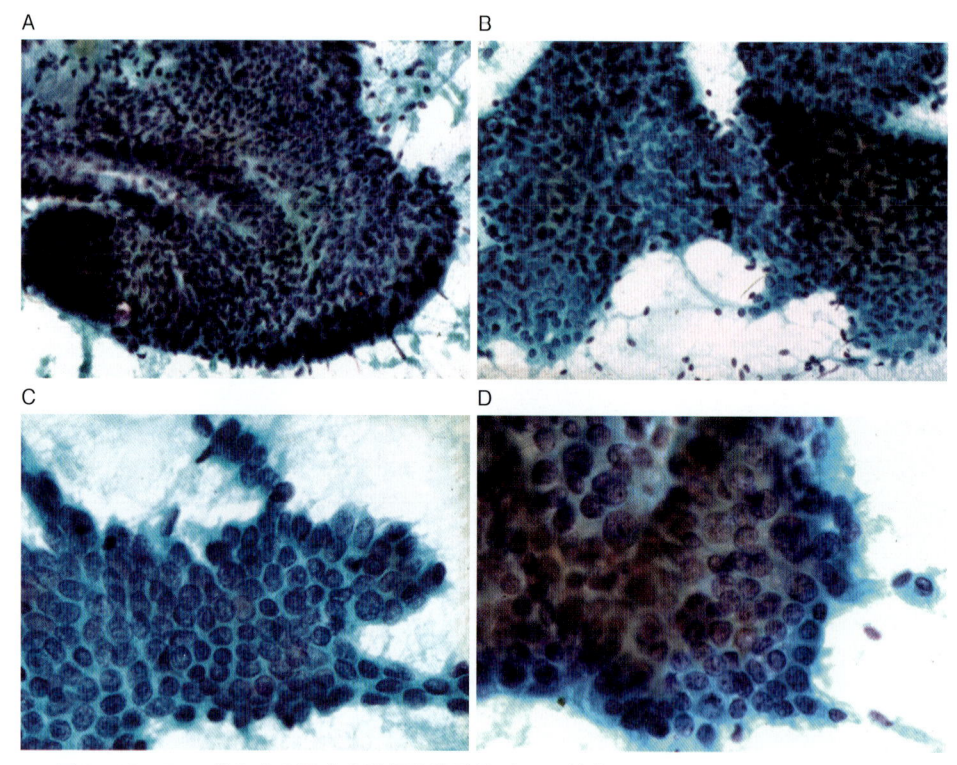

図Ⅰ-12　TAM投与中の子宮内膜細胞診所見（Pap.染色，A, B：×200，C, D：×400）

A：正常増殖期内膜の細胞像
B：正常増殖期内膜にみえる細胞像
C：クラスター辺縁の小突出像
D：軽度核異型を伴う内膜腺集群

Endometrial cytologic findings in tamoxifen-treated breast cancer patient

A：Normal proliferative endometrium before tamoxifen treatment
B：Normal-looking endometrium 6 months after tamoxifen treatment
C：Cell clumps with small projections 12 months after tamoxifen treatment
D：Cell clumps with mild nuclear atypia 17 months after tamoxifen treatment

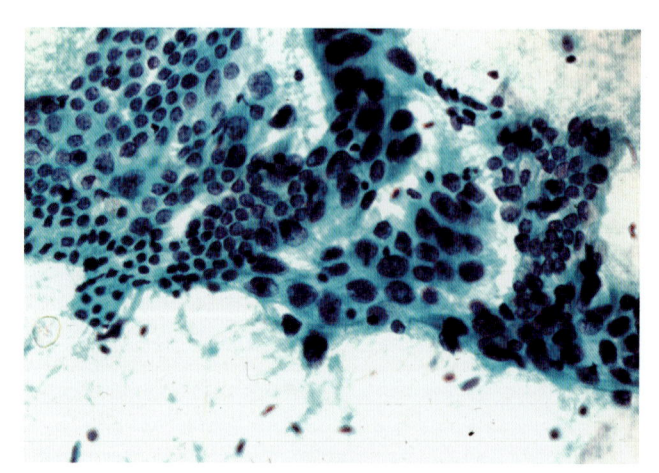

図Ⅰ-13　TAM投与後の子宮内膜細胞診所見（Pap.染色，×400）

内膜腺集群に配列の乱れや核異型を伴い子宮内膜異型増殖症が疑われる。

Endometrial cytologic findings after tamoxifen treatment

Cell clumps with irregular glandular arrangement and nuclear atypia indicating atypical endometrial hyperplasia

一方，2018 年版の乳癌診療ガイドラインでは，乳癌術後の TAM 内服により，閉経後女性で子宮内膜癌（子宮体癌）の発症リスクを増加させるが，閉経前女性では増加させないことが記載されている。また，TAM 内服前にすでに良性ポリープがあるような「子宮内膜癌ハイリスク患者」でない限り，定期的な子宮体癌検診が子宮内膜癌の早期発見に有効であるというエビデンスがないことに加えて，子宮に対してより侵襲的な検査を行うことが多くなるなどの不利益を考慮すると，定期的な子宮体癌検診は推奨されないことが明記された。今後は，不正出血や月経異常が持続する場合など，有症状者を中心に選択的に内膜細胞診や組織診を行って病変の把握に努めていくべきであろう。

7 おわりに

子宮体癌の早期発見，予防にはその前癌状態とされる子宮内膜増殖症を的確に診断することが重要であり，月経不順や未妊，未産，糖尿病，閉経後出血や長期の内分泌療法の既往がある場合には，積極的に内膜細胞診を行う必要性がある。

内膜細胞診，特に境界病変の"読み"は頸部に比較して難しい印象がある。さらなるスキルアップには，その内分泌学的背景や臨床所見を十分に理解することが不可欠と思われる。

(植田　政嗣)

■文　献

1) 郡山純子ほか. 内分泌調節系. 日本臨床 2009; 67 (増刊号): 23-32.
2) Sherman ME, et al. Blaustein's pathology of the female genital tract. 5th ed. Springer-Verlag, 2001, pp. 431-439.
3) 清水恵子ほか. 内膜増殖症を疑い細胞診疑陽性としたホルモン不均衡内膜症例の検討. 日本臨床細胞学会誌 2004; 43: 266-271.
4) 日本産科婦人科学会ほか(編). 子宮体癌取扱い規約病理編 第 4 版. 金原出版 2017, p. 45-50.
5) Jobo T, et al. Study on the long-term follow-up of endometrial hyperplasia. Int J Clin Oncol 1996; 1: 163-169.
6) 佐藤倫也ほか. 子宮内膜増殖症の細胞所見とその臨床的背景. 日本臨床細胞学会誌 1998; 37: 637-642.
7) Kurabayashi T, et al. Endometrial abnormalities in infertile women. J Reprod Med 2003; 48: 455-459.
8) Jobo T, et al. Treatment of complex atypical hyperplasia of the endometrium. Eur J Gynecol Oncol 2001; 22: 365-368.
9) Bokhman JV. Two pathogenetic types of endometrial carcinoma. Gynecol Oncol 1983; 15: 10-17.
10) 高橋尚美ほか. 子宮体癌. 日本臨床 2009; 67 (増刊号): 223-228.
11) 植田政嗣. 子宮体部癌の診断法—最近のトピックス—. 医学検査 2004; 52: 691-700.
12) 日本婦人科腫瘍学会 (編). 子宮体がん治療ガイドライン 2018 年版. 金原出版 2018.
13) Ushijima K, et al. Multicenter phase II study of fertility-sparing treatment with medroxyprogesterone acetate for endometrial carcinoma and atypical hyperplasia in young women. J Clin Oncol 2007; 25: 2798-2803.
14) Riberio G, et al. The Christie Hospital adjuvant tamoxifen trial: Status at 10 years. Br J Cancer 1988; 57: 601-603.
15) 蜂巣賀徹ほか. Tamoxifen 内服乳癌術後患者における婦人科検診の意義. 日本癌治療学会誌 1996; 31: 1099-1105.
16) Gal D, et al. Oncogenic potential of tamoxifen on endometria of postmenopausal women with breast cancer-preliminary report. Gynecol Oncol 1991; 42: 120-123.

II 臨床における子宮内膜細胞診の有用性

1 はじめに

　国立がん研究センターがん情報サービスのHP[1]によれば子宮体癌は経年的に増加傾向にあり，2019年には17,880例が診断され，人口当たりの罹患率は27.6例（人口10万対），死亡数2,644人（2020年）である（**図Ⅱ-1**）。

　一方，子宮頸癌も経年的には増減を繰り返しているが，2019年には10,879例が診断され，人口当たりの罹患例は16.8例（人口10万対），死亡数2,887人（2020年）である（**図Ⅱ-2**）。すなわち子宮体癌は子宮頸癌よりも多く発生している現実がある。

　このように増加傾向にある子宮体癌の診断手段として，子宮内膜細胞診は簡便な方法であり，子宮内膜組織診に比べ疼痛が少なく有用な方法と考える。自身の経験とこれまで発表してきた知見を交え，この内膜細胞診の長所と短所につき解説していきたい。

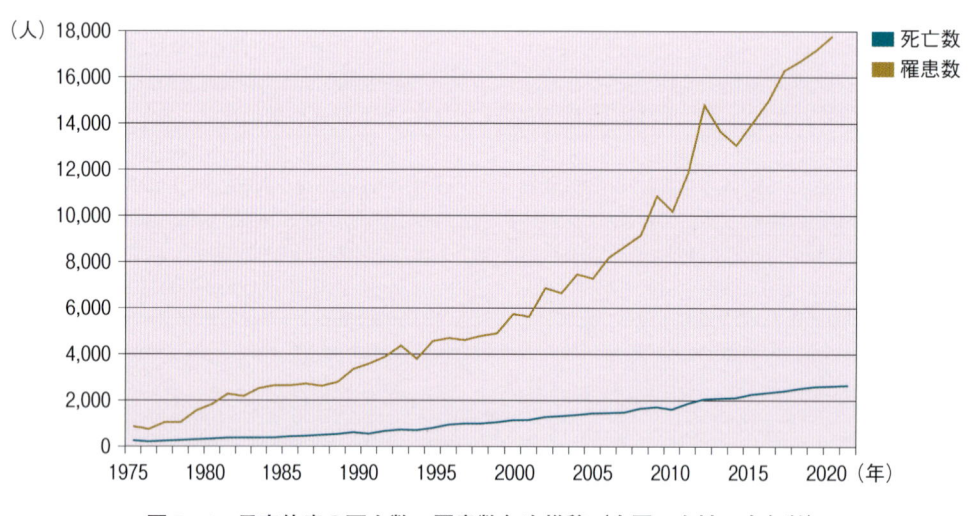

図Ⅱ-1　子宮体癌の死亡数・罹患数年次推移（全国，女性，全年齢）

（文献1より）

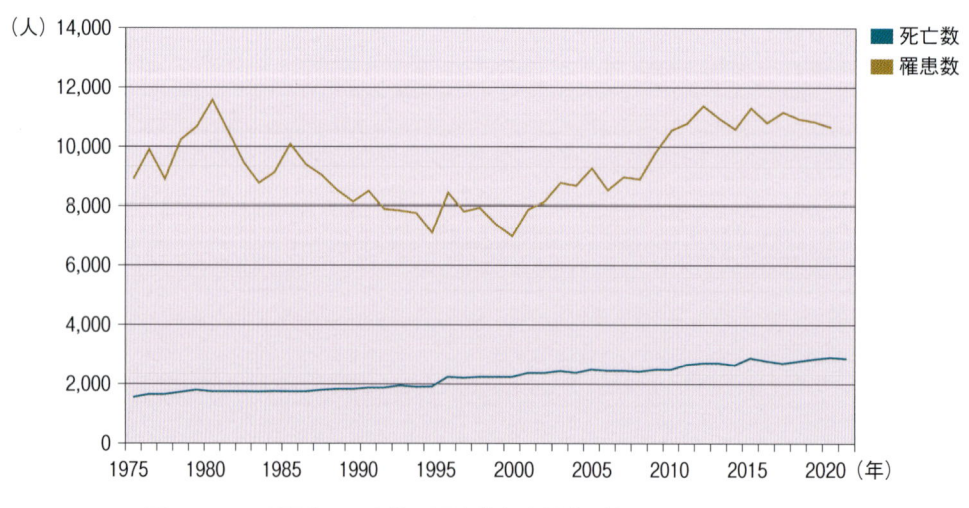

図Ⅱ-2　子宮頸癌の死亡数・罹患数年次推移（全国，女性，全年齢）

（文献1より）

2 内膜細胞採取のコツ

　当然のことながら内膜細胞診も十分に検討評価するための適正な細胞成分が標本上にサンプリングされていることが肝要である。

　まずクスコ式腟鏡により腟の開大を行い，外子宮口を展開することが必要である。未経産婦，閉経後高齢者，帝王切開術後は腟が狭小なことがあり展開が困難なことがある。S～SSS クスコを常に用意しておくことが望ましい。我々は原則として増渕式吸引子宮内膜細胞診採取器具を用いて行っている。挿入するチューブは柔らかく子宮内腔挿入時の痛みが軽度である。子宮底部まで挿入できたらピストンにて複数回陰圧をかけた後，プレパラートに逆に陽圧をかけながら直接塗抹している。挿入の際，内子宮口で止まってしまう場合は長鑷子にてチューブをつかみ奥へ誘導することで挿入できる。それでも挿入困難な場合はスタイレットをチューブの内腔に挿入し，超音波検査にて子宮の傾きを十分に確認の上，傾きに合わせると挿入できることが多い。子宮の前屈あるいは後屈が著しい場合があり内膜採取器具が挿入困難なことがある。その際は塚原鉗子あるいは単鈎鉗子にて子宮頸部前唇を把持して手前に牽引することで屈曲を緩めることができ，挿入できることが多い。また小骨盤内に大きく発育した子宮筋腫核を有する場合には外子宮口が腟腔辺縁に大きく移動している場合があり，腟鏡診で観察できない場合もある。その際は超音波検査だけでは全体像がつかめないことがあるので骨盤MRで子宮における子宮頸部の位置を確認の上，内診する。指先で外子宮口を触知できた場合に，施術者の指をガイドにチューブ挿入することで，子宮内膜癌の発見の契機となった経験がある。子宮留膿腫を伴っている場合は吸引内膜細胞診では液体成分のみの回収にとどまり細胞成分の採取量が乏しいので，擦過式の内膜細胞採取器具にて対応している。どちらの採取器具にせよ，十分に細胞成分が採取された場合には，細胞診用に提供しても残る場合がある。その際は組織検体採取用のホルマリン容器にて先端を攪拌し容器内に落下させ，後に行う組織診の一助となるようにしている。

3 細胞診の有用性についての検討

　子宮体癌と組織診で診断がついた症例で，治療前に行った内膜細胞診が陰性であった症例がどのような場合に多いのか検討したので紹介する。1985年1月～2006年4月までに当院で経験した841例につき検討している[2]。当科では内膜細胞診の判定を陰性，疑陽性および陽性の3種類に分けて判定しており，原則として疑陽性以上を内膜組織診の適応としている。そこで陰性例64例（7.6％）をA

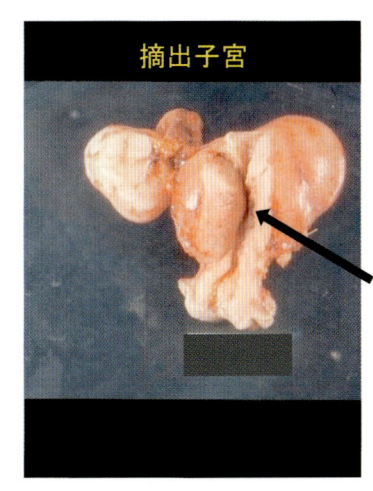

図Ⅱ-3　摘出標本像
左右両側の子宮筋腫核に挟まれるように存在する微小腫瘍（矢印）
Specimen image
Microtumors present between the left and right bilateral fibroid nuclei.

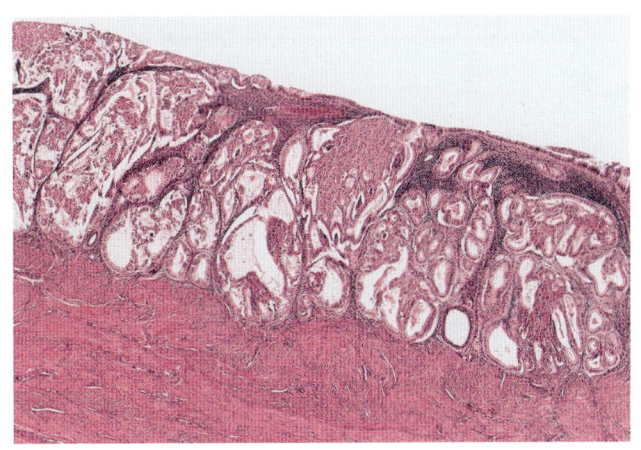

図Ⅱ-4　病理組織像（×100）
内膜内にとどまる類内膜癌 G2
Histopathological image
Endometrioid carcinoma G2 stays in the endometrium.

群，疑陽性および陽性であった777例（92.4％）をB群とした。A群：B群で有意差を認めた項目は，筋層浸潤が内膜内20例：86例（p＝0.00016）とA群に多く，筋層浸潤1/2以上が6例：224例（p＝0.0007）とB群に多かった。また類内膜癌の分化度ではG1 36例：267例（p＝0.0501）とG2 9例：214例（p＝0.053）はA群に多い傾向を示したが，G3 3例：81例（p＝0.15）は有意差を認めなかった。興味深いのは子宮筋腫の合併である。14例：94例（p＝0.02）と有意差をもってA群が多いことがわかった。

　ここで印象深い症例を提示する。43歳，0回経妊0回経産，子宮筋腫管理依頼で紹介，初診時内膜細胞診陰性，増大傾向のため子宮摘出したところ左右の筋腫核に挟まれるように，内膜内にとどまる類内膜癌 G2，腫瘍容積

0.15cm³と微小病変を認めた．摘出標本像を図Ⅱ-3に，病理組織像（HE×100）を図Ⅱ-4に示す．

大和田ら[3]も同様の検討がなされており，内膜細胞診偽陰性症例の臨床病理学的背景として初期癌，類内膜癌（高分化型），小病変（腫瘍径1cm以下，子宮底部限局）を挙げている．

すなわち陰性例になりやすい臨床的項目を踏まえた上で，内膜細胞診を活用することが重要と考える．内膜細胞診陰性でも臨床的に子宮体癌を疑う場合には内膜細胞診の再検査，内膜組織診へ誘導することが必要と考える．

内膜細胞診による子宮体癌の検出率となると，今回の検討では92.4％（777/841例）となった．大和田ら[3]も初回内膜細胞診に限れば82％にとどまったが，繰り返し内膜細胞診を行えば89％となったと記載している．

4 子宮体癌特殊型に対する内膜細胞診の有用性

子宮体癌でも類内膜癌以外の特殊な組織型を推定できるか検討したので述べたい[4]．子宮体癌の特殊型は予後不良例を含むため，治療方針を計画する上でも治療前に把握できる臨床的メリットは大きい．

子宮体癌818例のうち，内膜組織診の詳細が確認できた類内膜癌以外の特殊型190例を対象とし，治療前に施行した内膜細胞診と確定組織診とを比較検討した．内膜細胞診陽性率は96％，最終診断との完全一致率は全体で14％（27/190），組織型別では漿液性腺癌4％（1/25），粘液性腺癌33.3％（1/3），明細胞腺癌11.1％（1/9），腺扁平上皮癌11.1％（5/45），腺棘細胞癌14.5％（9/62），癌肉腫12％（3/25），未分化癌0％（0/4），扁平上皮癌50％（1/2），内膜間質肉腫22.2％（2/9），肉腫0％（0/6）であった（表Ⅱ-1）．

内膜細胞診の診断は62％（106/190）を腺癌または類内膜腺癌と推定していた．漿液性腺癌では8％に砂粒体を認めたため，卵巣癌からの転移性腺癌と判断していた（図Ⅱ-5）．

肉腫では67％を正常内膜と診断しておりサンプリングの困難が考えられた．陽性率は96％と高水準であったものの，特殊型の推定診断の一致率は決して高いとは言えず特殊型の存在も忘れずに診断する姿勢が必要と考える．

5 子宮頸部および内膜細胞診に出現する子宮外腫瘍について

1989～1992年の期間中，頸部および内膜細胞診総数21,137件のうち，悪性腫瘍と診断したのは998件，そのうち子宮外臓器原発の悪性腫瘍が混入したのは26例あり，0.123％だった[5]．その内訳を表Ⅱ-2に示す．卵巣癌が10例と最も多く，性器外臓器としては胃癌が8例と多かった．

子宮への転移の有無と頸部および内膜細胞診への出現につき調べてみた．26例中19例（73％）で子宮転移の有無が確認でき，19例中9例（47％）に子宮への転移が確認できた．興味深いのは子宮転移のあった9例は全例頸部にも体部にも悪性腫瘍の出現を認めている．一方で子宮転移のなかった10例では頸部に出現したのは3例にとどまったが，体部には10例全例出現していた．この10例はすべて腹水細胞診陽性例であり，経卵管的に子宮内腔に

表Ⅱ-1 特殊型の内訳別一致率

組織型	例数（n）	一致率（％）
漿液性腺癌	25	4
粘液性腺癌	3	33.3
明細胞腺癌	9	11.1
腺扁平上皮癌	45	11.1
腺棘細胞癌	62	14.5
癌肉腫	25	12
未分化癌	4	0
扁平上皮癌	2	50
内膜間質肉腫	9	22.2
肉腫（平滑筋，横紋筋）	6	0

特殊型全体の内膜細胞診陽性率：96％
特殊型の内膜細胞診最終一致率：14％

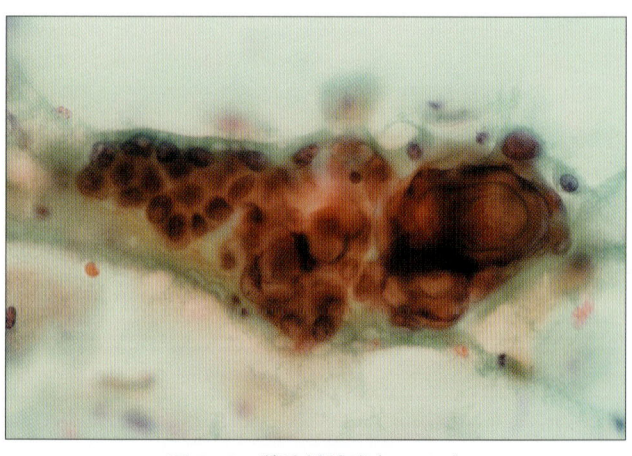

図Ⅱ-5 漿液性腺癌（×400）
砂粒体を伴う腺癌集塊を認める．背景も比較的きれいなため卵巣癌の漿液性腺癌の子宮内腔出現と考えた症例

Serous adenocarcinoma
Noted adenocarcinoma clusters with psammoma body. A case in which serous carcinoma of ovarian cancer was thought to appear in the uterine cavity because the background was clean.

表Ⅱ-2 子宮外原発臓器の内訳

卵巣癌	10例
胃癌	8例
卵管癌	2例
乳癌	2例
結腸癌	1例
回腸平滑筋肉腫	1例
悪性中皮種	1例
骨髄性白血病	1例
計	26例

表Ⅱ-3 子宮への転移の有無と頸部および内膜細胞診への出現について

			細胞診への悪性腫瘍出現件数	
			頸部	体部
子宮への転移	あり	9例	9例	9例
	なし	10例	3例	10例

表Ⅱ-4 細胞診にて原発臓器の推定の可能性について

	例数	推定可能	推定不可能
卵巣癌	10	8	2
胃癌	8	7	1
卵管癌	2	0	2
乳癌	2	2	0
結腸癌	1	1	0
回腸平滑筋肉腫	1	0	1
悪性中皮種	1	0	1
骨髄性白血病	1	1	0
計	26	19	7

取り込まれたと考えるべきであり，吸引細胞診にて陰圧をかけ採取した効果は否定できない（表Ⅱ-3）。

さて細胞診にて原発臓器の推定が細胞診上可能か否かにつき検討した。推定可能例は26例中19例（73％）であった。症例の多くは事前に臨床情報を入手できており，推定臓器が判明していたことは大きいが，卵巣癌1例，卵管癌1例，胃癌1例は子の細胞診を根拠に原発疾患の治療開始ができたことから，少ないながらも細胞診が臨床に寄与できると考えられる（表Ⅱ-4）。

6 おわりに

「不正性器出血があっても，すぐ止血したから大丈夫と思っていた」「赤い出血ではなく褐色の帯下だったので不正出血とは思わなかった」「子宮体部の検査は痛いので怖くて医療施設に行かなかった」などの患者様からの声は非常に多い。子宮体癌の増加を危惧している我々医療従事者は内膜細胞診の採取，そして判定に今後も精力を注いでいくべきである。

一方で子宮頸癌に対しては子宮頸癌検診の推奨あるいは子宮頸癌予防ワクチン接種勧奨など国レベルのシステムが稼働しているものの，それに対して増加する子宮体癌対策については物足りない感が否めない。各地方自治体の癌検診担当者の情報共有，ひいてはマスコミなどの協力もいただきながら子宮体癌の早期発見に対する対策の機運が高まることを期待してやまない。

（加藤　久盛）

■ 文　献

1) 国立がん研究センター. がん情報サービス.
   子宮体癌 https://ganjoho.jp/public/cancer/corpus_uteri/index.html
   子宮頸癌 https://ganjoho.jp/public/cancer/cervix_uteri/index.html
2) 加藤久盛ほか. 子宮体がん検診における医療安全のために―子宮内膜細胞診が陰性評価であった子宮体癌の再検討―. 第15回日本婦人科がん検診学会プログラム抄録集 2006; 25.
3) 大和田倫孝ほか. 閉経後出血患者における子宮体癌の看過なき診断法―内膜細胞診の精度を考える. 産婦人科の世界 2007; 59: 465-469.
4) 加藤久盛ほか. 子宮内膜細胞診にて子宮体癌の組織型が推定できるか？特に特殊型について―. 日臨細胞誌 2006; 45: 372.
5) 加藤久盛ほか. 転移性子宮癌の4症例―子宮外臓器原発の悪性細胞が子宮頸部および子宮内膜細胞診に出現した症例の検討を加えて―. 日臨細胞誌 1994; 33: 679-686.

子宮内膜細胞診の応用

診断精度向上に向けて

編著　**矢野 恵子**（内膜細胞診勉強会 代表）

A4判 160頁（オールカラー）

定価 7,700円（本体 7,000円＋10％消費税）

カラー図版610点以上を掲載

最新情報を盛り込み、内膜の液状化細胞診検体判定、子宮内膜異型細胞像を中心に詳解。
さらなる診断精度向上を目指す方必携の書。

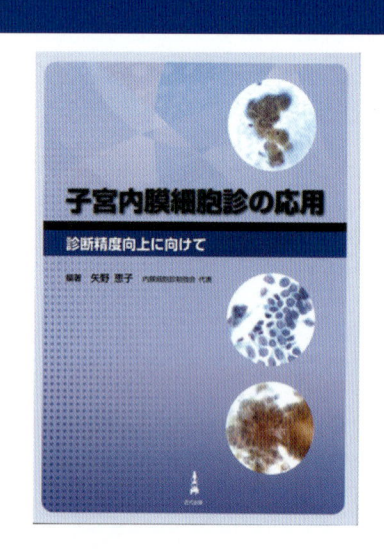

内膜細胞診の診断精度向上に必須の基礎知識の多岐にわたる詳細な解説とともに、今後応用がますます進んでいくものと予測される内膜の液状化細胞診検体の判定の実際、記述式報告様式における子宮内膜異型細胞の細胞像の解説をもって構成されている。さらに症例アトラスにおいては、直接塗抹標本と液状化細胞診検体の細胞像を詳細に比較しながら多くの症例を供覧している。

主要目次

組織診解説
- I　子宮内膜病変の組織診断に診断不一致が生じる要因
- II　子宮内膜上皮の異型とは何か
- III　ホルモン不均衡状態における内膜変化
　　　―内膜腺間質破綻（EGBD）と不調増殖期内膜（DPP）
- IV　子宮内膜に生じる化生（細胞質変化）
- V　子宮内膜癌発癌に関わる遺伝子変異

細胞診解説
- VI　異型内膜上皮細胞（ATEC）の細胞像
- VII　子宮内膜における液状化検体細胞診（LBC）の基礎と応用

症例アトラス（42症例）

近代出版　〒150-0002　東京都渋谷区渋谷2-10-9
TEL 03-3499-5191　FAX 03-3499-5204
https://www.kindai-s.co.jp

詳しい内容・ご注文は弊社HPから　[近代出版　臨床]　[検索]

III 子宮内膜細胞診報告様式 The Yokohama System（TYS）

1 記述式子宮内膜細胞診報告様式からヨコハマシステムへの変遷

　記述式内膜細胞診報告様式は，日本臨床細胞学会が編集して2015年に出版された『細胞診ガイドライン1　婦人科・泌尿器』[1]に，初めて掲載された。本報告様式は，もともと日本臨床細胞学会平成20年度（2008年度）班研究『記述式報告様式を用いた子宮内膜細胞診の感度・特異度確立と向上のための多施設共同研究』[2]を実施するにあたり，組織診断との整合性を有する新たな細胞診報告様式が必要となり，考案されたものであった。班研究終了後，少しずつ本報告様式の認知度が高まっていた。そのような中で，2013年に日本臨床細胞学会は公益社団法人化され，それを契機として細胞診断業務の職責をさらに果たすため，2015年から全領域を網羅した「細胞診ガイドライン」が5分冊化されて出版されることとなり，『細胞診ガイドライン1　婦人科・泌尿器』に正式に「記述式内膜細胞診報告様式」として掲載されるに至っている。ただし，従来から用いられてきた「陰性（negative）」，「疑陽性（suspicious）」，「陽性（positive）」判定が廃止されたわけではなく，当面は，併記での使用が推奨されている状況である。

　翌年の2016年に，横浜で開催された19th International Congress of Cytologyにおいて子宮内膜細胞診に関するシンポジウムが企画され，子宮内膜細胞診報告様式に関する議論が行われた。このシンポジウムにおいては，具体的に日本とギリシャから，それぞれ組織診断との整合性を有する内膜細胞診報告様式が提案された。学会終了後，シンポジウムの座長を担当されたFranco Fulciniti先生と平井康夫先生が主軸となって，本シンポジウムの参加者がメンバーとなり，国際的に統一された，新たな内膜細胞診報告様式を策定することとなった。そして，その成果は，2018年『Diagnostic Cytopathology』に「The Yokohama System for reporting directly sampled endometrial cytology」[3]として報告され，現在に至っている（表III-1, 2）。

表III-1　The Yokohama system for reporting directly sampled endometrial cytology

Cytological Result (JSCC)	Cytological Result (Greece)	Histological Diagnosis (WHO classification)	Descriptive terminology for cytological result	TYS grading category
Unsatisfactory	Inadequate		Unsatisfactory for evaluation	TYS 0
Negative for Malignancy	Without evidence of malignancy	Proliferative endometrium Secretory endometrium Menstrual endometrium Atrophic endometrium Benign reactive change Endometrial polyp Endometrial glandular and stroma Breakdown (EGBD)	Negative for malignant tumors and precursors	TYS 1
Endometrial hyperplasia	ACE-L	Endometrial hyperplasia without atypia Hyperplastic polyp	Endometrial hyperplasia without atypia	TYS 3
Atypical endometrial hyperplasia	ACE-H	Atypical endometrial hyperplasia, Endometrioid intraepithelial neoplasia (EIN)	Atypical endometrial hyperplasia/ Endometrioid intraepithelial neoplasia (AEH/EIN)	TYS 5
Malignant tumor	Malignant	All malignant tumors, including Serous intraepithelial carcinoma (SEIC)	Malignant neoplasms	TYS 6
ATEC-US	ACE-US		Atypical endometrial cells, of undetermined significance (ATEC-US)	TYS 2
ATEC-A	ACE-H		Atypical endometrial cells, cannot Exclude AEH/EIN (ATEC-AE)	TYS 4

表Ⅲ-2 ヨコハマシステム（記述式子宮内膜細胞診報告様式）

（1）標本の種類
直接塗抹標本
液状化検体標本
（2）標本の適否
検体適正
検体不適正（TYS 0）
（3）記述式細胞診結果報告
陰性／悪性腫瘍および前癌病変ではない（TYS 1）
増殖期内膜，分泌期内膜，月経期内膜，萎縮内膜，良性反応性変化，
子宮内膜ポリープ，子宮内膜化生，アリアス-ステラ反応，
子宮内膜腺・間質破綻（EGBD）
子宮内膜異型細胞（ATEC）
子宮内膜異型細胞：意義不明（ATEC-US）（TYS 2）
※ATEC-USの理由は下記から選択する
・炎症により腫瘍性病変を否定できない
・ホルモン環境異常により腫瘍性病変を否定できない
・医原性変化により腫瘍性病変を否定できない
・良性変化ないし良性病変が疑われるが，腫瘍性病変の可能性も否定できない
子宮内膜異型細胞：子宮内膜異型増殖症／類内膜上皮内腫瘍や悪性病変を除外できない（ATEC-AE）（TYS 4）
細胞異型を伴わない子宮内膜増殖症（TYS 3）
子宮内膜異型増殖症／類内膜上皮内腫瘍（TYS 5）
ポリープ状異型腺筋腫を含む。なお，漿液性子宮内膜上皮内癌を除く
悪性腫瘍（TYS 6）
類内膜癌（G1，G2，G3，扁平上皮への分化を伴う），漿液性子宮内膜上皮内癌，漿液性癌，明細胞癌，
未分化および脱分化癌，混合癌，その他の子宮内膜癌，癌肉腫，平滑筋肉腫，子宮内膜間質細胞肉腫，
未分化間質肉腫，腺肉腫，子宮外悪性腫瘍

ATEC：Atypical endometrial cells
ATEC-US：Atypical endometrial cells, of undetermined significance
ATEC-AE：Atypical endometrial cells, cannot exclude endometrial atypical hyperplasia（EAH）/endometrioid intraepithelial neoplasia（EIN）

2　記述式子宮内膜細胞診報告様式とヨコハマシステムとの共通点，相違点

　我が国から提案された記述式内膜細胞診報告様式[2,4]とギリシャから提案された報告様式[5]には，いくつかの共通点がある。まず，何よりも重要な共通点は，細胞診判定区分がそれぞれに組織診断との整合性を有していることである。これにより，従来の判定区分である疑陽性に含まれる曖昧さを排除し，より正確に，臨床医に推定される子宮内膜の状態を伝えることが可能となった。また，将来的に変更が予想される組織診断にも，その都度対応していくことが可能となる道を開いた。一方では，細胞診では最終的な組織診断を推定することが困難な場合も考えられる。その場合の，いわゆる「判定のグレーゾーン」が設定されていることも我が国とギリシャの報告様式の共通点である。ギリシャ案では，具体的な組織診断を推定することが困難な場合は，すべて「ACE-US：Atypical endometrial cells undetermined significance」とされているのに対し，日本の案では，このような場合を「ATEC：Atypical endometrial cells」と判定し，さらに，必ずしも直ちに生検を求めない「ATEC-US：Atypical endometrial cells, of undetermined significance」と，異型内膜増殖症や癌が否定できないため，直ちに生検による組織診断を臨床側に求める「ATEC-A：Atypical endometrial cells, cannot exclude atypical endometrial hyperplasia or more」に区分し，臨床対応を2つに分けていることがギリシャ案との相違点である。

　もう1つの共通点として，標本の適正判断が設定されていることが挙げられる。ギリシャでは当時，すでに

ThinPrep内膜細胞診が運用されており，標本の適正基準も，それを前提として設定されていた。一方，日本では，ほぼすべての細胞診標本が直接塗抹法で作製されていた。そのため，あくまでも標本適正基準は，すべての標本作製方法に適応されるとされていたが，それぞれの標本作製法ごとの適正標本基準の科学的な検証は，今後の課題とされた。

判定のグレーゾーン以外の相違点は，若干，対応する組織診断区分が異なること，細胞診判定の名称が異なることのみであった。

3 ヨコハマシステムについて

ギリシャ案と日本案との差異はわずかであったため，両案の擦り合わせ作業は，比較的容易に完了した。その結果，完成された「ヨコハマシステム」は，従来の「記述式内膜細胞診報告様式」とほとんど同じと言っても過言ではないものとなった。ちなみに，この変更時に，WHOの組織分類で変更された内容も盛り込まれたため，主な変更箇所は，それに関連した部分が多い。また，「記述式内膜細胞診報告様式」で「子宮内膜異型増殖症（atypical endometrial hyperplasia）」とされていた箇所は，今回の変更時に「子宮内膜異型増殖症／類内膜上皮内腫瘍〔endometrial atypical hyperplasia/endometrioid intraepithelial neoplasia（EAH/EIN）〕」に改められた。これに伴い，ATEC-AはATEC-AEと表記されるようになった。さらに，それぞれの判定区分ごとに，TYS0～TYS6というナンバーが付与されることになった。

4 ヨコハマシステムが果たす役割

2007年の16th International Congress of Cytology（カナダ，バンクーバー）において，著者は「子宮内膜細胞診の最も重要な役割は，その後の生検によって病理診断を確定する必要がある状態（悪性腫瘍が疑われる状態）と，生検を必要としない状態（良性内膜）に正確に区分することである」と述べさせていただいた。これは，子宮内膜細胞診の判定を受けた臨床医が，その後，どのような対応をとれば良いのかを明確にする必要がある，との意見を臨床医から細胞診判定者に向けて発した意見とも言える。一方，実際に細胞診標本を判定する側からは，正常子宮内膜，癌以外にも多様な状態を示す子宮内膜に関し，様々な報告が可能と考えられるであろう。もしくは，判定に悩む状態であることを臨床医に伝えたいと考えるであろう。さらには，細胞診判定を行うには標本が不適正であると伝えたい場合も考えられる。従来の報告様式である「陰性」，「疑陽性」，「陽性」方式では，標本中に細胞が認められない場合は異型細胞が認められないとして，「陰性」として報告す

るように定められていたが，この方式では，検査を受けられた対象の利益とはならない。このような事情を反映させて，ベセスダ2001を参考に考案された報告様式は，不適正な標本では判定は行わない，もしくは不適正な標本でも異型な細胞が観察される場合には，その条件で推定される病変を報告するとともに，標本が適正に作製されていれば，さらに悪性度の高い判定が得られる可能性があると警鐘を鳴らすように定められている。また従来，明らかな正常ではなく，癌とも断定できない状態をすべて「疑陽性」と報告することが許容されていたが，記述式報告に改めることにより，より詳細な判定と報告が必要となった。このことは，細胞診判定を行う側に対して，さらなる曖昧さの排除を求める目標となった。このように，記述式内膜細胞診報告様式とは，単純に，どのように報告するかを定めたものではなく，様々な目標を設定したものと言えるであろう。一方では，鏡視下で，どうしても何らかの組織診断名を推定した判定をすることが困難な場合，ATECとする判定区分を設けた。これにより，将来的にATECと判定される対象を集中的に臨床研究することが可能となった。さらに，新たな補助的判定手法の導入によって，ATECと判定される対象の絞り込みを目的とした臨床研究を促すことも目標とした。

5 ヨコハマシステムによってもたらされた新しい知見

ヨコハマシステムが設定されたことにより，大きく前進した2つの領域がある。1つは標本適正に関する知見，もう1つは内膜細胞診における判定のグレーゾーン，すなわちATECに関する知見である。2008年に設定された日本における子宮内膜細胞診標本適正基準は，科学的な根拠を伴わない，暫定的に妥当と思われる内容であった。この基準は，その後の検証によって，議論の末に最終的な結論が導き出されることが望ましいとされた。これを受けて液状化検体細胞診（Liquid-based cytology：LBC），特にSurePath標本に関する適正基準の検討が報告された[6,7]。これによれば，細胞集塊を30個以上の細胞で構成される集塊と定義し，細胞集塊が10個以上存在すれば標本適正と判断されること，また，60歳以上の採取される細胞量が少ない場合では，細胞集塊数を5個以上で適正としても，判定精度に影響はないことも報告された。現在に至るまでに，この結果を覆す検討結果は報告されておらず，SurePath法に関しては，この案が最終結論となることが予想される。臨床研究で直接塗抹標本を用いた議論は，あまり見受けられなくなっている現状を考慮すると，現行の基準，すなわち50個以上の細胞で構成される細胞集塊が10個以上，もしくは大型の組織様大型集塊が1個でも出現している場合に適正と判断する，との基準が，そのまま

継続される可能性が高いと考えられる。将来的には，他のLBCでの標本適正基準が検証されることが望ましい。

細胞診判定のグレーゾーンにあたるATECについても，その後の学会や学会誌で，発表や報告が行われるようになった。ATECは，臨床的取り扱いが異なるATEC-USとATEC-AE（記述式内膜細胞診報告様式におけるATEC-A）に細分されている。すなわち，強く悪性腫瘍が疑われることはないが，正常もしくは良性内膜とは断定できず，少なくとも3カ月以内での細胞診の再検査，もしくは臨床判断上組織診検査が必要と判断された場合の内膜生検が進められるATEC-USと，高い確率でEAH/EINや悪性腫瘍が疑われるものの，標本中に存在する細胞の質や量によって，断定的な判定を下すことが困難な場合のATEC-AEである。ATEC-AEは強く悪性腫瘍が疑われるため，判定を受けて，内膜組織診断を確定することが基本的には必須である。暫定的に設定された臨床的取り扱いの妥当性およびATEC-USやATEC-AEと判定された対象の，最終的な組織診断結果や臨床経過に関するMunakataらの報告[8]では，ATEC-USと判定された対象からEAHもしくは悪性腫瘍と診断されたものが14.7%（5/34）であったのに対し，ATEC-AEでは47.1%（8/17）と，その両者に大きな病理学的な差異が認められたと報告されている。Shinagawaら[9]やNomuraら[10]からも同様の報告がされた。このことより，暫定的な臨床対応方法の妥当性が示されている。今後の課題としては，補助的な手法によって，特にATEC-USの判定をさらに減少させることが望まれる[11,12]。特に，分子遺伝学的予後因子と関連する免疫組織化学の細胞診への応用が期待されている[13]。

6 ヨコハマシステムの未来

ヨコハマシステムは，欧州のメンバーとの合意によって形成された子宮内膜細胞診報告様式であり，現在，世界中で通用する唯一の報告様式と言える。しかし今後，他の国から新たな子宮内膜細胞診報告様式が提案された場合，それに対する対応が必要となることが考えられる。また，日本および欧州で，子宮内膜細胞診に対する関心が薄れた場合，ヨコハマシステムを含めた子宮内膜細胞診報告様式そのものが無用となることも十分に考えられる。このような事態を迎えないために，国内外での子宮内膜細胞診判定精度を向上させるための活動は継続される必要がある。その場合，主にThinPrep法を用いたLBCで子宮内膜細胞診の検討を行ってきた欧州は，LBC内膜細胞診で日本より10年以上の先進性を有している。今回，ヨコハマシステムという欧州と日本との合意の上に成立した報告様式は，今後の協議を行う上で極めて重要な共通言語であると言える。すなわち，欧州での先進性と日本における実際の臨床で得られた莫大な経験と実績を合わせた臨床研究が，今後の子宮内膜細胞診の発展に寄与すると考えられる。また，日本においても同じLBCであるSurePath法を用いた子宮内膜細胞診に関するエビデンスは欧州のそれに引けをとらない。さらに2023年から，日本においても，新たなThinPrep内膜細胞診の臨床研究が開始されようとしている。今後，子宮内膜細胞診に将来性を見出している研究者にとって，国籍を問わず，臨床研究に参加できる道ができつつあると言えるであろう。

（矢納　研二）

■文献

1) 日本臨床細胞学会（編）．細胞診ガイドライン1 婦人科・泌尿器．金原出版 2015.
2) Yanoh K, et al. New terminology for intrauterine endometrial samples: a group study by the Japanese society of clinical cytology. Acta Cytol 2012; 56: 233-241.
3) Fulciniti F, et al. The Yokohama system for reporting directly sampled endometrial cytology: The quest to develop a standardized terminology. Diagn Cytopathol 2018; 46: 400-412.
4) 矢納研二．記述式子宮内膜細胞診報告様式の意義．日本婦人科病理学会誌 2016; 7: 25-29.
5) Margari N, et al. A reporting system for endometrial cytology: Cytomorphologic criteria-Implied risk of malignancy. Diagn Cytopathol 2016; 44: 888-901.
6) 花田梓ほか．子宮内膜液状化検体細胞診における検体適正基準の検討．日本臨床細胞学会雑誌 2015; 54: 351-357.
7) Nimura A, et al. Evaluation of cellular adequacy in endometrial liquid-based cytokogy. Cytopathol 2019; 30: 526-531.
8) Munakata S, et al. Practical usefulness of atypical endometrial cell categories within the new classification of endometrial cytology when applied to conventional smears. Cytopathol 2017; 28: 131-139.
9) Shinagawa A, et al. Evaluation of the benefit and use of the new terminology in endometrial cytology reporting system. Diagn Cytopathol 2018; 46: 314-319.
10) Nomura H, et al. Clinical management of the status of atypical endometrial cells using the descriptive reporting format for endometrial cytology. Cytopathol 2019; 30: 209-214.
11) Munakata S, et al. Application of immunocytochemical and molecular analysis of six genes in liquid-based endometrial cytology. Diagn Cytopathol 2022; 50: 8-17.
12) Munakata S. Diagnostic value of endometrial cytology and related technology. Diagn Cytopathol 2022; 50: 363-366.
13) 日本産科婦人科学会・日本病理学会（編）．子宮体癌取扱い規約 病理編 第5版．金原出版 2022.

Ⅳ 内膜細胞診断に必要な病理学的知識

1 はじめに

子宮内膜細胞診は，内膜腺管の配列（構築），間質細胞との出現割合，個々の細胞の核所見，背景の状態などを観察し，それらを組み合わせて判定を行う。疑陽性以上の結果が得られると生検が施行されるケースが多いため，組織像と細胞像の対比を行うことが可能である。このとき，病理組織診断の結果をもとに細胞像の見直しを行うことになるが，子宮内膜の病理組織像は多様であり，一病巣の中にも多彩な変化が含まれていることも少なくない。したがって，得られた細胞所見が組織のどの部位を反映しているのかを確認することが極めて大切になる。

本章では，内膜病変の病理組織像に関して，基本的な事項について述べるとともに，特に細胞像を組織像と対比させる上で意識しておくべき点をふまえて解説を行う。前癌病変および癌の最新の組織分類[1~2]，推奨報告様式[3]およびそれらに関する総説[4~6]も参考にしていただきたい。

2 生理的状態における子宮内膜の組織像

性成熟期女性における子宮内膜は，月経期～増殖期～（排卵）～分泌期の周期に伴ってその組織像が一定の変化を繰り返す。閉経期になるとそれらの変化は徐々に不明瞭となり，閉経後には萎縮していく。すなわち，一概に「正常」といってもその組織細胞形態にはバリエーションがある。したがって，「生理的な」子宮内膜の変化と捉えるのが最も妥当であると考えられる。

内膜組織は，厚い平滑筋層に包まれた形で子宮内腔を覆っている。筋層側には基底層があり，単層または偽重層核を伴う腺管と，細胞密度の高い間質から構成されている（図Ⅳ-1）。これらはホルモンの影響を受けないことから分泌像を示さず，また核分裂像を認めない。周期的に変化するのはその内腔側に存在する機能層である（図Ⅳ-2）。機能層はさらに緻密層と海綿層に分けられる。いずれも内膜腺および固有間質によって構成されている。内膜表層には一層の立方上皮が被覆し，それらに連続して管状腺管がほぼ規則的に介在している。間質には子宮筋層内の動脈から分岐した基底層動脈および機能層内にはらせん状動脈が走行している。

機能層は，性成熟期においては月経周期によって形状が変化する[7]。増殖期は月経によって剝脱した機能層が再生する時期である。腺上皮の核は偽重層を示し，核分裂像も散見される（図Ⅳ-3）。初期には，腺管は小型・管状を呈しているが，やがて間質に比して腺管が優勢に増殖を示すようになると迂曲状を呈すようになる。分泌期になると，

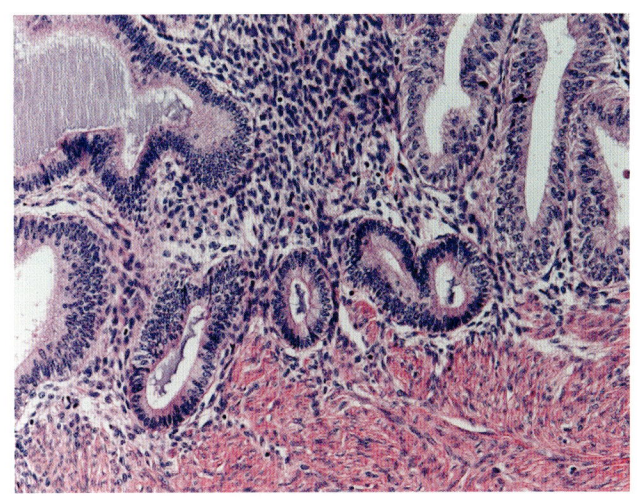

図Ⅳ-1 基底層（HE染色，×10）
子宮筋層の直上に存在する小型の腺管で，周期的変化を示さない。

The basalis of the endometrium
Located just above the myometrium, and composed by non-cyclic epithelial cells.

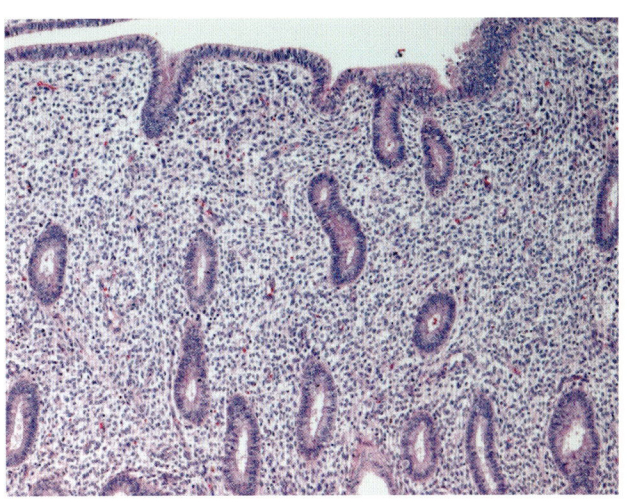

図Ⅳ-2 機能層（増殖期）（HE染色，×4）
内膜腺管は，ほぼ等間隔に配列し，細胞成分に富む間質が介在する。

Functionalis of the endometrium
The glands are distributed relatively regularly, admixed with cellular stroma.

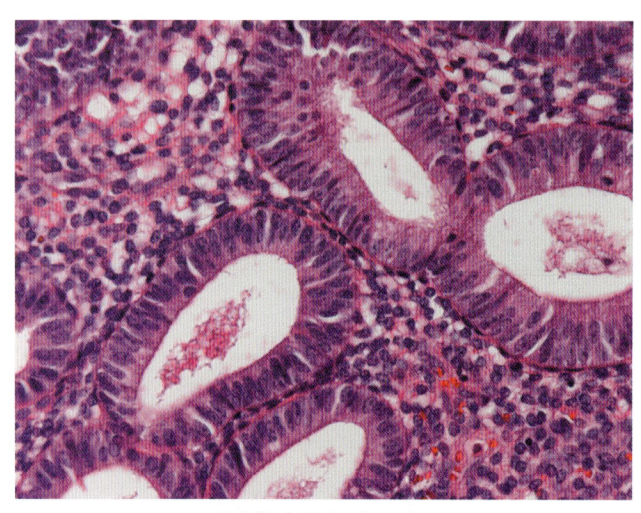

図Ⅳ-3 増殖期内膜腺（HE染色, ×40）
腺は管状で，上皮の核は軽い偽重層を示している。

Proliferative phase endometrium
The structure of the glands are tubular, and the nuclei may show pseudostratification.

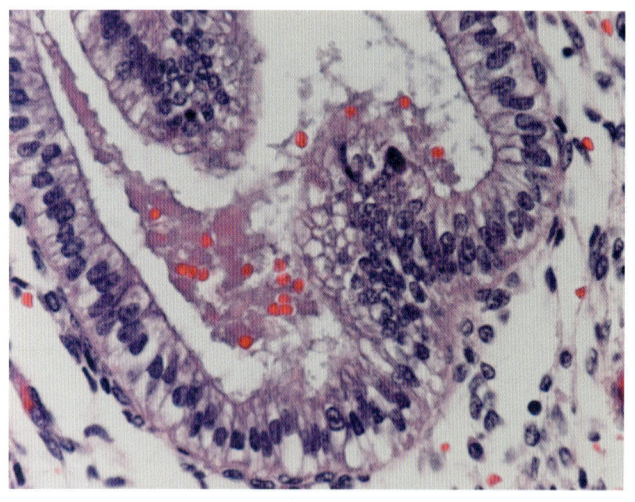

図Ⅳ-4 分泌早期内膜（HE染色, ×40）
核下〜一部は核上の空胞に加えて内腔に分泌物があり，排卵後5日目相当である。

Early secretory phase
Sub-and suplanuclear vacuolization are evident, associated with luminal secretion.

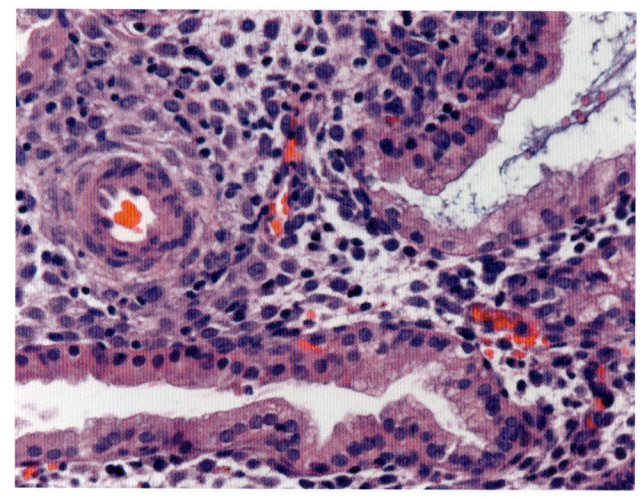

図Ⅳ-5 分泌後期内膜（HE染色, ×20）
腺管には単層の濃縮核を認め，間質にはらせん動脈の発達と前脱落膜細胞の介在がみられる。

Late secretory phase
The nuclei is not stratified, and the stroma is characterized by the development of spiral artery and predecidual stroma.

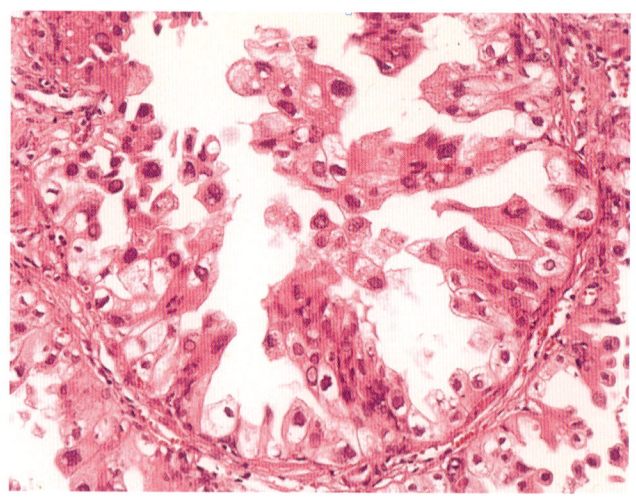

図Ⅳ-6 Arias-Stella現象（HE染色, ×20）
低乳頭状配列を示す上皮は空胞状の胞体と核腫大を伴う。

Arias-Stella phenomenon
Low-papillary epithelial stratification with vacuolar cytoplasm and enlarged nuclei.

腺管は菊花状を呈する。腺上皮の核は単層となり，円柱上皮の基底側に配列する。分泌早期に，排卵が起こったことの最初の組織学的証拠は核下空胞の出現で，排卵後3日目に最も顕著になり，ピアノの鍵盤のような様相を呈する（図Ⅳ-4）。空胞は徐々に核上に移行し，排卵後5日目には内腔への離出分泌像（アポクリン様分泌像）が出現する。分泌中期（排卵後6日目以降）になると，徐々に間質の浮腫が目立つようになる。分泌後期には，間質に前脱落膜細胞が出現し，やがてらせん動脈が発達する。この前脱落膜細胞は，卵型〜多角形，表層付近では紡錘形を呈し，胞体は好酸性〜両染性で，細胞境界は不明瞭である

（図Ⅳ-5）。これらは組織化学的，あるいは電顕的に，妊娠時にみられる脱落膜細胞と同一のものと考えられている。排卵後12日目になると前脱落膜細胞が集簇し緻密層が形成される。その後，間質に白血球の浸潤がみられるようになり，14日目に機能層が剥脱して月経となる。

月経期では好中球や，核破砕物からなる壊死物質の出現を認める。上皮は剥脱し断片状となるが，標本上ではむしろ密集してみられることがあり，過形成や癌と見誤らないように注意する。月経期後半になると，上皮の再生が目立つようになる。

妊娠時の子宮内膜所見は特徴的であり，内膜腺は分泌像

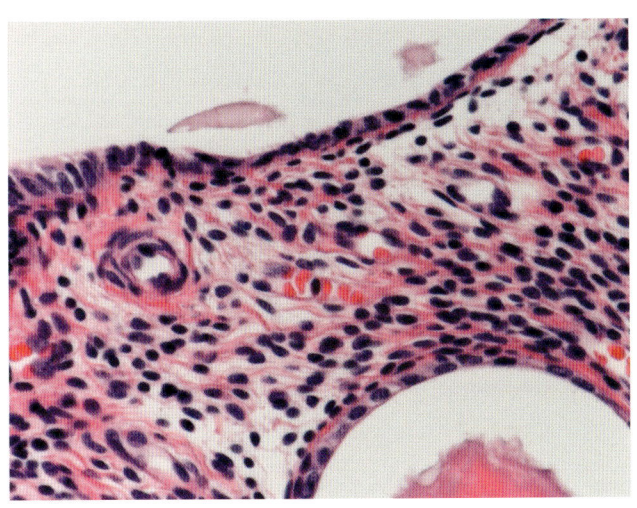

図Ⅳ-7 萎縮内膜（HE染色，×40）
腺上皮，間質ともに核が小型化している。内膜腺はときに嚢胞状拡張を示す。

Atrophic endometrium
Both of the nuclei of glands and stroma are small. Cystic glands are sometimes encountered.

を示し，間質は浮腫状で，しばしば脱落膜様の変化を示す。さらに特徴的な所見としてArias-Stella現象と呼ばれる腺上皮の変化がある（図Ⅳ-6）。血液中のヒト絨毛性ゴナドトロピン（hCG）増加に対する組織反応で，正常妊娠以外にも流産や子宮外妊娠の症例でも認められる。上皮の核重積，グリコーゲン蓄積による胞体の空胞化ならびに核腫大，核クロマチン増量などの異型を示す。

更年期の内膜は萎縮状か弱い増殖性変化を示す。閉経を迎えると萎縮内膜となり，内膜組織自体が菲薄化してゆく。腺上皮も萎縮し，小型になり，逆に嚢胞状拡張を示すことがある（図Ⅳ-7）。間質細胞の胞体も乏しくなるので，一見細胞密度が増し，内膜増殖症と誤認されることがある。

3 前駆病変の診断と亜分類

子宮内膜増殖症は，子宮内膜腺が生理的範囲を逸脱して過剰に増殖する病態である。病変の発生には，周期性を伴わない持続性のエストロゲン過剰状態が重要であり，ある一時期のエストロゲンの曝露量よりも，異常高値が持続する期間の長さがより強く関与するといわれている。増殖は腺管および間質の両者に生じるが，その程度が増すにつれて腺管がより優勢となる。程度が軽い増殖症は良性・反応性で可逆性の病的変化と目されるが，核異型を生じるようになると前癌病変としての意味合いが強くなり，本質的には腫瘍性変化と考えられるようになる。このように子宮内膜増殖症は，子宮内膜異型増殖症とともに生理的範囲から類内膜癌の前段階までを包含する，多彩な病理像からなる病変群である。増殖の程度が増すほど，あるいは核異型が出現するものほど，癌化のリスクは高くなることが明らかにされているので，病理組織診断においては，他の病変との鑑別を確実に行うこととともに，適切な亜分類をすることが求められる[8]。

現在用いられている子宮内膜癌の前駆病変（precursors）の分類を表Ⅳ-1に示す[1,2]。「子宮体癌取扱い規約病理編第5版」（2022年）ではWHO分類（第5版，2020年）に準拠した分類法が採用されている。すなわち，核異型（細胞異型）の有無から，異型を伴わない子宮内膜増殖症と，子宮内膜異型増殖症に分類する。後者は類内膜上皮内腫瘍と同義と捉えられている[3]。以前用いられていた単純型，複雑型の亜分類は採用されていない。

子宮内膜増殖症は，核異型のない，増殖期相当の腺上皮が過剰に増殖した状態である。生理的範囲の子宮内膜では確認できる正常の腺管配列は消失し，配列の規則性を失った腺管が出現する。理論的には腺上皮と間質はともにエストロゲンの過剰刺激により増殖しているのであるが，実際には腺管がより優位に増殖している。その結果，内膜腺の面積が間質面積を凌駕し，優勢となる（図Ⅳ-8）。厳密なものではないが，腺管：間質の面積比1：1以上（腺管内腔も面積に含める）が目安になる。増殖腺管は管状あるいは嚢胞状で，ときに鹿角状など不規則形を示す。嚢胞状変化が目立つ場合には，スイスチーズ様とも表現される。このような変化は，原則として内膜全体に，びまん性に生じる。増殖の程度が強くなると間質はほとんど目立たなくなり，腺管が背中合わせに密集し，back to backといわれる（図Ⅳ-9）。増殖腺管は複雑な形状を示し，腺管内腔や間質内への不規則な乳頭状突出がみられる場合も多い。腺上皮，間質ともに，細胞自体は増殖期内膜のものと著しい差はない。なお，周期性内膜の一部のみが腺管の密在を示す例では，腺管が間質に比して過剰増殖を示した結果，腺管が極端に蛇行した部分を観察している可能性が高く，不調

表Ⅳ-1 子宮内膜の前駆病変の分類

子宮体癌取扱い規約（2022年）	WHO分類（2020年）
子宮内膜増殖症	Endometrial hyperplasia without atypia
子宮内膜異型増殖症/類内膜上皮内腫瘍	Endometrial atypical hyperplasia / endometrioid intraepithelial neoplasia（EIN）

（文献1, 2より）

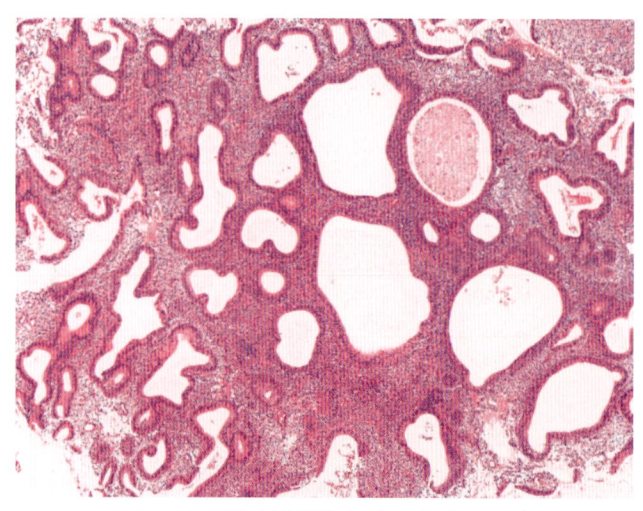

図Ⅳ-8　子宮内膜増殖症（HE染色，×2）
周期性内膜の腺管配列は不明瞭化し，軽い拡張を示す腺管は増殖して間質を凌駕している。
Endometrial hyperplasia without atyia
The ordinal arrangement of the glands are indistinguishable, and cystic glands are seen.

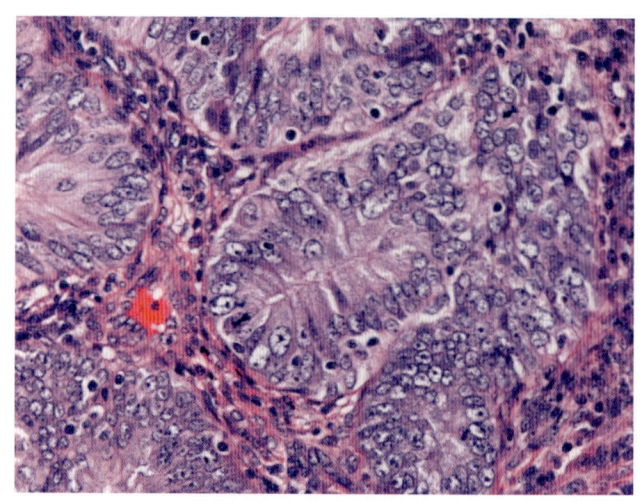

図Ⅳ-10　子宮内膜腺上皮の核異型（HE染色，×20）
核円形化，核腫大，核クロマチン増量（淡明化），核小体肥大がある。
Nuclear atypia in the endometrium
Round nuclei, nuclear enlargement, chromatin clearance and macronucleoli are evident.

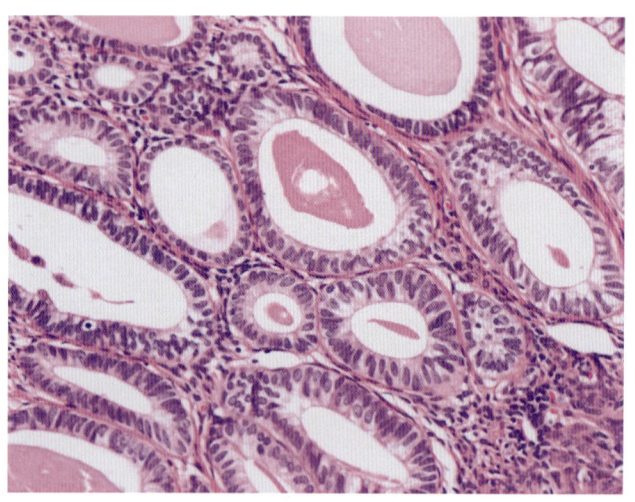

図Ⅳ-9　子宮内膜増殖症（HE染色，×10）
腺管増殖が特に強くなり，間質は乏しくなっている。核異型はみられない。
Endometrial hyperplasia without atyia
Glandular architecture become more irregular, and the amount of the stroma is reduced.

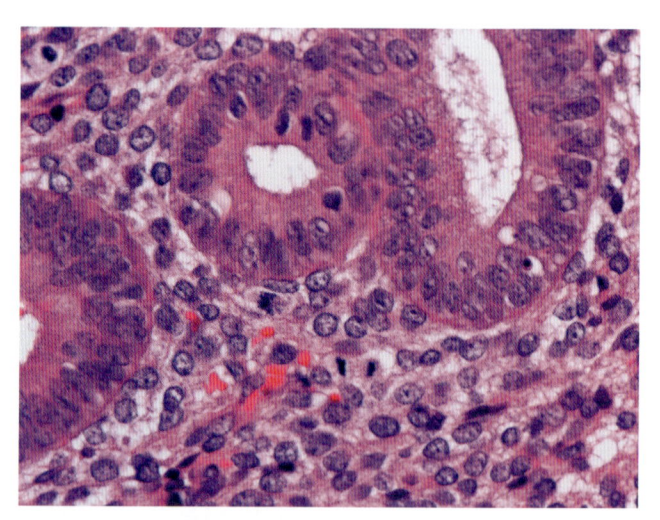

図Ⅳ-11　核異型の有無に関する観察（HE染色，×40）
上皮核は腫大しているようにもみえるが，その程度やクロマチンは周囲の間質と著差がないため，異型とは判断できない例。
Observation of nuclear atypia
It is necessary to compare the nuclear features of the glands and the stroma. There is no nuclear atypia in this particular case.

増殖内膜の可能性も考慮すべきである。増殖腺管の核には異型を伴わない。

　子宮内膜異型増殖症/類内膜上皮内腫瘍の病理診断は，核異型（細胞異型）の存在によって行う[9〜11]。核異型の具体的所見としては，①核が基底膜に対して方向性を持たずに配列すること，②核の腫大と核・細胞質比の増大，③核の大きさや形の不均一性，④核の円形化，⑤核クロマチンの不規則分布と核膜の肥厚（定型的には核が淡明化し，明るく抜けたようにみえる），⑥核小体の肥大，などが挙げられる（図Ⅳ-10）。注意すべき点として，部分的に核異型を伴う場合にも，病巣全体の診断は異型増殖症となる。核異型の判定の拠り所の1つとして，可能な状況であれば非異型核との対比が望ましい。介在する間質の核との対比や，基底層の腺上皮などとの比較がこれに相当する（図Ⅳ-11）。

　子宮内膜異型増殖症の構造は，一般に核異型のない子宮内膜増殖症に比してより不整で，back to backの傾向も強い。しばしば高分化類内膜癌との鑑別を要するが，間質浸潤を示す場合に癌と判断する決まりになっているので，腺上皮が癌と同程度の核異型を示しても腺管自体に浸潤の証

拠が得られない場合（理論上は上皮内癌/非浸潤性類内膜癌ともいえるが，診断上そのような名称は用いていない）には，異型増殖症の診断にとどめる（図Ⅳ-12）。類内膜上皮内腫瘍の元来の概念は表Ⅳ-2の通りであるが，現在ではWHO分類，子宮体癌取扱い規約ともに，子宮内膜異型増殖症と同等に取り扱われている。

4　子宮内膜増殖症・子宮内膜異型増殖症と鑑別を要する非腫瘍性病変の組織像

　子宮内膜増殖症・異型増殖症の診断は必ずしも容易ではなく，鑑別すべき病変，疾患も多彩である[12]。

　無排卵性子宮出血に伴う内膜病変は，更年期に認められることが多い。月経周期が不順となり無排卵が生じると，卵胞は存続し，黄体ホルモンによる変化が惹起されずにエストロゲンによる影響のみが存続する。その結果，無月経に続いて異常な性器出血（破綻出血）をきたすと考えられている。多嚢胞性卵巣においても反復性に無排卵周期を示した結果，同様の変化をきたす。このような状態の内膜組織の変化には不調増殖内膜（不規則増殖内膜：disordered proliferative phase）と子宮内膜腺間質破綻（不全増殖内膜：endometrial glandular and stromal breakdown）がある。いずれも子宮内膜増殖症には満たない可逆的な変化で，エストロゲン過剰状態が修復されれば消失する。組織学的には2種類の変化が出現しうる。不調増殖内膜（不規則増殖内膜）では，増殖期内膜を背景に，一部の腺管のみ蛇行，密在する状態である（図Ⅳ-13）。それ以外の部分は生理的な周期の増殖期内膜である。部分的な採取によって子宮内膜増殖症と過剰判定される危険がある。診断が難しい場合には，時間をおいて再検することも考慮される。不全増殖内膜は，出血や壊死物質とともに，分泌像を欠く内膜腺および細胞密度の高い内膜間質が，それぞれ断片状の小塊となり出現する（図Ⅳ-14）。月経時内膜にも類似している一方，腺が密集して子宮内膜増殖症や癌との鑑別を要することもある。腺管だけではなく間質もともに断片化している点に着目すべきである。なお，これらの病変は病理学的所見名である。日常診療の上では，子宮内膜

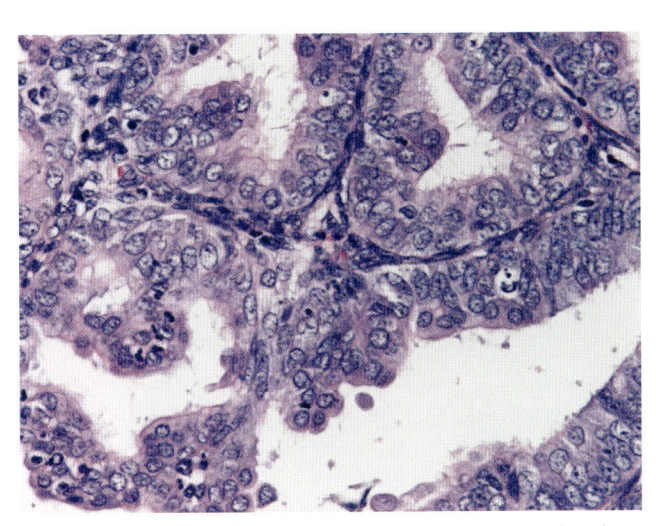

図Ⅳ-12　子宮内膜異型増殖症/類内膜上皮内腫瘍（EIN）
（HE染色，×20）
核異型を有する腺管が密在しており，back to back 構造を示す。

Atypical endometrial hyperplasia/Endometrioid intraepithelial neoplasia（EIN）
Glandular structures are so clouded to develop "back to back" appearance.

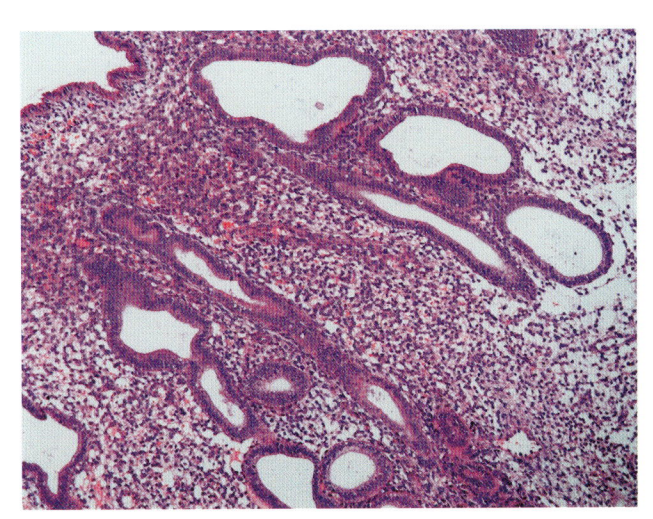

図Ⅳ-13　不調増殖期内膜（HE染色，×4）
腺管の一部が密在しているが，他の部位は周期性変化を示している。部分的増生による腺管蛇行の影響とみられる。

Disordered proliferative phase
Glands are focally clouded, but the abnormality is not diffusely seen.

表Ⅳ-2　EIN（類内膜上皮内腫瘍：endometrioid intraepithelial neoplasia）の診断基準

EIN判定基準	コメント
構築	腺管面積が間質より勝っている（>55%）
細胞	腺管密集部の細胞像が背景上皮のものと異なっているか，明らかに異常な細胞所見を示した場合
大きさ>1mm	最大径（一方向）が1mm以上
類似病変の除外	良性疾患で診断基準の一部が重複するため。基底層，分泌期，ポリープ，再生など
癌を除外	もし迷路状の腺管，充実部，モザイク状，多形性腺管の存在や，筋層への浸潤，診断に十分な篩状構造を認めた場合には癌と判断する

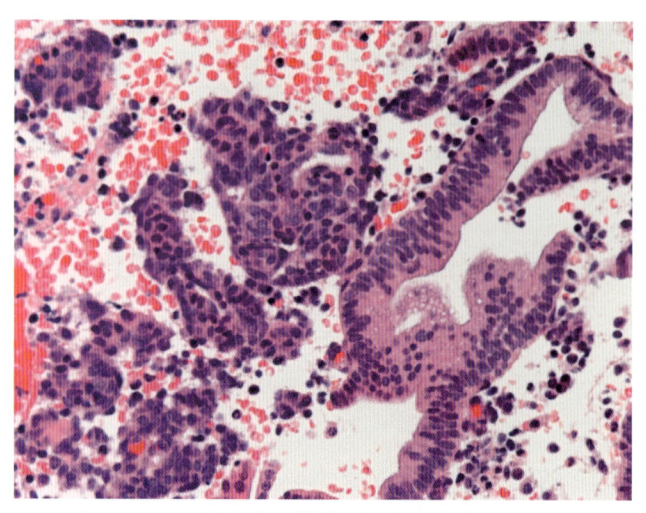

図Ⅳ-14 子宮内膜腺間質破綻（HE 染色, ×10）
増殖期（非分泌期）腺管と, コンパクトな間質がそれぞれ断片化して出現する。生検標本で認められる。

Endometrial glandular and stromal breakdown
Irregular contour of non-secretory glands and compact stroma is a characteristic feature.

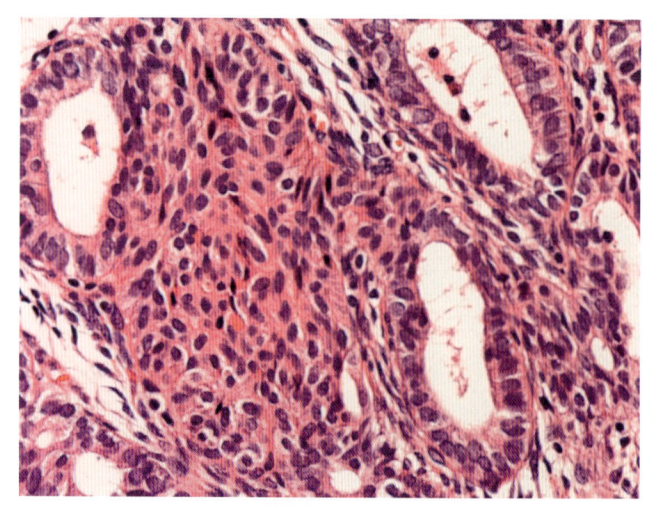

図Ⅳ-15 桑実様化生（HE 染色, ×20）
未熟な扁平上皮化生と考えられ, 好酸性の胞体を有する細胞が充実胞巣を形成している。

Morular metaplasia
Considered as one of the immature types of squamous metaplasia. Solid cell nests of eosinophilic cytoplasm is characteristic.

癌, 子宮内膜増殖症を否定できれば,「増殖期内膜, 悪性所見なし」との診断で全く差し支えはない。

子宮内膜腺上皮には様々な種類の化生（細胞変化）が起こり, しばしば子宮内膜異型増殖症や体癌との鑑別を要する[13,14]。判断が難しい場合も含め, 原則的に内膜病変の診断は化生以外の部分で行うことが推奨されている。なお, 化生とは特定の分化細胞への変化を指し示すものであるとの考えから, 細胞形態の特徴のみを捉えているものも含まれているので, 細胞変化という呼称を好む研究者もいる。扁平上皮化生は炎症後（慢性子宮内膜炎, IUD 挿入後, 子宮留膿症後など）, ホルモン治療後, ビタミンA欠乏症, 内膜ポリープ, 内膜増殖症, 類内膜癌に合併する。定型例では化生細胞は好酸性の胞体を有し, 一部に角化を伴う。桑実様化生（morule）は, 扁平上皮化生の特殊な型（予備細胞あるいは未熟な扁平上皮）と考えられており（図Ⅳ-15）, 性成熟期に多く, 上記の病変や多嚢胞性卵巣などで出現する。腺管内腔以外に腺管周囲間質にも出現する。子宮内膜増殖症などで, 中心の扁平上皮化生（または桑実様化生）胞巣の周囲に複数の腺管がロゼット状に配列するものを adenoacanthosis と呼ぶ。乳頭状化生は, 異型のない内膜上皮が間質介在なしに乳頭状に突出した状態である。弱好酸性の細胞質が目立ち, 細胞境界が不明瞭となり合胞細胞様にみえる場合には表層合胞状化生といわれる（図Ⅳ-16）。内膜組織の破綻後に生じる再生変化と考えられ, 閉経前女性に多く, エストロゲンの刺激を受けた内膜に生じる頻度が高いが, 核異型はみられない。線毛上皮変化（卵管上皮化生）は最も高頻度に認められるもので, 内膜腺上皮が線毛上皮細胞によって置換された状態である（図Ⅳ-17）。エストロゲン刺激の環境下で生じることが多

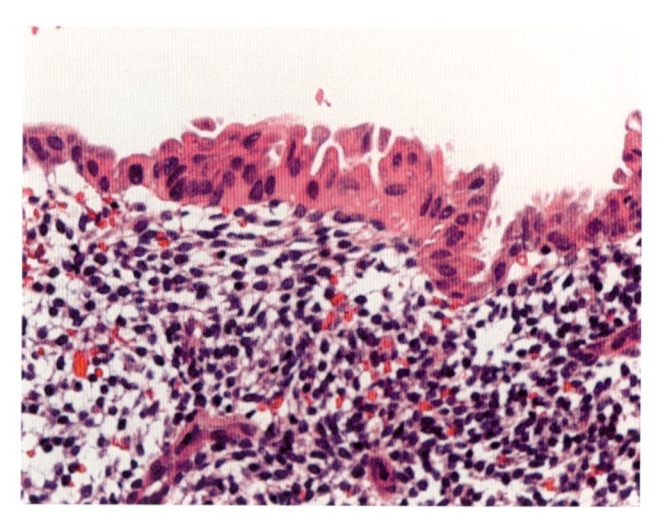

図Ⅳ-16 表層合胞状化生（HE 染色, ×20）
細胞境界が不明瞭な上皮集塊で, 内膜表層に認められ, 細胞質は好酸性を示す。

Surface syncytial metaplasia
Usually seen on the surface epithelium, and eosinophilic cytoplasm without distinct cell border is a feature.

い。好酸性変化は細胞質が豊富で, かつ強い好酸性の変化を示すもので, 他の化生に合併してみられることが多い（図Ⅳ-18）。粘液性化生は, 子宮頸管腺のように粘液を含む高円柱上皮によって内膜腺上皮が被覆された状態で, ときに杯細胞を有する。明細胞変化は鋲釘状化生とほぼ同義である。多量のグリコーゲンを含むために細胞質が淡明（明調）になる。閉経後にエストロゲンを服用している女性や, Arias-Stella 現象にも合併する。

子宮内膜ポリープは, 子宮内膜から内腔に向けて突出する結節状の隆起性病変である（図Ⅳ-19）[15]。内膜腺管は

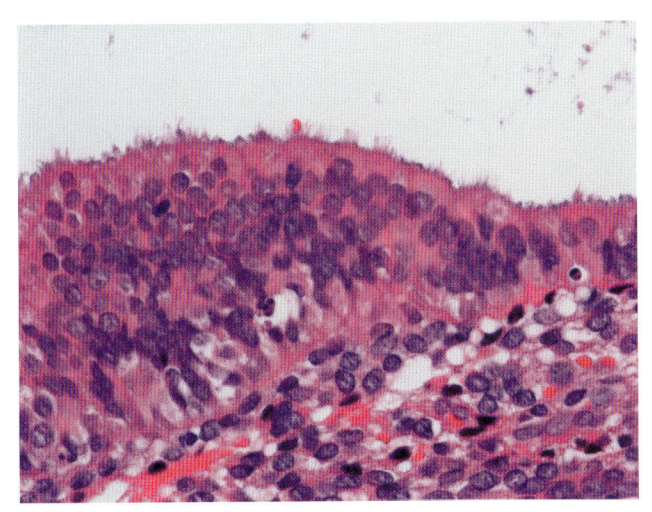

Ⅳ 内膜細胞診断に必要な病理学的知識

図Ⅳ-17 卵管上皮化生（HE染色，×40）
線毛の介在はエストロゲン刺激が加わった状態で出現しやすい。核異型がなく，癌と鑑別が可能である。
Tubal (ciliated) metaplasia
Estrogenic stimulation is sometimes associated.

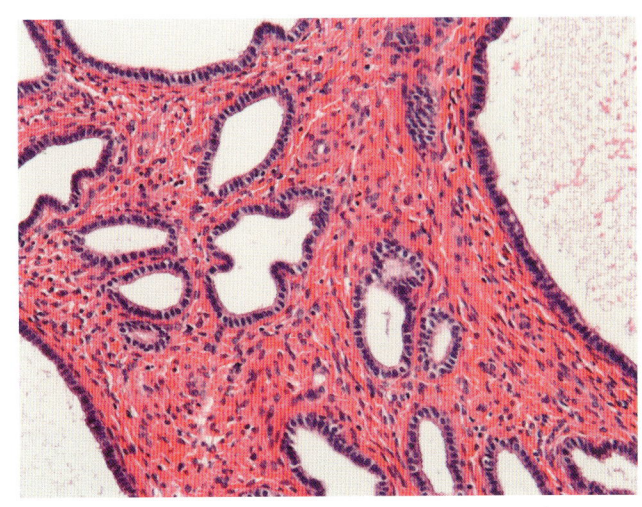

図Ⅳ-19 子宮内膜ポリープ（HE染色，×4）
間質には膠原線維性変化が強く，腺管は非活動性のものから増殖性変化まで様々である。
Endometrial polyp
The stroma is composed by collagenous tissue. Glands may be inactive, but association of hyperplasia is possible.

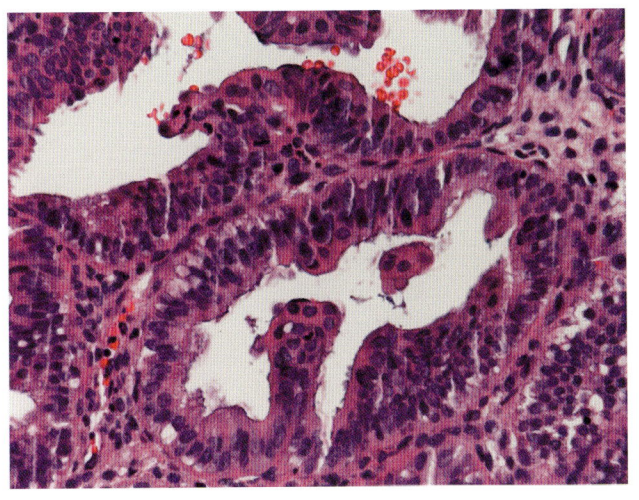

図Ⅳ-18 好酸性変化（HE染色，×20）
細胞質がエオジン好性を示すが，化生の対象となる細胞が明確でないため，「変化」との名称がより適切と思われる。
Pink cell change
Probably the term pink cell change may be more appropriate than "metaplasia", as the cellular change of specialized tissue is not evident.

5 子宮内膜異型増殖症と高分化類内膜癌の鑑別

　子宮内膜異型増殖症は，理論上の上皮内癌を含んでおり，核異型の程度はすでに高分化腺癌と同等のものである。したがって，腺癌と判定するためには間質浸潤の証拠を探す必要がある。ここでいう間質とは，内膜固有間質への浸潤像を指しており，筋層への浸潤の有無は問わない。間質浸潤の判断基準は，異型腺管に浸潤癌と相同の複雑な構造異型の存在を確認するか，あるいは異型腺管が間質を破壊・浸潤している証拠を確認することである[16]。
　腺管の構造異型として重要な所見は，篩状構造である（図Ⅳ-20）。内膜間質や基底膜を介さない，異型腺管の癒合のことであり，癌が間質内に浸潤した結果，間質が消失して腺管が癒合するものと理解される。間質の消失を示す表現には，篩状の他に癒合腺管状，すかし細工模様などがある。腺癌の浸潤に伴う間質反応には，線維化と壊死がある。いずれか一方が確認されれば良い。線維化はdesmoplasiaとも表現され，浮腫や粘液腫状変化を背景に筋線維芽細胞・炎症細胞などを認める（図Ⅳ-21）。間質の壊死（図Ⅳ-22）は，好中球が混ざる壊死炎症反応であり，凝固壊死の状態を呈する。
　その他，著明な乳頭状構造を伴う異型腺管の存在や，異型扁平上皮による広範囲の間質置換がある場合にも浸潤癌と同等の所見と捉えられる場合がある。また，間質内の泡沫状組織球集簇（図Ⅳ-23）や，異型腺管管腔内の好中球（および核破砕物）出現は，間接的証拠ながら癌の可能性を疑う所見となりうる。

基底層に類似するものが多く，周期性変化を示さない。上皮には種々の化生を伴うことがあり，稀には子宮内膜増殖症や癌を合併する。乳癌患者に対して施行されるタモキシフェン投与例に内膜ポリープの合併が高頻度に起こるが，粘液性化生，内膜増殖症や内膜癌を合併する頻度が高い。特殊なものとしてポリープ状異型腺筋腫があり，若年者に好発する。

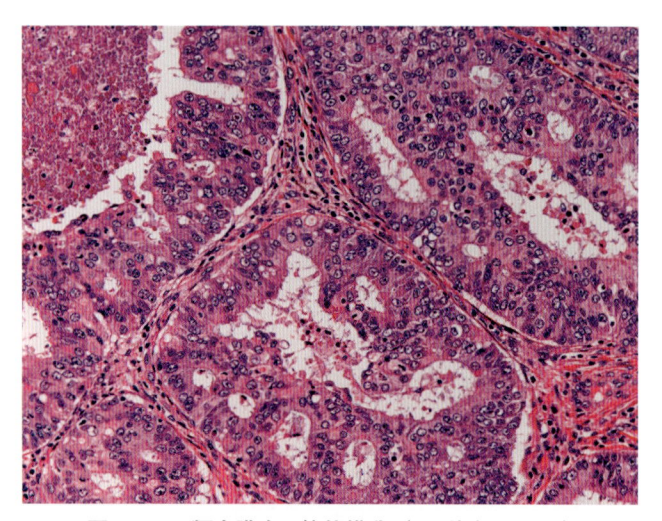

図Ⅳ-20 類内膜癌の篩状構造（HE 染色，×10）
異型核を有する上皮からなる腺管が真に癒合した結果であり，間質浸潤の証拠と考える。

Cribriform pattern in endometrioid carcinoma
It seems to show the fused glands composed by nuclear abnormality.

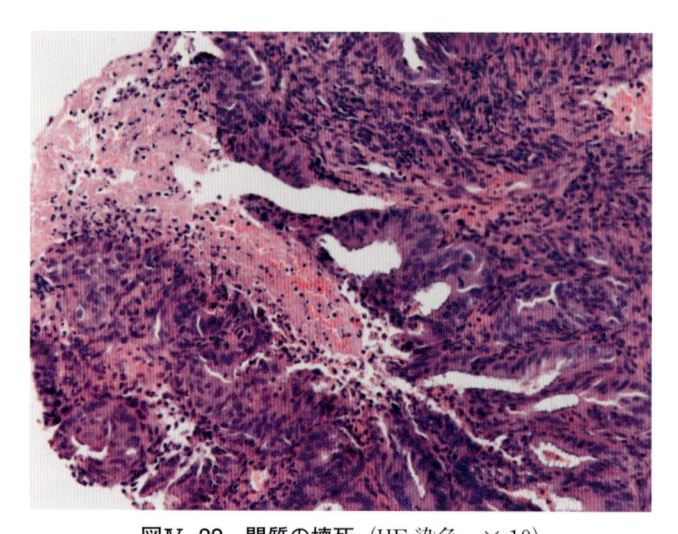

図Ⅳ-22 間質の壊死（HE 染色，×10）
異型腺管の周囲間質に凝固壊死を認める場合には，間質浸潤の証拠と考える。

Necrosis of the stroma
Coagulative necrosis is seen between atypical glands.

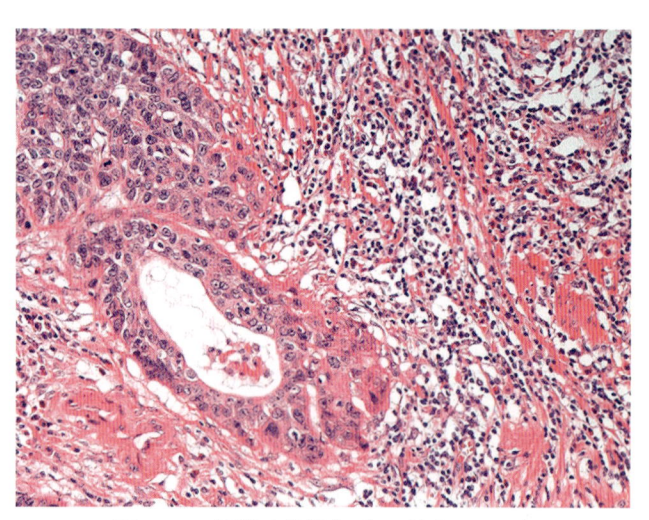

図Ⅳ-21 間質の線維化（HE 染色，×10）
やや浮腫状で，炎症を伴う反応性線維化が認められる。癌浸潤の証拠と考える。

Stromal fibrosis
Edematous, reactive fibrosis with inflammtion. It is consistent with invasive manner of carcinoma.

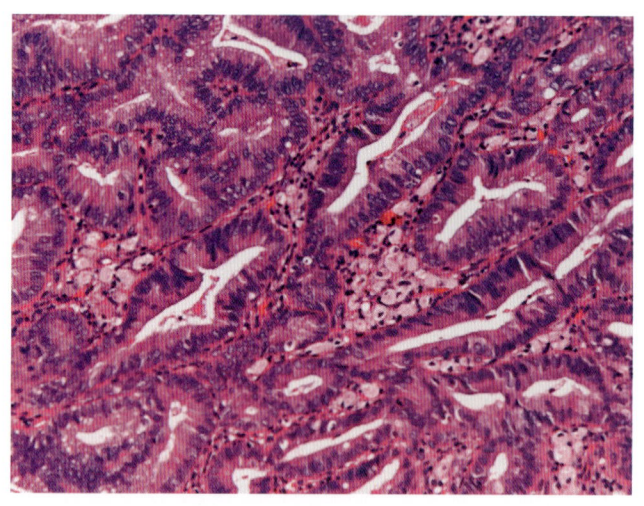

図Ⅳ-23 間質の泡沫状組織球（HE 染色，×10）
異型腺管の間に介在する間質内に出現する場合には，類内膜癌の一部を観察している可能性が高い。

Foamy histiocytes
Stromal accumulation of form cells may be indicative of endometrioid carcinoma.

　高分化類内膜癌は，背景に子宮内膜異型増殖症を併存している例が多い。定義上，両者の核所見は同等であり，間質浸潤の証拠が得られた部分のみを腺癌と判断する。したがって，細胞診や生検標本の場合には，サンプリングした部位によって癌との確診に至らない場合がありうることを理解しておく必要がある。

6　類内膜癌の病理組織学的特徴

　類内膜癌は，正常子宮内膜腺に類似した形態を示す腺癌で，子宮内膜にできる悪性腫瘍の約 90％ を占め，最も多い組織型である（子宮内膜癌の組織分類を**表Ⅳ-3**に示す）[17]。ホルモン依存性で，内膜（異型）増殖症を伴う例が多い。癌細胞の核は単層または偽重層を示し，極性に乱れを生じている（**図Ⅳ-20**）。腫大した核はしばしば淡明な核クロマチンを示し，核小体の肥大も目立つ。腺管は複雑に癒合し，篩状構造や橋渡し構造を示す。良性（**図Ⅳ-24**）あるいは悪性の扁平上皮成分を伴う例，優位に粘液産生を示す例，絨毛腺管構造を示す例があり，目立つ場合にはそれぞれ所見として付記するのが望ましいが，独立した組織型としては取り扱わない[1,2,4,5]。

　類内膜癌は，分化の度合いによって 3 段階に異型度

Ⅳ 内膜細胞診断に必要な病理学的知識

表Ⅳ-3 子宮体癌の組織学的分類

WHO 分類（2020 年）	子宮体癌取扱い規約（2022 年）
Endometrioid carcinoma Serous carcinoma Clear cell carcinoma Undifferentiated and dedifferentiated carcinoma Mixed carcinoma Other endometrial carcinomas 　Mesonephric carcinoma 　Squamous cell carcinoma 　Mucinous carcinoma, intestinal type 　Mesonephric-like carcinoma	子宮内膜癌　Endometrial (adeno) carcinomas 　類内膜癌　Enodometrioid (adeno) carcinoma 　漿液性癌　Serous (adeno) carcinoma 　明細胞癌　Clear cell (adeno) carcinoma 　混合癌　Mixed cell (adeno) carcinoma 　未分化癌　Undifferentiated carcinoma 　脱分化癌　Dedifferentiated carcinoma 　癌肉腫　Carcinosarcoma 　その他の上皮性腫瘍　Other epithelial tumors 　中腎腺癌　Mesonephric adenocarcinoma 　扁平上皮癌　Squamous cell carcinoma 　粘液性癌，胃/腸型　Mucinous carcinoma, gastric/intestinal type 　中腎様腺癌　Mesonephric-like adenocarcinoma 神経内分泌腫瘍　Neuroendocrine neoplasia

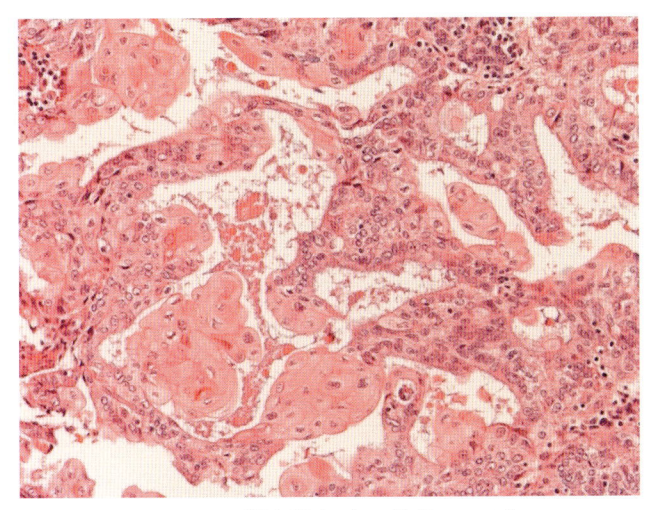

図Ⅳ-24 類内膜癌（HE 染色，×20）
核異型のない扁平上皮化生を伴う症例。組織亜型としては採用されなくなった。

Endometrioid carcinoma
Endometrial carcinoma with non-atypical squamous epithelial components are associated.

表Ⅳ-4 類内膜癌の異型度（グレード）分類（子宮体癌取扱い規約，2022 年）

異型度	定義
グレード 1（G1）	明瞭な腺管構造が大半を占め，充実性胞巣からなる領域が 5％以下
グレード 2（G2）	充実性胞巣からなる領域が 5％を越えるが 50％以下，または充実性胞巣が 5％以下でも核異型が強い場合
グレード 3（G3）	充実性胞巣からなる領域が 50％を越える。または充実性胞巣が 50％以下でも核異型が強い場合

（グレード）分類される（表Ⅳ-4）[1,2]。異型度が高い症例ほど予後不良である。G1 と G2 の鑑別に際しては，充実部が 5％以下か否かが指標となるが，実務上は確実に充実性の部分が存在することをもって G2 と考えるべきである。G3 は大半が充実性の癌であり（図Ⅳ-25），腺管形成部と充実部の核所見には類似性がある。腺管形成性に鑑みて核異型の程度が著しい症例については，G1 から G2，あるいは G2 から G3 に 1 段階グレードを上げることが求められている。また，構築と核異型の度合いに乖離が著しい症例では，漿液性癌や明細胞癌などの可能性も考慮する。なお，扁平上皮化生（桑実様化生）成分は，細胞異型の程度や有無にかかわらず充実性増殖には含めず，グレード分類の判定にも用いない。

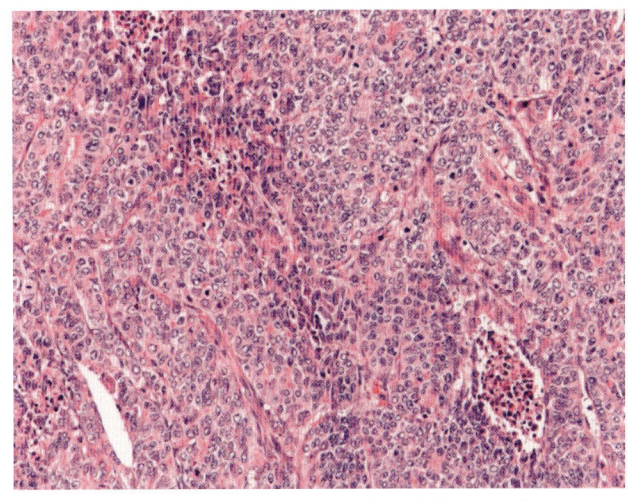

図Ⅳ-25 類内膜癌，G3（HE 染色，×10）
癌の 50％以上が充実性胞巣からなる。通常，充実部の核形態も腺管形成成分に類似している。

Grade 3 endometrioid carcinoma
More than half of the tumor is composed by solid cell nests. The nuclear feature of solid components is similar to those of well-developed glandular epithelial cells.

7 類内膜癌以外の組織型

子宮体癌の少数例は，ホルモン異常や子宮内膜増殖症などとは無関係に発生する。このような観点から，子宮体癌は発生機転が異なる2つのタイプが存在するものと推測され，従来から2型に分類がなされてきた（表IV-5）[18]。I型体癌はエストロゲン依存性腫瘍で，子宮内膜異型増殖症を前駆病変とする高分化類内膜癌が定型的である。これに対し，II型体癌はより高齢者に発症し，一般的な体癌の危険因子とは関連性が薄い。エストロゲンなどのホルモンと無関係に発生し，臨床経過は短く，組織学的悪性度は高く，筋層浸潤やリンパ管侵襲の度合いも強い。経過中や癌の周囲に増殖症を伴わず，背景内膜は萎縮性である。組織型は，漿液性癌や明細胞癌などが多い[19]。

漿液性癌は，線維血管性間質を付随し複雑に分岐する乳頭状構造と，細胞の重積からなる芽出像を特徴とする（図IV-26）。個々の細胞は核異型が強く，大型核小体や核分裂像が目立ち，多核細胞を伴うことも少なくない。背景にはしばしば石灰化小体を伴う。診断時からすでに強い筋層浸潤や高度の脈管侵襲，頸部や子宮外への転移を伴っていることが多く，たとえそれらへの進展がない症例でも高頻度に再発し，予後不良である。内膜ポリープ内に漿液性癌を伴うこともある。明細胞癌は，淡明な細胞質を有する鋲釘状細胞（ホブネイル細胞）からなる腺癌で，充実性，管状嚢胞状，乳頭状あるいはそれらの混在した組織構造を示

表IV-5 発生機序からみた子宮体癌の2型（従来の分類）

	I型	II型
年齢	比較的若年	高齢
エストロゲン曝露	あり	なし
背景子宮内膜	子宮内膜増殖症 子宮内膜異型増殖症/EIN	萎縮性 (EIC)
分子生物学的異常	マイクロサテライト不安定性（MSI） K-ras, PTEN の変異 β-カテニンの核内集積	p53 の異常 異なる部位におけるヘテロ接合性の喪失
癌の組織型	類内膜癌 （およびその亜型）	漿液性癌 明細胞癌 未分化癌
癌の分化度	高（～中）	低
癌の進行度	低	高
予後	比較的良好	不良

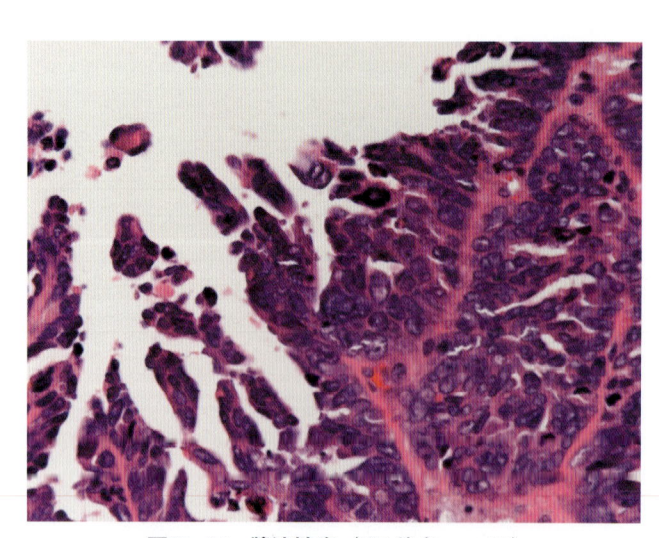

図IV-26 漿液性癌（HE染色，×20）
複雑な乳頭状構造，芽出像，高度の核異型を特徴としている。
Serous carcinoma
Complex papillary structure, budding and high-nuclear glade is characteristic.

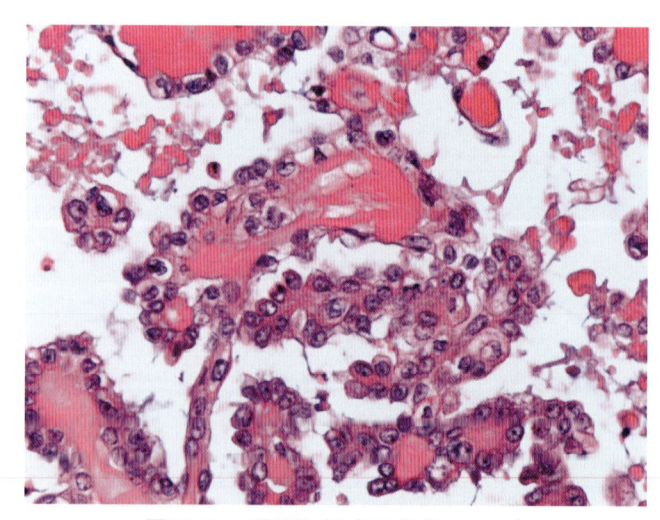

図IV-27 明細胞癌（HE染色，×20）
卵巣の同名腫瘍と相同の組織像を示す。細胞質は淡明で，しばしば硝子様間質が介在する。
Clear cell carcinoma
The cytoplasm is clear, and sometimes hyalinized stroma is associated.

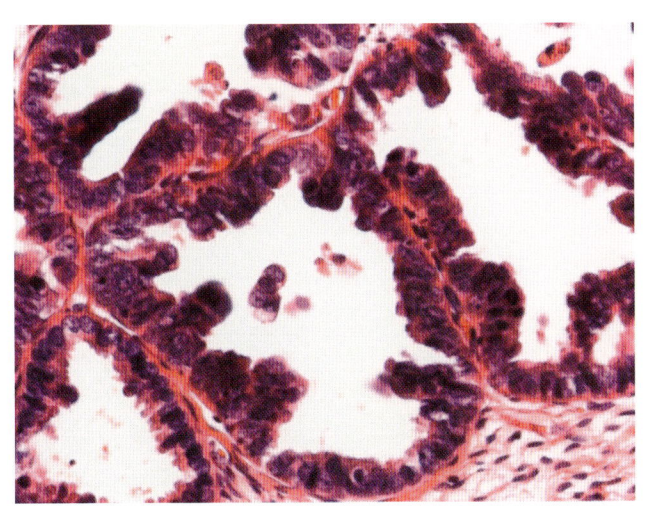

IV 内膜細胞診断に必要な病理学的知識

図IV-28 EIC（HE染色，×20）
漿液性癌などの初期病変と目されている。間質浸潤を伴わない上皮内癌の状態で，核異型が強い。

Endometrial intraepithelial carcinoma
It may be the early phase of hormone independent carcinoma. Nuclear atypia is severe.

す（図IV-27）。このような，いわゆるII型体癌の前駆病変としてEIC（endometrial intraepithelial carcinoma）の存在が指摘されている。内膜表層のみが高度異型上皮に被覆された状態で（図IV-28），子宮内膜ポリープや萎縮内膜の部位に出現しうる。

その他の体癌には未分化癌/脱分化癌，中腎腺癌，扁平上皮癌，粘液性癌（胃/腸型），中腎様腺癌などがあり，いずれも非常に遭遇する頻度が低いものである。複数の組織型が混在し，一方がホルモン非依存性で従来のII型に相当する漿液性癌か明細胞癌を含む場合には，混合癌とする。

8 分子遺伝学的立場からみた子宮体癌の新しい分類

I型とII型の体癌は，ホルモン依存性やp53の異常に関連して分類され，組織型とも相関するものとして理解がなされてきたが，実際には理論通りにクリアカットな分類

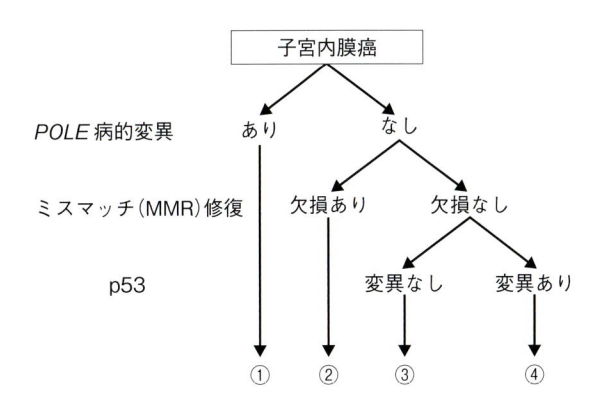

図IV-29 子宮体癌の分子遺伝学的診断のアルゴリズム

① POLE-ultramutated
② MMR-deficient
③ NSMP（no specific molecular profile）
④ p53-mutant

に至らない症例が存在する。そのような背景から，分子遺伝学的観点からの分類が提唱されるようになった。この分類法は，次世代シーケンサー（next generation sequencer：NGS）を用いて行われたTCGA（The Cancer Genome Atlas）研究[20]の成果によるものである。

図IV-29にその分類法を示す。分類はPOLE遺伝子の変異，ミスマッチ修復遺伝子（MMR）の欠損の有無およびp53の変異の有無によって4群に分けられる。それぞれPOLE-ultramutated，MMR-deficient，p53-mutantおよびいずれの異常も検知できないNSMP（no specific molecular profile）である[21,22]。出現頻度はそれぞれ10％，30％，20％，40％程度とみられている。予後はPOLE-ultramutated群が最も良好で，p53-mutant群が最も不良である。なお，MMRとp53は免疫染色でも代用可能かもしれないが，POLE遺伝子を検索するためにはNGSが必要で，日常の病理診断においては実施が困難である。今後，この分類法をどのように活用していくか，さらなる研究成果が待たれる。

（森谷　卓也）

■文献

1) WHO Classification of Tumours Editorial Board. WHO Classification of Tumours, 5th ed., Female genital tumours. 2020.
2) 日本産科婦人科学会ほか．子宮体癌取扱い規約　病理編　第5版．金原出版 2022．
3) International Collaboration on Cancer Reporting. Endometrial Cancers. https://www.iccr-cancer.org/datasets/published-datasets/female-reproductive/endometrial/
4) 安田政実．速報解説！ここが変わった「子宮体癌取扱い規約病理編　第5版」改訂ポイント．病理と臨床 2023; 41: 292-295.
5) 三上芳喜．子宮体癌取扱い規約における分類の再編−新WHO分類を踏まえた今後の方向性．臨婦産 2023; 77: 228-232.
6) 清川貴子．子宮体癌の病理学的問題点と最近の話題．産科と婦人科 2004; 71: 167-171.
7) 森谷卓也ほか．子宮内膜日付診．病理と臨床 1998; 16: 533-538.
8) 森谷卓也ほか．子宮内膜増殖症の病理組織診断　診断の精度と問題点．日本婦人科腫瘍学会雑誌 1999; 17: 127-131.
9) Mutter GL. Endometrial intraepithelial neoplasia (EIN): will it bring order to chaos? The Endometrial Collabora-

10) 大石善丈. 子宮類内膜癌の前癌病変〜異型増殖症とEIN〜. 診断病理 2019; 36: 1-6.
11) 笹島ゆう子. 子宮内膜増殖症, 子宮内膜異型増殖症とEIN. 病理と臨床 2018; 36: 759-765.
12) 森谷卓也ほか. 子宮内膜増殖症・類内膜腺癌との鑑別を要する子宮内膜病変の病理. 日本婦人科病理学会誌 2011; 2: 2-5.
13) 加来恒壽ほか. 子宮内膜における化生性変化. 病理と臨床 2004; 22: 363-368.
14) 森谷卓也. 女性生殖器 桑実様化生. 病理と臨床 2010; 28 (臨時増刊号 病理形態学キーワード): 252-253.
15) 若狭朋子ほか. 子宮内膜ポリープおよび類似疾患. 病理と臨床 2008; 26: 368-373.
16) 森谷卓也ほか. 子宮内膜異型増殖症と高分化類内膜腺癌, 病理組織学的特徴と鑑別点. 病理と臨床 2004; 22: 356-362.
17) 森谷卓也ほか. 類内膜腺癌−組織学的スペクトラム. 病理と臨床 2008; 26: 352-359.
18) Bokhman JV. Two pathogenetic types of endometrial carcinoma. Gynecol Oncol 1983; 15: 10-17.
19) 永井雄一郎. 漿液性腺癌と明細胞腺癌. 病理と臨床 2008; 26: 360-367.
20) Cancer Genome Atlas Research Network. Integrated genomic characterization of endometrial carcinoma. Nature 2013; 497: 67-73.
21) 前田大地. 子宮体がんの分子遺伝学的分類と診断. 臨婦産 2023; 77: 222-227.
22) Cosgrove CM, et al. Impact of molecular classification on treatment paradigms in uterine cancers. Curr Oncol Rep 2021; 23: 75.

V 記述式報告様式における子宮内膜異型細胞の背景となる組織像

1 ヨコハマシステムにおける子宮内膜異型細胞

　子宮頸部細胞診のベセスダシステムに始まる記述式報告様式では，古典的な報告様式における「疑陽性」に相当する異型細胞の存在が様々な形で設定されている。子宮内膜細胞診においては，国際的に用いられることを目的とした記述式報告様式としてヨコハマシステム（The Yokohama System：TYS）が提唱されており，その中で「子宮内膜異型細胞」がatypical endometrial cells（ATEC）というカテゴリーとして設定されている。ATECはさらに意義不明（undetermined significance：ATEC-US）と子宮内膜異型増殖症/類内膜上皮内腫瘍（AEH/EIN）以上の病変が否定できない（cannot exclude atypical endometrial hyperplasia/endometrioid intraepithelial neoplasia：ATEC-AE）に分類することが求められている[1]。
　ATEC-AEはAEH/EINが疑われるが異型細胞の数が少ない，細胞異型が炎症，化生，医原性変化によるものである可能性があるためにAEH/EINあるいは悪性と判定できない場合に用いられるカテゴリーである。液状化検体細胞診（LBC）標本における具体的な細胞所見としては上皮細胞集塊に不整突出があり，細胞の重積が3層以上となる構造異常がみられ，子宮内膜腺間質破綻（endometrial glandular and stromal breakdown：EGBD）の所見がみられない場合が挙げられる[1]。組織学的にはATEC-AEと判定された症例の60％で悪性腫瘍，5.7％でAEH/EINの組織診断がつくとされている[1]。
　ATEC-USも細胞異型がみられるが，炎症，化生，医原性変化によるものであることが考えられる場合に選択されるカテゴリーである。TYSについての論文で紹介されているアルゴリズムによると，ATEC-USでは上皮細胞集塊の構造異常はみられないことになっている。ATEC-USと判定された症例では良性と判定されることが多く，組織所見と対比できた症例では16例中14例が良性であったという報告がある[2]。ATEC-USでは臨床的な取り扱いとして組織診断が必ずしも求められず，これまでの実務上も組織診断が行われていない症例が多くあるものと考えられ，ATEC-USのうち癌あるいはAEH/EINが診断される頻度の実態は不明である。

2 子宮内膜上皮の化生

　子宮内膜を構成する上皮細胞は増殖期にはN/C比が高く核が延長した円柱上皮であり，分泌期には形態が次第に変化し円形核を持つ立方上皮になる。このような周期的な変化の範囲を超えて細胞形態に変化がみられるものをまとめて「化生（metaplasia）」と呼んでいるが，病理総論的には「化生」という用語は一度ある方向へ分化した細胞が別の方向に分化することを指し，子宮内膜の「化生」には，厳密にはこれに当たらないものがある。そのような状態を指す言葉として「変化（change）」という用語を用いることもある。ここでは「化生」で統一して記述する。
　化生の種類を表V-1に示す。ここに挙げられるうち扁平上皮，粘液細胞，線毛上皮への分化は真の化生といえるが，それ以外のものは非特異的な細胞形態の変化である。
　子宮内膜の化生は閉経期あるいは閉経後にみられることが多く，エストロゲン補充を受けている女性が多いという報告もある[3]。子宮内膜増殖症や腫瘍性病変のない子宮内膜では線毛上皮化生の頻度が最も高く，ほぼ半数の症例で観察される[4]。
　これらの化生の中には非腫瘍性の組織だけでなく，癌およびAEH/EINにおいても同様の細胞変化がみられることがあるため，化生の存在が直ちに良悪の判定につながるものではない。

1）好酸性化生
　細胞質が好酸性顆粒状細胞質に富む変化である（図V-1）。核異型はみられない。

2）線毛上皮化生
　細胞表面に線毛を有する細胞が出現し，卵管の上皮に似

表V-1　子宮内膜上皮にみられる化生

- ・好酸性化生
- ・線毛（卵管）上皮化生
- ・粘液化生
- ・扁平上皮化生
- ・鋲釘細胞化生
- ・明細胞化生
- ・合胞状乳頭状変化

た変化がみられるものである。細胞質はしばしば好酸性である（図V-2）。

3）粘液化生

細胞質内に粘液を有する細胞がみられる変化である。多くは内頸部の粘液上皮細胞に類似するが，まれに胃型上皮の形質を示す細胞がみられることもある（図V-3）。類内膜癌の中には内頸部様の粘液性上皮への分化がみられる症例がある。この場合，核異型が弱く，N/C比も低いため細胞異型の点からは癌と判断することが難しいことがある（図V-4）。

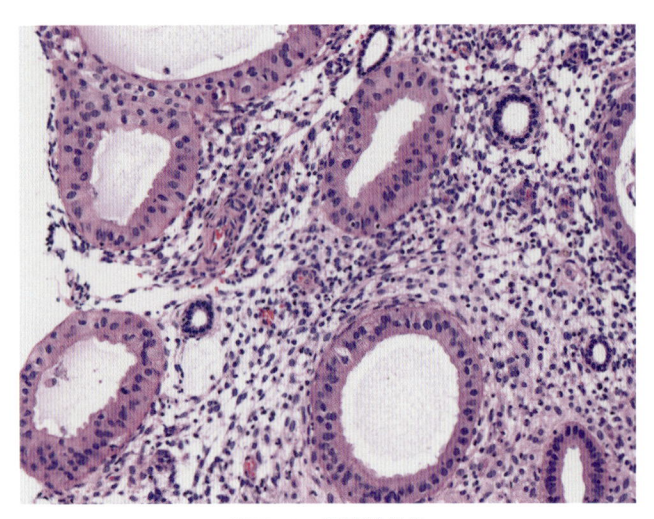

4）扁平上皮化生

この中には好酸性の広い細胞質を持ち，核が中心性にみられたり細胞間橋がみられたりする，よく分化した扁平上皮の形態を示すものと，やや好塩基性細胞質を持つ小型細胞が充実性に増殖する桑実胚様細胞巣（morula）を形成するものがある（図V-5）。morulaは腺管の中を充填するように存在し，壊死を伴うことがあるが，壊死の存在は必ずしも悪性を示唆するものではない。morulaを構成する細胞は免疫組織科学でCD10陽性，CDX2陽性であり，β-カテニン（β-catenin）は核に陽性となる。

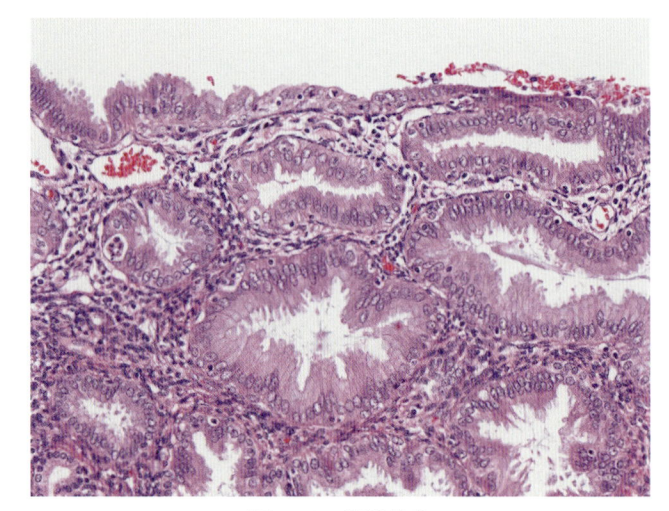

図V-1　好酸性化生
好酸性顆粒状細胞質を持つ上皮細胞よりなる腺管がみられる。

Acidophilic metaplasia
Glandular ducts consisting of epithelial cells with eosinophilic granular cytoplasm are seen.

図V-3　粘液化生
上皮細胞の細胞質内に淡好塩基性の粘液がみられる。

Mucinous metaplasia
Pale basophilic mucin is seen within the cytoplasm of epithelial cells.

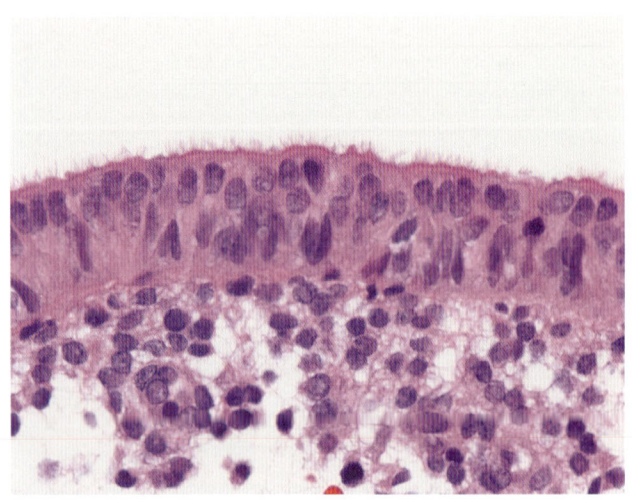

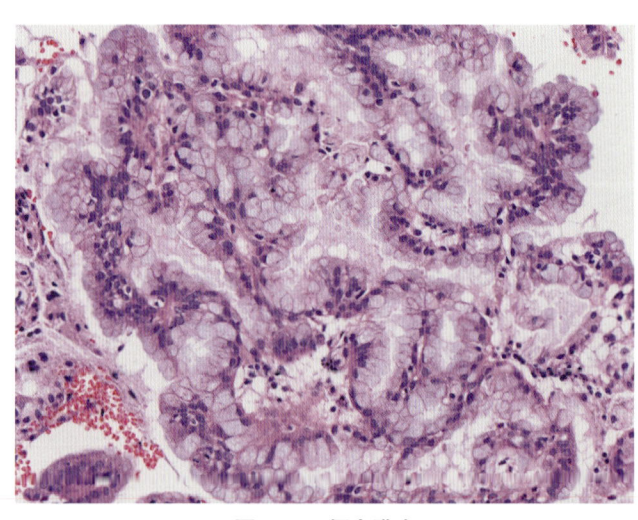

図V-2　線毛上皮化生
好酸性顆粒状細胞質を持つ上皮細胞の表面に線毛がみられる。

Ciliary epithelial metaplasia
Cilia are seen on the surface of epithelial cells with eosinophilic granular cytoplasm.

図V-4　類内膜癌
腫瘍細胞の細胞質に豊富な粘液がみられる。核異型は弱いが，腺管構造から癌と診断される。

Endometrioid carcinoma
Abundant mucin is seen in the cytoplasm of tumor cells. Although nuclear atypia is weak, cancer is diagnosed based on the glandular structure.

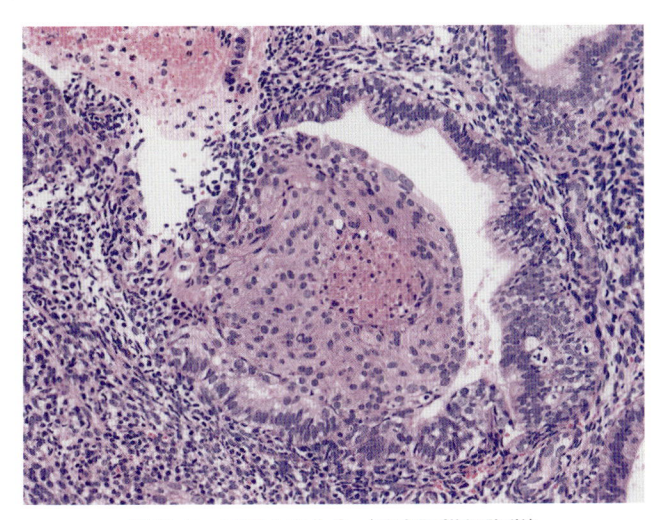

図V-5　扁平上皮化生（桑実胚様細胞巣）
腺管の中に好酸性細胞質を持つ細胞の充実性増殖がみられる。中心部に壊死を認める。

Squamous metaplasia (morula-like cell nests)
Solid proliferation of cells with eosinophilic cytoplasm is seen in the glandular lumen. Necrosis was observed in the center.

　類内膜癌ではおよそ1/3の症例で扁平上皮への分化がみられる。また，AEH/EIN や低異型度の類内膜癌に対してプロゲステロン療法を受けている女性ではしばしば広範囲に morula がみられる（図V-6）。

5）鋲釘細胞化生
　核が細胞表面側に突出して間質との間よりも細胞が広くみられるものである。次に述べる細胞質の淡明化とともに明細胞癌の特徴的な所見である。妊娠中，絨毛性疾患，プロゲステロン治療中の内膜に出現するアリアス・ステラ

V　記述式報告様式における子宮内膜異型細胞の背景となる組織像

（Arias-Stella）反応でも鋲釘細胞がみられる（図V-7）。

6）明細胞化生
　細胞質が淡明になる変化である。細胞質内にはグリコーゲンが貯留している。

7）合胞状乳頭状変化
　上皮細胞が間質を伴わずに突出してみられる。細胞質は淡好酸性で細胞境界は不明瞭である（図V-8）。好中球浸潤がみられることがある。EGBD に伴ってみられることもある（図V-9）。この場合，免疫染色で ER（エストロ

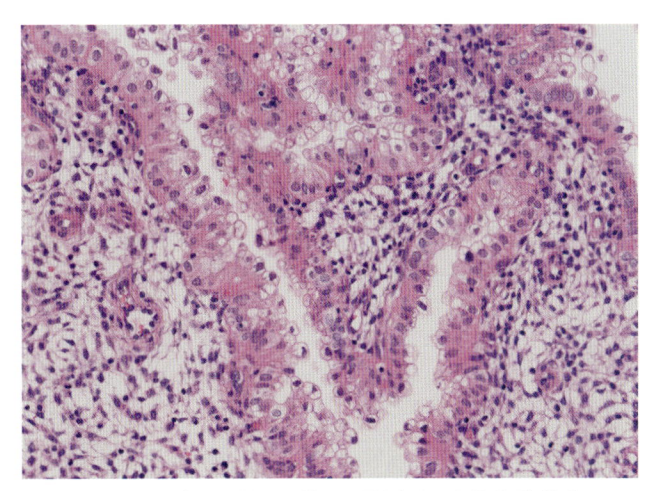

図V-7　ジエノゲスト使用に関連する鋲釘細胞化生
明るい細胞質を持つ細胞の表面に核が突出している。
Hobnail cell metaplasia associated with dienogest use
The nucleus protrudes from the surface of cells with clear cytoplasm.

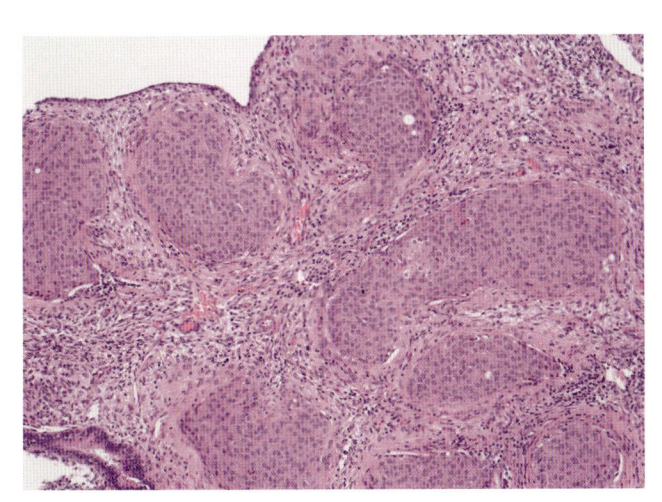

図V-6　MPA 療法中にみられる桑実胚様細胞巣
この視野ではほとんどの腺管の内部に充実性に上皮が増生しているが，既存の腺管の構造が保たれている。
MPA：メドロキシプロゲステロン
Morula-like cell nests observed during MPA therapy
In this field of view, there is a solid growth of epithelium inside most of the ducts, but the existing duct structure is preserved.

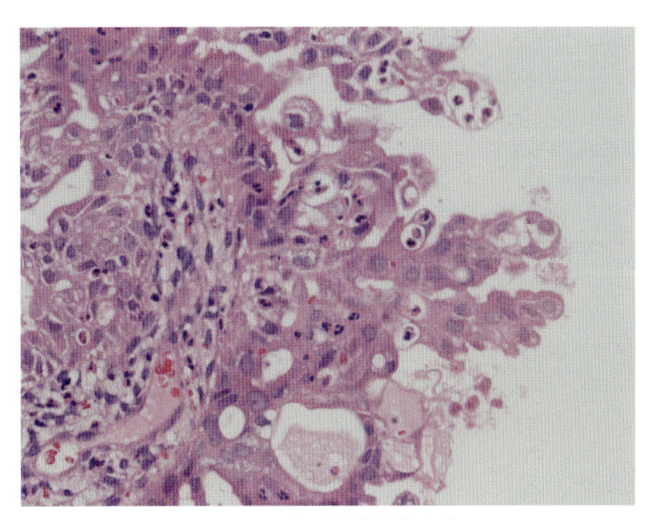

図V-8　合胞状乳頭状変化
好酸性細胞質を持つ上皮細胞が間質を伴わずに重積性増殖を示す。上皮内に好中球が浸潤している。
Syncytial papillary changes
Epithelial cells with eosinophilic cytoplasm show intussusceptive proliferation without stroma. Neutrophils are infiltrated into the epithelium.

ゲンレセプター）の発現が減弱し，p53陽性細胞が多くみられる点で結果の解釈に注意を要するが，TP53変異を示唆するほどの所見ではなく，Ki-67陽性細胞も少ない[5]。

3 乳頭状増殖 papillary proliferation

子宮内膜の上皮にみられる，異型のない立方上皮の乳頭状増殖である。粘液化生を伴うことがある（図V-10）。構造が複雑な病変は類内膜癌を合併することがあり，注意を要し，掻爬などによる追加検索が望ましい[6]。

4 癌，AEH/EIN

癌やAEH/EINが存在する場合でも病変が小さい，あるいは採取された細胞量が少ない場合には判定が困難で，ATECにとどめざるを得ない場合がありうる。一例として図V-11に子宮内膜ポリープに限局した微小な漿液性癌を提示する。

ATECとするかmalignant neoplasmとするかの量的な基準は示されていないため，個々の症例ごとに異型の程度と併せて判定することになる。

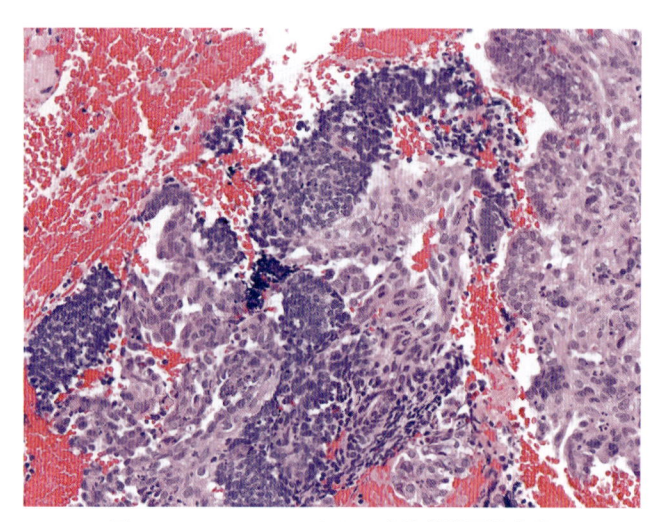

図V-9 EGBDにみられる合胞状乳頭状変化
濃縮した核を持つ細胞が密にみられる間質を取り囲んで好酸性細胞質を持つ上皮細胞がみられる。

Syncytial papillary changes seen in EGBD
Epithelial cells with eosinophilic cytoplasm are seen surrounding the stroma, which is densely packed with cells with pyknotic nuclei.

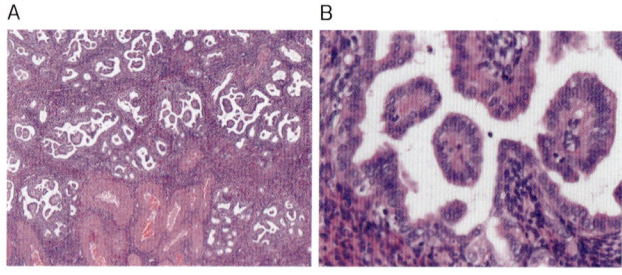

図V-10 乳頭状変化
A：子宮内膜ポリープ内の病変で，腺腔内に単層性立方上皮の小乳頭状増殖を認める。B：増殖している上皮の異型は目立たない。

Papillary proliferation
A: This is a lesion within an endometrial polyp, and small papillary proliferation of monolayered cuboidal epithelium is observed within the glandular cavity. B: Atypia of the proliferating epithelium is inconspicuous.

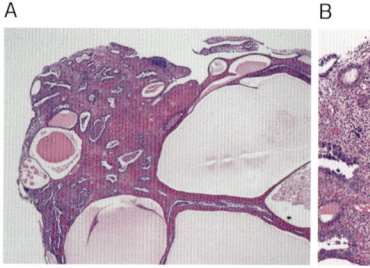

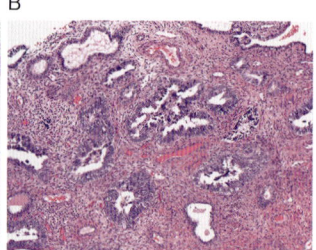

図V-11 子宮内膜ポリープに限局する漿液性癌
A：ポリープの先端部分に限局して小型腺管が増殖している。B：腺管を構成する上皮に異型がみられる。

Serous carcinoma localized to endometrial polyps
A: Small glandular ducts proliferate locally at the tip of the polyp. B: Cellular atypia is seen in the epithelium that makes up the glandular ducts.

（柳井 広之）

■文 献

1) Fulciniti F, et al. The Yokohama system for reporting directly sampled endometrial cytology: The quest to develop a standardized terminology. Diagn Cytopathol 2018; 46: 400-412.
2) 原田美香ほか．液状化検体細胞診を用いた子宮内膜細胞診におけるOSG式判定の検討．医学検査 2016; 65: 513-520.
3) Hendrickson MR, et al. Endometrial epithelial metaplasias: proliferations frequently misdiagnosed as adenocarcinoma. Report of 89 cases and proposed classification. Am J Surg Pathol 1980; 4: 525-542.
4) Moritani S, et al. Eosinophilic cell change of the endometrium: a possible relationship to mucinous differentiation. Mod Pathol 2005; 18: 1243-1248.
5) McCluggage WG, et al. Papillary syncytial metaplasia associated with endometrial breakdown exhibits an immunophenotype that overlaps with uterine serous carcinoma. Int J Gynecol Pathol 2012; 31: 206-210.
6) Ip PPC, et al. Papillary proliferation of the endometrium: a clinicopathologic study of 59 cases of simple and complex papillae without cytologic atypia. Am J Surg Pathol 2013; 37: 167-177.

VI 類内膜癌における分子遺伝学的分類

1 はじめに

2020年9月に出版された女性生殖器腫瘍の「WHO分類第5版」において、原因（etiology）と病理発生（pathogenesis）、最新の分子遺伝学的な知見に基づいて、概念や定義、位置づけが再考された婦人科腫瘍は少なくない[1]。中でも子宮体部の類内膜癌において分子分類が採用されたことは大きな変更点の1つであり、今後は腫瘍の生物学的特性を踏まえた診断と治療が重要になっていくとみられている。現時点ではこれによって細胞診判定の体系が大きく変わることはないが、婦人科医、病理医、細胞検査士が類内膜癌の新分類を理解しておくことは、これからの内膜細胞診の方向性を議論するためにも必要不可欠であるといえよう。ここではWHO分類第5版およびこれに準拠して2022年12月に改定・出版された「子宮体癌取扱い規約病理編第5版」の概要[2]を俯瞰しながら、類内膜癌の分類について解説する。

2 子宮内膜癌の病理組織分類と歴史的経緯

子宮内膜癌の分類の変遷において特筆されるべき事項として、①取扱い規約第4版において「腺癌」の名称が取り除かれたこと[3]、②取扱い規約第1版における「腺扁平上皮癌」と「腺棘細胞癌」が取扱い規約第2版で合わせて「扁平上皮への分化を示す類内膜癌」となったこと[4,5]、③取扱い規約第3版において小細胞癌が内膜癌の分類に追加され、取扱い規約第4版では低異型度神経内分泌腫瘍として「カルチノイド」、高異型度神経内分泌癌として「小細胞神経内分泌癌」、「大細胞神経内分泌癌」の名称が採用されたこと[3,6]、④「移行上皮癌」が取扱い規約第4版で削除されたこと[3]、⑤「癌肉腫」がWHO分類第5版で癌腫として位置づけられることになったこと[1]、⑥「粘液性癌」がWHO分類第5版で削除されたこと、⑦類内膜癌の分子分類が採用されたこと[1]が挙げられる。WHO分類第5版の子宮内膜癌と神経内分泌腫瘍の分類、取扱い規約病理編第5版の子宮内膜癌の分類をそれぞれ表VI-1および表VI-2、表VI-3にまとめた。

「類内膜腺癌」「漿液性腺癌」「粘液性腺癌」「明細胞腺癌」は病理総論的に腺癌としての位置づけは変わらないも

表VI-1 子宮内膜癌のWHO分類第5版（2020年）

類内膜腺癌（endometrioid adenocarcinoma NOS）
　POLE-超高頻度変異（POLE-ultramutated）
　ミスマッチ修復欠損（mismatch repair-deficient）
　p53-変異（p53-mutant）
　非特異的分子プロファイル（no specific molecular profile）
漿液性癌（serous carcinoma NOS）
明細胞腺癌（clear cell adenocarcinoma NOS）
未分化癌（carcinoma, undifferentiated, NOS）
混合腺癌（mixed cell adenocarcinoma）
中腎腺癌（mesonephric adeno carcinoma）
扁平上皮癌（squamous cell carcinoma NOS）
中腎管様癌〔mesonephric-like (adeno) carcinoma〕
粘液性癌、胃型（胃腸型）〔mucinous carcinoma, gastric (gastrointestinal) type〕
癌肉腫（carcinosarcoma NOS）

表VI-2 子宮内膜癌の分類（子宮体癌取扱い規約病理編第5版）

子宮内膜癌〔endometrioid (adeno) carcinoma〕
　類内膜癌〔endometrioid (adeno) adenocarcinoma NOS〕
　漿液性癌〔serous (adeno) carcinoma NOS〕
　明細胞腺癌〔clear cell (adeno) carcinoma NOS〕
　混合癌〔mixed cell (adeno) carcinoma〕
　未分化癌（undifferentiated carcinoma NOS）
　脱分化癌（dedifferentiated carcinoma）
　癌肉腫（carcinosarcoma NOS）
その他の上皮性腫瘍（other epithelial tumors）
　中腎腺癌（mesonephric adeno carcinoma）
　扁平上皮癌（squamous cell carcinoma NOS）
　中腎管様癌〔mesonephric-like (adeno) carcinoma〕
　粘液性癌、胃型（胃腸型）〔mucinous carcinoma, gastric (gastrointestinal) type〕
　癌肉腫（carcinosarcoma NOS）

表VI-3 女性生殖器の神経内分泌腫瘍のWHO分類第5版（2020年）

神経内分泌腫瘍（neuroendocrine tumor NOS）
　神経内分泌腫瘍 G1（neuroendocrine tumor, grade 1）
　神経内分泌腫瘍 G2（neuroendocrine tumor, grade 2）
小細胞神経内分泌癌（small cell neuroendocrine carcinoma）
大細胞神経内分泌癌（large cell neuroendocrine carcinoma）
混合型小細胞神経内分泌癌（combined small cell neuroendocrine carcinoma）
混合型大細胞神経内分泌癌（combined large cell neuroendocrine carcinoma）

のの，WHO分類および取扱い規約第4版ではそれぞれ「類内膜癌」，「漿液性癌」，「粘液性癌」，「明細胞癌」となった[3]。WHO分類第5版では「腺癌」と「癌」の名称が混在しているが，取扱い規約病理編第5版では実地臨床での混乱を回避するため，引き続き「癌」の名称で統一している[2]。

内膜癌の分類から「移行上皮癌」が削除された理由として，この腫瘍が真の尿路上皮分化を示す癌腫ではなく，実際には充実性シート状，乳頭状あるいは偽乳頭状発育を示す低分化型の類内膜癌，漿液性癌のいずれかであると考えられるようになったことが挙げられる。WHO分類第5版では臓器横断的に発生する神経内分泌癌は外陰部，腟，頸部に発生するものと合わせて独立した章（Chapter 11）で記述されているが，取扱い規約第5版では読者の便宜を図るため頸癌，体癌それぞれで他の癌腫とともに合わせて記述されている[1]。

なお，類内膜癌には扁平上皮分化，絨毛腺管パターン，分泌性変化を示すものがあり，取扱い規約第4版，WHO分類第4版ではこれらがサブタイプとして記載され，個別のICD-Oコードが付与されていたが，WHO分類第5版では単なる組織学的パターンとして記述されているのみで，分類からは削除された。ただし，実際に病理診断を行うにあたって病理医がこれらの類内膜癌の形態的なバリエーションの存在を理解しておくことが重要であるのはいうまでもない。組織像の詳細については第4章を参照されたい。

WHO分類第5版では粘液性癌（mucinous carcinoma）は削除され，類内膜癌の組織パターンの1つとして記載されることになったが，悪性度が高いことが指摘されている胃型あるいは胃腸型の粘液性分化を示す腺癌が「腸型粘液性癌（mucinous carcinoma, intestinal type）」として追加された[1]。ただし，オンラインで閲覧可能な分類リストでは「腸型」ではなく「胃型（胃腸型）〔gastric (gastrointestinal)-type〕」と表記されている。形態的および生物学的には頸部の胃型HPV（ヒトパピローマウイルス）非依存性腺癌，すなわち胃型粘液性癌と同様であるため，後者が適切な名称であると考えられている。その他の内膜癌として中腎腺癌（mesonephric adenocarcinoma），中腎様腺癌 mesonephric-like adenocarcinoma，扁平上皮癌（squamous cell carcinoma）が追加された[1]。また，WHO分類第4版では上皮性・間葉性混合腫瘍に含められていた癌肉腫が内膜癌のカテゴリーに移動した[1]。これは癌肉腫が近年の臨床病理学的あるいは分子遺伝学的研究の結果から本質的に癌腫であると考えられるようになったためである。

3 子宮内膜癌の分子分類

内膜癌はBokhmanが提唱した分類に端を発する臨床病理学的分類，すなわちI型，II型に分けるという考え方が浸透しており[7]，分子遺伝学的にこれら2つのカテゴリーに含まれる腫瘍が異なる生物学的特性を有すると考えられていたが（表Ⅵ-4）[8]，II型の代表である漿液性癌が分子遺伝学的に単一の腫瘍であるとみられるのに対して，I型に属する類内膜癌の分子遺伝学的背景は多彩で，生物学的に異なる腫瘍を内包していることが示唆されていた（表Ⅵ-5）。さらに，実際にはI型とII型のいずれであるかを判

表Ⅵ-4 内膜癌の臨床病理学的分類

	I型	II型
年齢	閉経前～閉経前後	閉経後
過剰なエストロゲン刺激	あり	なし
背景内膜/前駆病変	不規則増殖期内膜 子宮内膜増殖症・EIN	萎縮内膜 EIC
悪性度	低い	高い
筋層浸潤	なし～軽度	高度
サブタイプ	類内膜癌 粘液性癌*	漿液性癌 明細胞癌
臨床的態度	比較的安定	急速に進展
遺伝子異常	マイクロサテライト不安定性（20～30%） PTEN変異（30～50%）	TP53変異，LOH

＊：WHO分類第5版，子宮体癌取扱い規約では類内膜癌の形態的なバリエーションとして扱われる。

表Ⅵ-5 I型とII型の分子遺伝学的特徴

	I型	II型
PIK3CA mutation	～30	～20
Exon 9	7～15.5	0
Exon 10	10～34	21
PIK3CA amplification	2～14	46
KRAS mutation	11～26	2
AKT mutation	3	0
PTEN loss of function	83	5
Microsatellite instability	20～45	0～5
Nuclear accumulation of β-catenin	18～47	0
E-cadherin loss	5～50	62～87
TP53 mutation	～20	～90
Loss of function of p16	8	45
HER2 over-expression	3～10	32
HER2 amplification	1	17
EGFR mutations	12～16	1

（文献8より）

別することが困難で，中間的な組織形態を示す腫瘍が存在する．また，Ⅰ型に属する類内膜癌の中にグレードや進行期と患者の転帰が乖離する症例があることも事実である．そのような背景から近年 The Cancer Genome Atlas (TCGA) を用いた研究が進められ，内膜癌の分子分類が提唱された[9,10]．この分類は当初は内膜癌の分類として提唱され，①*POLE*（ultramutated），②マイクロサテライト不安定性（microsatellite instability：MSI）（hypermutated），③copy number low（endometrioid），④copy number high（serous-like）の4つを区分していたが[10]，漿液性癌，明細胞癌がともにグレード評価の対象とならず，実地臨床上は高異型度の内膜癌として扱われることから，WHO分類第5版では改変されて類内膜癌の分類として採用された[1]．すなわち，新分類では類内膜癌が①*POLE*-超高頻度変異型（*POLE*-ultramutated），②ミスマッチ修復欠損型〔mismatch repair（MMR）-deficient〕，③p53変異型（p53-mutant），④非特異的分子プロファイル型（no specific molecular profile）の4つのサブタイプに分けられることになった（表Ⅵ-1）．これらのサブタイプが付記されない場合は特定不能な類内膜癌（endometrioid carcinoma, NOS）となる．①は予後良好群，③は予後不良群，②④は中間群に相当することが知られている．ここで重要な事実は，Grade-1およびGrade-2の低異型度類内膜癌の中に4つのすべてのサブタイプが含まれており，約5％がcopy number high / p53変異型であるということである（図Ⅵ-1）[10]．すなわち，Grade-1の類内膜癌の中にリンパ節転移および再発リスクが高く，腹腔鏡などを用いた縮小手術を回避すべき症例があることを示している．実際，Grade-1でかつⅠA期の類内膜癌であっても，頻度は低いものの術後断端再発することがある．

類内膜癌の分子サブタイプは厳密には分子遺伝学的に規定されるが，それぞれ特徴的な臨床病理学的特徴を示し，組織像とはある程度相関する（表Ⅵ-6）．*POLE*-超高頻度変異型は粘液性分化がみられることがあるほか，多形性に

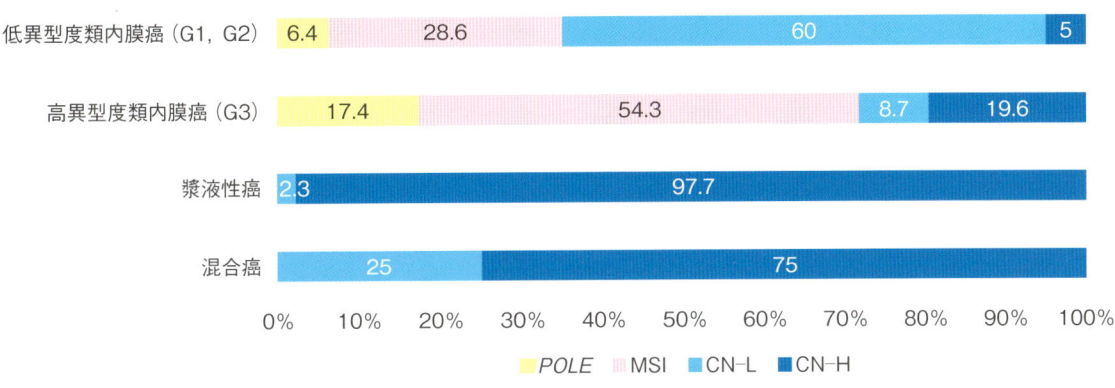

図Ⅵ-1 内膜癌の分子サブタイプと組織型との関係

漿液性癌のほとんどは，定義上類内膜癌と漿液性癌あるいは明細胞癌が混在する混合癌の約75％が copy number high（serous-like）に相当する．これに対して，Grade-1, Grade-2の類内膜癌は copy number low（endometrioid）が最も多く60％程度を占め，*POLE*（ultramutated），microsatellite instability（hypermutated）がそれぞれ約6％，29％を占める．注目すべき点として，copy number high（serous-like）が約5％に過ぎないものの含まれる．

（文献10より）

表Ⅵ-6 内膜癌の分子サブタイプの特徴

	POLE-ultramutated	MMR-deficient	NSMP	p53-mutant
関連する分子異常	・100個を超える変異/Mb ・体細胞コピー数異常が極めて少ない ・マクロサテライト安定	・10〜100の変異/Mb ・体細胞コピー数異常が僅少 ・マイクロサテライト不安定	・変異が10個未満 ・細胞コピー数異常が僅少 ・マクロサテライト安定 ・30〜40％で*CTNNB1*変異あり	・変異が10個未満/Mb 体細胞コピー数異常が多い ・マクロサテライト安定
関連する組織像	・ときに高異型度の形態 ・類内膜癌として非典型的組織像 ・巨細胞が散見される ・多数のTILs	・ときに高異型度 ・多数のTILs ・粘液性分化 ・MELF型浸潤 ・脈管侵襲	・ほとんどが低異型度 ・高頻度に扁平上皮分化ないし桑実胚様細胞巣 ・TILsがみられない	・ほとんどが高異型度 ・びまん性に細胞異型 ・充実性成分が混在
臨床像	若年発生	ときにLynch症候群	高いBMI	高齢者
予後	良好	中間	中間〜良好	不良

（文献1より）

富む腫瘍細胞が混在し，漿液性癌類似の形態を示すことがある（図Ⅵ-2）。また，多数の腫瘍浸潤リンパ球がみられる。MMR欠損型も粘液性分化がみられるほか，類内膜癌のリンパ節転移のリスク要因として知られるMELF（microcystic, elongated, fragmented）パターンの浸潤を示し，脈管侵襲が高頻度にみられる。免疫組織化学的にはMMR蛋白の発現消失が認められる（図Ⅵ-3）。腫瘍浸潤リンパ球も目立つ傾向がある。非特異的分子プロファイル型は類内膜癌としては古典的な形態を示すもので，扁平上皮分化，桑実胚様細胞巣がみられ，免疫組織化学的には$β$-カテニンの核・細胞質内集積が認められる（図Ⅵ-4）。p53変異型はGrade-3の類内膜癌あるいは類内膜癌と漿液性癌の中間的形態を示す内膜癌などが含まれる（図Ⅵ-5）。

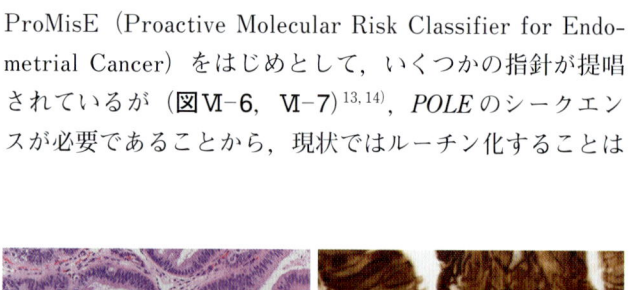

類内膜癌がいずれの分子サブタイプであるかは再発・転移リスクの指標の1つとなることから，将来的にはこの分子分類が術式の選択，術後補助療法の適用の決定において重要な情報となると考えられている。すでに欧州婦人科腫瘍学会（ESGO）のガイドラインにおいてリスク評価の指標として採用されており[11]，FIGO（International Federation of Gynecology and Obstetrics）による進行期分類にも分子サブタイプが加わった[12]。

分子サブタイプを決定するためのアルゴリズムとして，MMR蛋白およびp53免疫組織化学を用いる分類法であるProMisE（Proactive Molecular Risk Classifier for Endometrial Cancer）をはじめとして，いくつかの指針が提唱されているが（図Ⅵ-6，Ⅵ-7）[13,14]，POLEのシークエンスが必要であることから，現状ではルーチン化することは

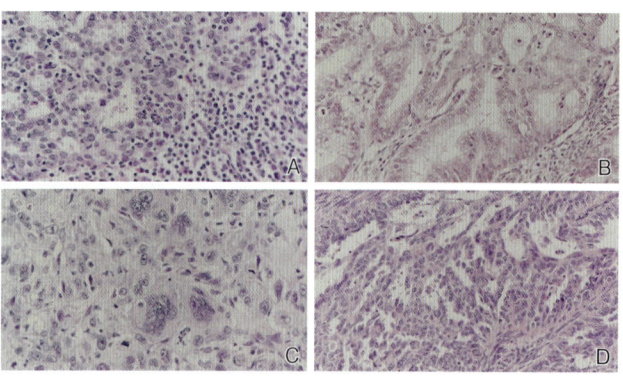

図Ⅵ-2 POLE-超高頻度変異型類内膜癌

組織学的には腫瘍腺管の間，上皮内でリンパ球浸潤が目立ち（A），しばしば粘液性分化がみられる（B）。奇怪な大型核を有する腫瘍細胞が混在するなど，高異型度の形態がみられる（C）。漿液性癌に類似した微小乳頭状増殖が認められることもある（D）。

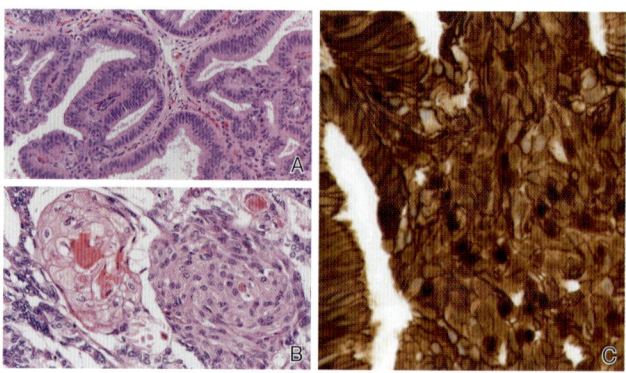

図Ⅵ-4 非特異的分子プロファイル型類内膜癌

形態的には高円柱状の異型細胞の増殖で構成される古典的類内膜癌で，粘液性分化は認められず（A），扁平上皮分化や桑実胚様細胞巣を伴う（B）。細胞異型は軽度である。免疫組織化学的には$β$-カテニンの膜の染色性が種々の程度に低下し，細胞質および核が陽性となっていることから，CTNNB1の変異が示唆される（D）。

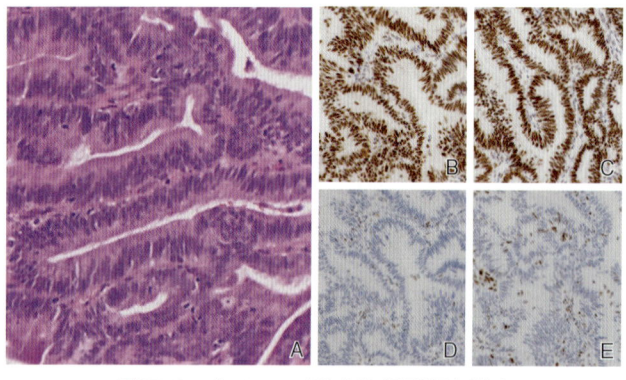

図Ⅵ-3 ミスマッチ修復欠損型類内膜癌

形態的には高円柱状の異型細胞で構成され，POLE-超高頻度変異型類内膜癌，非特異手的分子プロファイル型と必ず形態的に判別することは困難だが（A），しばしば粘液性分化，腫瘍浸潤リンパ球浸潤，MELF型の浸潤が認められる。免疫組織化学的には様々な組み合わせでミスマッチ修復遺伝子蛋白の発現が消失する。MLH1（B），PMS2（C）が陽性で，MSH2（D），MSH6（E）が陰性の場合には，MSH2遺伝子の異常が示唆される。MSH2とMSH6蛋白は複合体を形成するが，MSH2がMSH3などとも複合体を形成して安定性を維持されるのに対して，MSH6の安定性はMSH2のみに依存する。

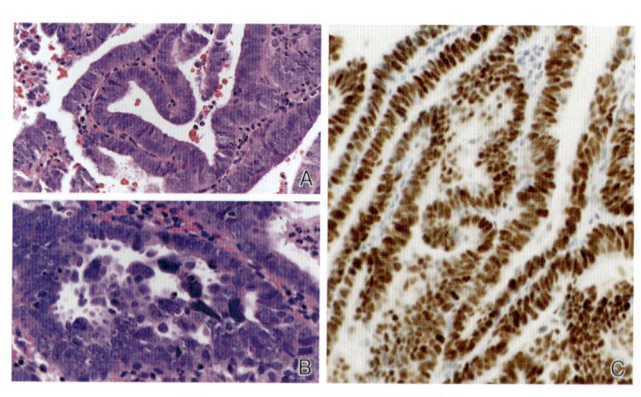

図Ⅵ-5 p53変異型類内膜癌

高円柱状の腫瘍細胞で構成される類内膜癌の形態がみられる一方で（A），多形性に富む異型細胞で構成される領域が存在しており，腫瘍全体が免疫組織化学的にp53陽性である。このような腫瘍は，充実性成分が5％以下であるにもかかわらず，高度細胞異型が高度であるためにGrade-1からGrade-2にアップグレードされるような類内膜癌が含まれる。Grade-3の類内膜癌の一部も含む。

Ⅵ 類内膜癌における分子遺伝学的分類

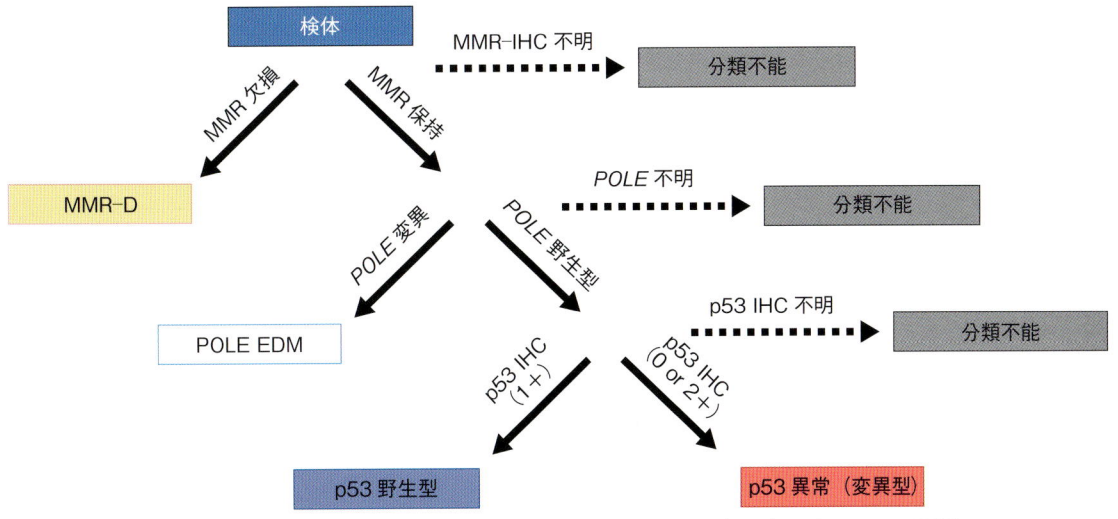

図Ⅵ-6 類内膜癌分子サブタイプを決定するためのアルゴリズム（ProMisE分類）

ミスマッチ修復遺伝子蛋白およびp53蛋白に対する免疫組織化学を併用する分子サブタイプ決定のアルゴリズムが提唱されているが，POLE遺伝子の変異解析が必須である。
POLE EDM：POLE exonuclease domain mutations

（文献13より）

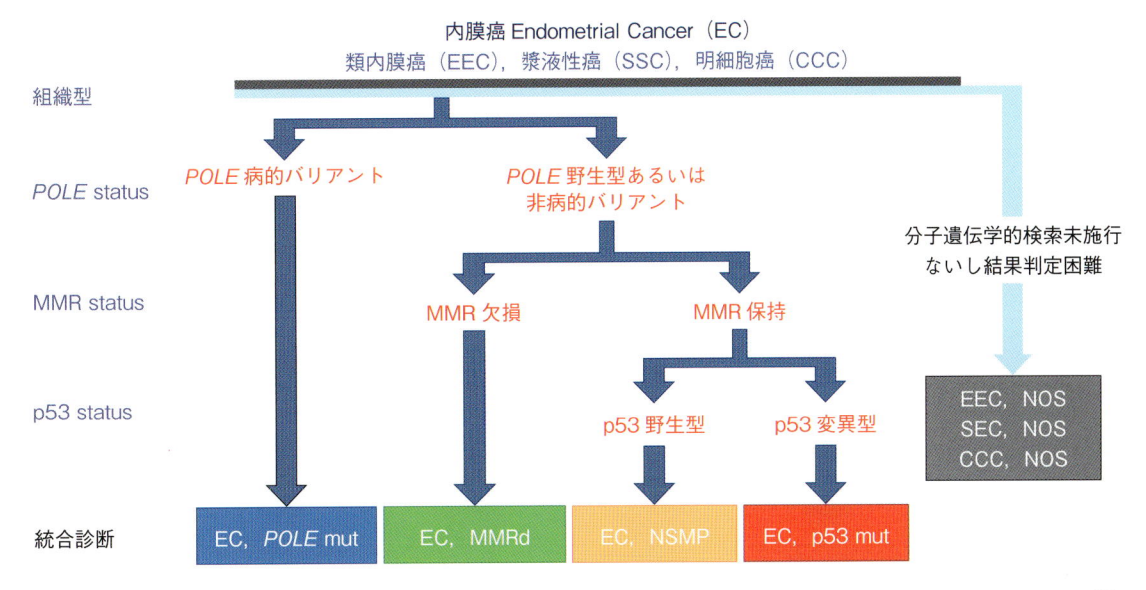

図Ⅵ-7 代替マーカーを用いた内膜癌の病理診断アルゴリズム

類内膜癌のみならず，漿液性癌，明細胞癌も対象としている点で，ProMisE分類と異なる。実際には類内膜癌と漿液性癌あるいは明細胞が併存，あるいはこれらと類内膜癌の中間的形態を示す子宮内膜癌も存在するため，実地臨床上有用であると考えられる。いずれにしてもPOLE遺伝子の変異解析が必要である。

EC, POLE mut：POLE-超高頻度変異型類内膜癌　EC, MMRd：ミスマッチ修復欠損型類内膜癌　EC, NSMP：非特異的分子プロファイル型類内膜癌　EC, p53mut：p53-変異型類内膜癌　NOS：not otherwise specified（特定不能）

（文献14より）

困難であると考えられる。また，分子サブタイプは類内膜癌のサブタイプとして記載されているものの，個別のICD-Oコードは付与されていないため，取扱い規約第5版では正式に採用されておらず，紹介にとどめられている[2]。したがって，分類として当面は「類内膜癌NOS」として扱われることになるとみられている。

子宮内膜癌におけるMMR免疫組織化学の臨床的意義は分子サブタイプの判別のみならず，免疫チェックポイント阻害薬（immune check-point inhibitor：ICI）の治療効果予測とリンチ（Lynch）症候群補助診断としての役割がある。子宮内膜癌の25〜30％はMMR欠損に関連しており，3〜5％がリンチ症候群であることが知られている。MMR欠損に関連する子宮内膜癌は，潜在的には腫瘍細胞の免疫原性が高いことから，ICIの適用が考慮されることがあ

る．そのために行われる検査としてはMSI検査が知られているが，MMR免疫組織化学のメリットとして，感度がMSI検査に遜色がなく，一致率が高い一方で，病理検査室での精度管理が比較的容易であること，所要時間（TAT）が短いこと，組織形態を観察しながら評価が可能であること，微小な生検組織でも実施可能であること，異常があるMMR遺伝子をピンポイントで推定可能で，遺伝子検査を実施する場合に経費を抑えられることなどが挙げられる．したがって，MMR免疫組織化学は広く行われるようになりつつある．

4 リンチ症候群

リンチ症候群はMMR遺伝子の胚細胞系列変異による常染色体顕性（優性）遺伝性疾患で，責任遺伝子としてはMLH1，PMS2，MSH2，MSH6が大部分を占めるが，MSH2変異の頻度が特に高く，全体の57％を占め，これにMSH6が次ぐ[15]．罹患率は250〜300人に1人とされているが，未診断の患者も少なくない．大腸癌が発生することで知られているが，女性では子宮内膜癌の生涯累積発癌リスクが30〜60％程度で，これを契機として診断されることが少なくない．特に散発例と比較して10〜20歳程度発生年齢が低く，50歳以下の女性の子宮内膜癌ではリンチ症候群の頻度が9％に達することが知られている．診断基準としてアムステルダム基準Ⅰ（1990年），その改訂版であるアムステルダム基準Ⅱ（1999年）の他，改訂ベセスダ基準（2004年）などが知られているが，リンチ症候群であってもこれを満たさない例がある．リンチ症候群関連の子宮内膜癌の特徴として，高度の腫瘍および腫瘍周囲リンパ球浸潤，未分化癌成分の併存や粘液腫様背景，ラブドイド細胞の出現などが知られているが，これらもリンチ症候群全例で認められる所見ではない．そのため，子宮内

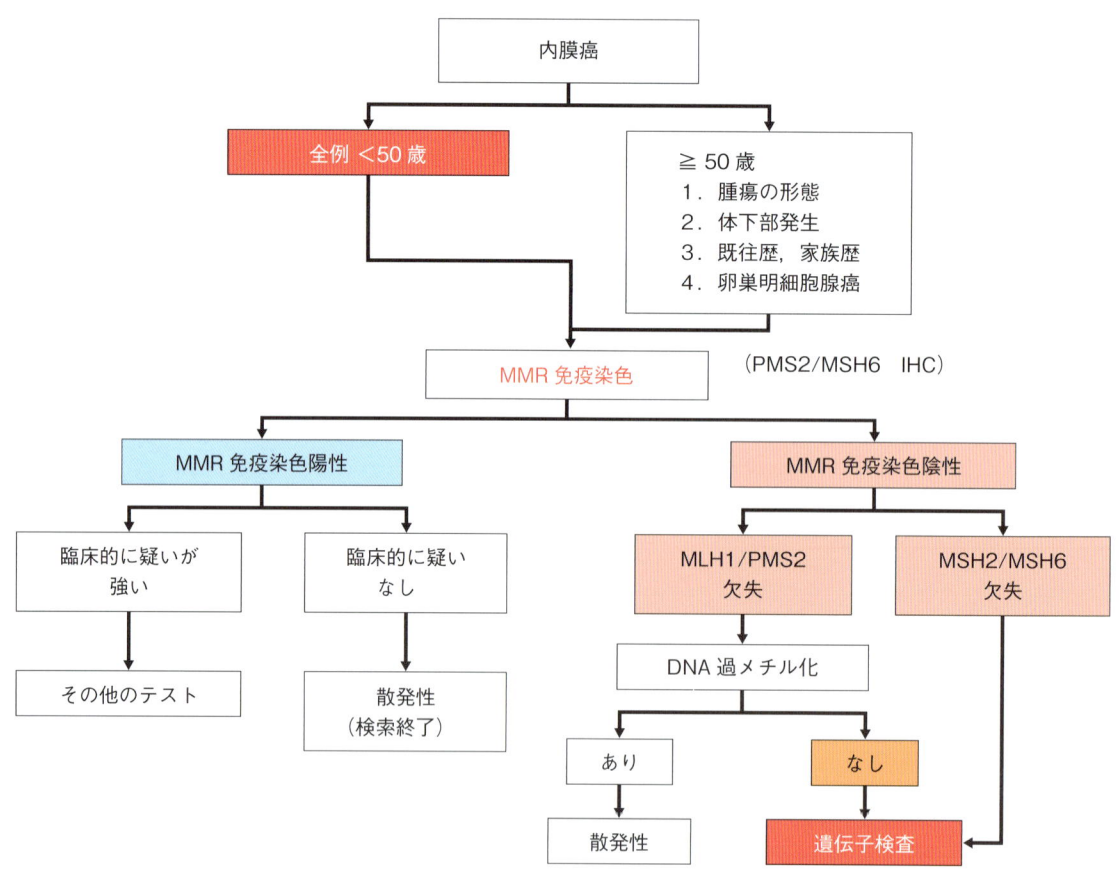

図Ⅵ-8　免疫組織化学を用いたリンチ症候群の診断アルゴリズム

50歳未満では全例，50歳を超える場合は特徴的な組織像，既往歴・家族歴を参考に適応を決定してMMR免疫組織化学を実施し，MLH1，PMS2，MSH2，MSH6の発現消失の有無を評価する．発現がいずれも保持されている場合は散発性（非リンチ症候群）であると判断されて検索は終了するが，家族歴から疑いが濃厚である場合は，その他のMMR遺伝子あるいは蛋白の検索が行われることがある．MSH2，MSH6のいずれか一方あるいは両方の発現が消失する場合はリンチ症候群の可能性が濃厚であるため，遺伝子検査が行われる．これに対して，MLH1の発現が消失している場合は，プロモーター領域のメチル化により発現が消失していることがあるため，メチル化解析が行われる．なお，PMS2の安定性はMLH1に依存するため，MLH1の発現が保持されている状態でPMS2が単独で消失している場合はPMS2変異が示唆されるが，MLH1とPMS2の両方の発現が消失している場合は，MLH1変異，MLH1プロモーターのメチル化の両方の可能性を考慮する必要がある．

（文献16より）

膜癌の診断が確定した女性は家族歴および既往歴を確認することに加えて，全例で補助的検査としてMSI検査あるいはMMR免疫組織化学を実施することが望ましいとする考え方，あるいはガイドラインがある。これら2つの補助的検査によってリンチ症候群の可能性が濃厚であると判断された場合には，MMR遺伝子検査が実施され，胚細胞系列の遺伝子変異が検出されることによってリンチ症候群の診断が確定する。そして，家族を含めたカウンセリング，定期検査が実施される。現在，MMR免疫組織化学を用いた診断アルゴリズムがいくつか知られている（図Ⅵ-8)[8)16]。

5 おわりに

内膜癌の分類は最新の臨床病理学的，分子遺伝学的知見をもとにアップデートされている。中でも分子分類は予後予測と最適な治療の選択において必須のアイテムになると考えられており，これに併せて今後は術前の病理組織診断および細胞診のあり方を議論する必要がある。

（三上　芳喜）

■文　献

1) WHO Classification of Tumours Editorial Board. Female genital tumours, 5th ed., Vol.4. WHO 2020.
2) 日本産科婦人科学会ほか（編）. 子宮体癌取扱い規約病理編第5版. 金原出版 2022.
3) 日本産科婦人科学会ほか（編）. 子宮体癌取扱い規約病理編第4版. 金原出版 2017.
4) 日本産科婦人科学会ほか（編）. 子宮体癌取扱い規約第1版. 金原出版 1987.
5) 日本産科婦人科学会ほか（編）. 子宮体癌取扱い規約第2版. 金原出版 1996.
6) 日本産科婦人科学会ほか（編）. 子宮体癌取扱い規約第3版. 金原出版 2012.
7) Bokhman JV. Two pathogenetic types of endometrial carcinoma. Gynecol Oncol 1983; 15: 10-17.
8) Dedes KJ, et al. Emerging therapeutic targets in endometrial cancer. Nat Rev Clin Oncol 2011; 8: 261-271.
9) Talhouk A, et al. A clinically applicable molecular-based classification for endometrial cancers. Br J Cancer 2015; 113: 299-310.
10) Cancer Genome Atlas Research N. Integrated genomic characterization of endometrial carcinoma. Nature 2013; 497: 67-73.
11) Concin N, et al. ESGO/ESTRO/ESP guidelines for the management of patients with endometrial carcinoma. Int J Gynecol Cancer 2021; 31: 12-39.
12) Berek JS, et al. FIGO staging of endometrial cancer: 2023. Int J Gynaecol Obstet 2023; 162: 383-394.
13) Talhouk A, et al. New classification of endometrial cancers: the development and potential applications of genomic-based classification in research and clinical care. Gynecol Oncol Res Pract 2016; 3: 14.
14) Vermij L, et al. Incorporation of molecular characteristics into endometrial cancer management. Histopathology 2020; 76: 52-63.
15) Win AK, et al. Risks of colorectal and other cancers after endometrial cancer for women with Lynch syndrome. J Natl Cancer Inst 2013; 105: 274-279.
16) Lin DI, et al. Targeted screening with combined age- and morphology-based criteria enriches detection of Lynch syndrome in endometrial cancer. Int J Surg Pathol 2016; 24: 297-305.

VII 子宮内膜細胞診の基礎

1 子宮内膜細胞診の特徴

　子宮体癌の大部分を占める類内膜癌は細胞異型が軽微なことが多く，構造異型を加味した細胞判定が必須となる。また，体内膜はホルモン環境により劇的にその形態を変化させること，腺管が豊富で柔らかな内膜間質に埋もれていることが他の細胞診領域にはみられない特徴である。よって，腺管構造はもちろんのこと，ホルモン不均衡や種々の細胞質変化（化生）による形態学的変化を理解し細胞診判定にあたることが求められる分野である。近年では，記述式細胞診報告様式や液状化検体細胞診の応用が広がり，今後の診断精度向上が期待されている。

2 構造異型を加味した細胞診断の実際

　細胞異型が比較的軽微な高分化類内膜癌の診断には，細胞診標本上の細胞集塊の種別を判定しながら鏡検を進め，異常細胞集塊を認めた際には出現頻度・出現数を把握することが必要である。細胞集塊とは，50～100個程度の細胞で構成されているものと定義する。細胞集塊形状は，①集塊の幅がほぼ同じか不整，②集塊周囲の内膜間質細胞付着の有無，③集塊内の腺腔数の3点に着目する。これにより，不規則な拡張，突出，分岐の有無，集塊内部が腔状か否か，腺管構造の複雑性の程度を認識し，病変の推定に用いる。

1）管状・シート状集塊

　構成細胞に核異型がみられなければ，正常内膜由来と考える。正常内膜においては，豊富な内膜間質細胞の中にほぼ均等な幅の腺管が規則正しく配列している。組織構築を反映した大型集塊として塗抹されることもあるが，採取時，塗沫時のアーティファクト（artifacts）で腺管が外れると管状集塊（図VII-1A）として，さらに開くとシート状集塊（図VII-1B）として出現する。管状集塊では腺管幅は概ね等しく，集塊辺縁に内膜間質細胞の付着がみられる。また，表層被覆上皮もシート状に出現する。

2）拡張・分岐集塊

　集塊を構成する細胞が増殖期相当であるものは，主に子宮内膜増殖症において出現する。VIII章で述べるホルモン不

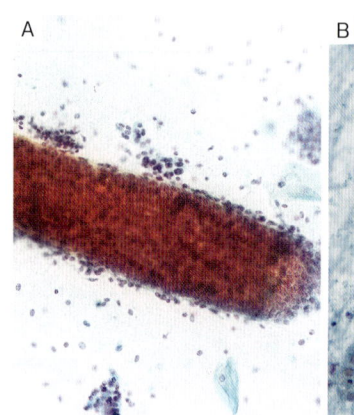

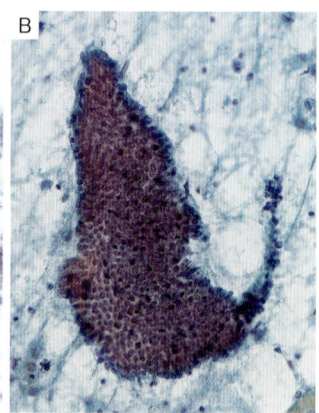

図VII-1　管状・シート状集塊（Pap. 染色 A,B：×40）
A：増殖期内膜に出現した管状集塊。腺管幅は概ね等しく，集塊辺縁に内膜間質細胞の付着がみられる。
B：萎縮内膜に出現したシート状集塊。上あるいは下側に内膜間質細胞の付着がみられる。

Cell clumps with tube-shaped / sheet-shaped seen in cases of proliferative phase（A）and atrophy（B）
A：Cell clump surrounded by endometrial stromal cells.
B：Adhesion of endometrial stromal cells were observed on cell clumps with sheet-shaped.

均衡内膜の不調増殖期内膜においても観察される。細胞診断学的に子宮内膜増殖症を疑うには，標本内における当該集塊の占有率を評価する必要がある。子宮内膜増殖症例の組織像では，内膜間質が豊富に存在する中に類円形を主体とする腺腔が拡張を示す。あるいは，内膜間質の占める割合が少なくなり，複雑な形状の腺腔が増殖する。細胞像では，細胞集塊内に2倍を超える幅の拡張や分岐を認める。これらの集塊の周囲には内膜間質細胞の付着が観察され，間接的に中側が腔状であると判断される（図VII-2, 3）。

3）乳頭・管状集塊

　病変が進行し新生された間質を伴いながら腺管が複雑に増生すると，乳頭状集塊や大小様々な腺管が集塊内に密集した集塊として観察される（図VII-4～8）。この腺管の密集は，内膜増殖症では分岐・拡張を示していた腺管が，癌に進行するに従い複雑に分岐し癒合した反映と考えられる。乳頭状構造や腺管の密集は分化型腺癌の特徴であり，様々な割合で混在する。細胞像では，厚みのある大型の集塊で出現することが多い。乳頭状集塊と判定するには，集

VII 子宮内膜細胞診の基礎

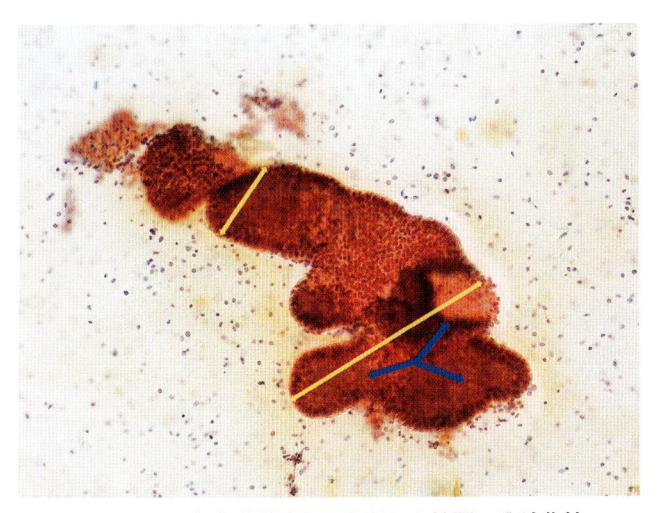

図VII-2 子宮内膜増殖症に出現した拡張・分岐集塊
(Pap.染色, ×20)

集塊内に2倍を超える拡張（黄色矢印）や，分岐（青色矢印）を認める。

Cell clumps with dilated / branched pattern in endometrial hyperplasia

Irregular dilation (yellow arrow) and branching (blue arrow) were noted in the tube-shaped gland.

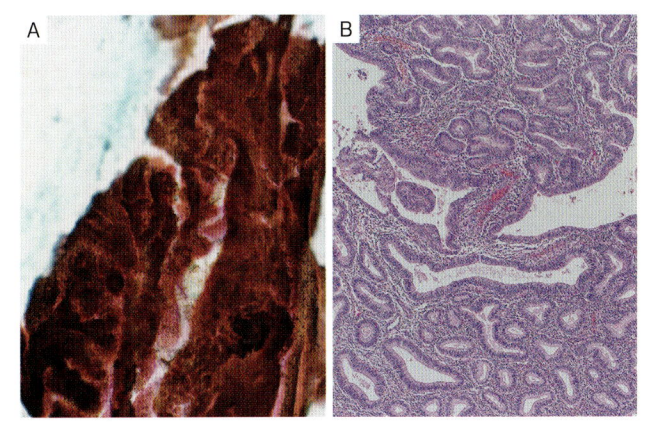

図VII-4 類内膜癌 grade1（A：Pap.染色 B：HE染色　A,B：×10）

細胞像では重積性顕著な大型集塊を形成して出現し，組織像では乳頭状増殖が目立つ。

Endometrioid carcinoma, grade1

A：Cytological finding was characterized by severe overlap.
B：In histological findings, papillary proliferation was noticeable.

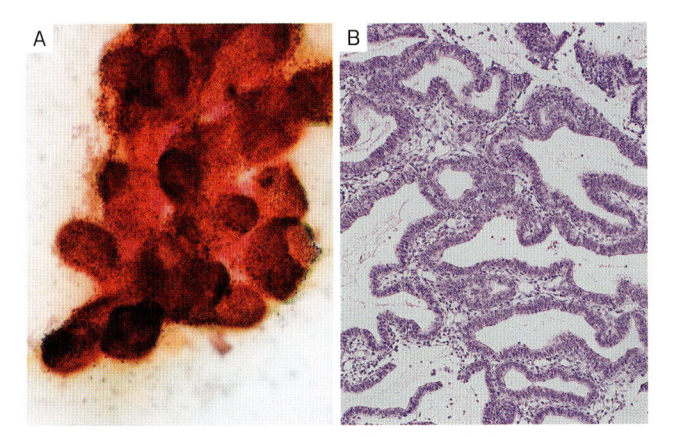

図VII-3 子宮内膜増殖症（A：Pap.染色 B：HE染色　A,B：×20）

細胞像では不規則分岐が目立ち，組織像では腺管の面積割合が増加している。

Endometrial hyperplasia without atypia

A：Irregular branching was noticeable in the cytological findings.
B：In histological findings, an increase of the glands was observed.

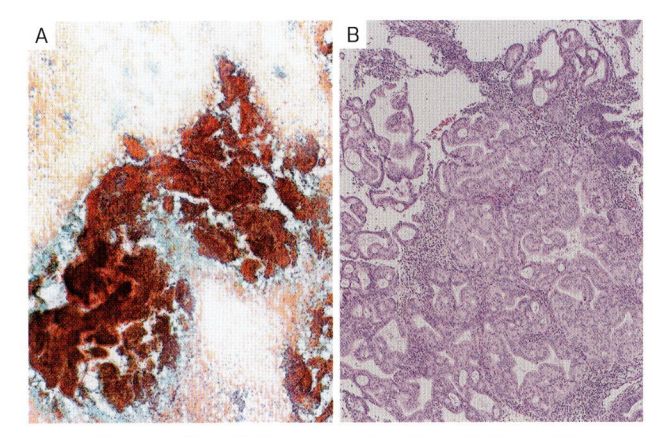

図VII-5 類内膜癌 grade1（A：Pap.染色 B：HE染色　A,B：×10）

細胞像では不規則に重積する大型集塊を形成して出現し，組織像では腺管の密集が目立つ。

Endometrioid carcinoma, grade1

A：Clusters of tumor cells appeared as irregular shape.
B：In histological findings, complex clusters of glands were noticeable.

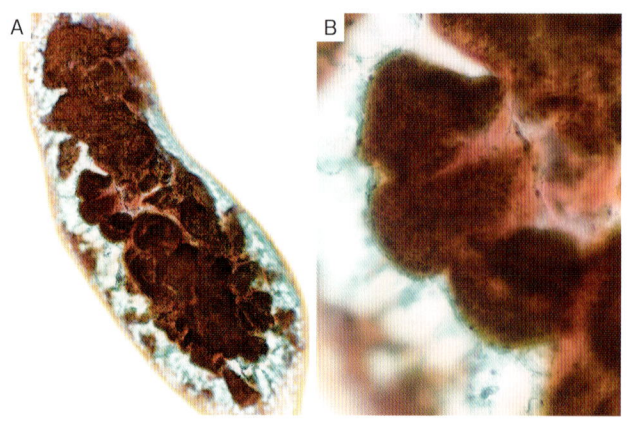

図Ⅶ-6　類内膜癌grade1に出現した乳頭・管状集塊
　　　　(Pap.染色　A：×10　B：×40)

集塊辺縁に内膜間質細胞の付着はみられない。

Cell clumps with papillo-tubular pattern in endometrioid carcinoma, grade1

Adhesion of endometrial stromal cells weren't observed at the edges of cell clumps.

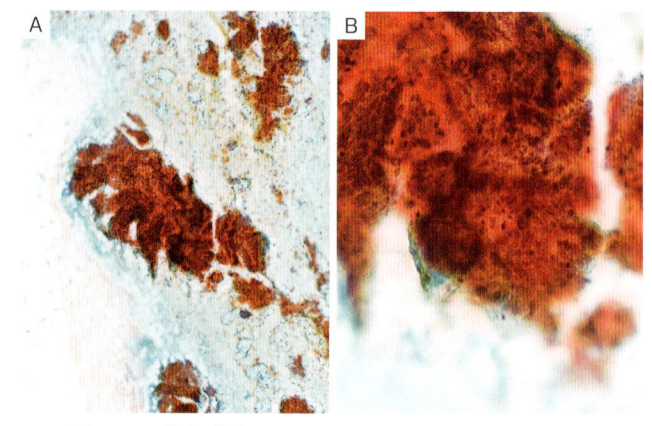

図Ⅶ-8　類内膜癌grade1に出現した乳頭・管状集塊
　　　　(Papanicolaou染色　A：×10　B：×40)

腫瘍細胞集塊の一部分に，腺管の密集がみられる。

Cell clumps with papillo-tubular pattern in endometrioid carcinoma, grade1

Complex clusters of glands were observed within the tumor cell clumps.

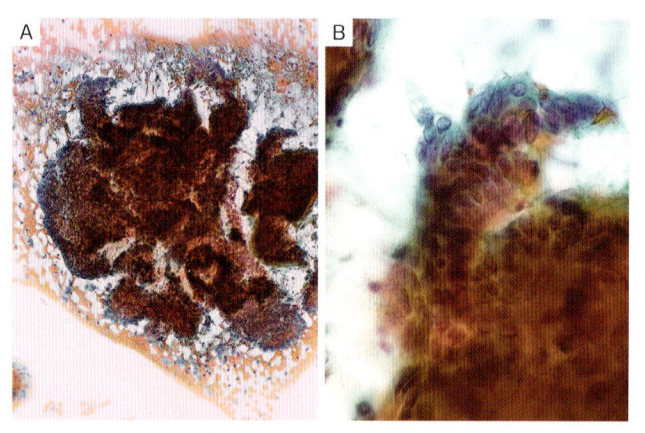

図Ⅶ-7　類内膜癌grade1に出現した乳頭・管状集塊
　　　　(Pap.染色　A：×20　B：×100)

腫瘍細胞は，不規則な乳頭状集塊を形成して出現している。

Cell clumps with papillo-tubular pattern in endometrioid carcinoma, grade1

Tumor cells appeared as irregular papillary clusters.

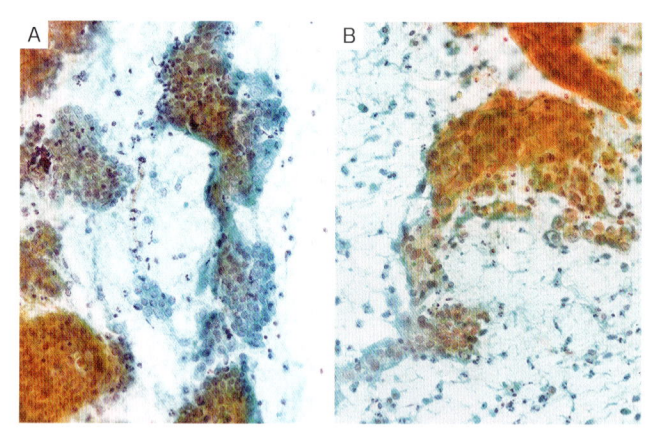

図Ⅶ-9　類内膜癌grade1に出現した不整形突出集塊
　　　　(Pap.染色　A,B：×40)

集塊の辺縁から小突起がみられ，その細胞質が保たれている集塊を不整形突出集塊という。

Cell clumps with irregular protrusion pattern in endometrioid carcinoma, grade1

Small protrusions could be observed at the edges of the cell clump. Additionally, the cytoplasm of the small protrusions was preserved.

塊周囲に内膜間質細胞の付着がないことを確認する。乳頭状の増生が主体の場合には立体的で複雑な形状の乳頭状集塊として，管状構造が主体である場合には腺腔が複雑に密集した集塊として出現するが，これらを総じて乳頭・管状集塊として分類する。

4) 不整形突出集塊

　前述の集塊に当てはまらないもので集塊の辺縁から小突起がみられるものを，不整形突出集塊と分類する。ただし，集塊の辺縁の細胞質が保たれていることとし，単に崩れた集塊とは区別する。不整形突出集塊には組織学的裏づけが存在しないことを理解し，標本全体の観察を十分に行

い，慎重に判定する（図Ⅶ-9）。

5) 判定方法

　対物4倍レンズで標本全体を観察し，周期（phase），腺管と内膜間質の割合より可能性のある病変を絞り込む。次に，適宜種々の対物レンズを用いながら通常のスクリーニングを行う。異常な集塊の出現を認める症例では，標本中の全集塊を分類し，異常細胞集塊の出現数，占有率（異常細胞集塊数/全集塊数）を計数する。最後に矛盾点がないかどうかを確認することも重要であり，特に，構造異型を

みることに捉われて基本的な背景所見を見落とすことのないように留意する。

6）判定基準

施設内の組織学的裏づけを得られた細胞診標本に対して，再評価〔標本中のすべての細胞集塊を正常集塊（管状・シート状集塊），異常集塊（拡張・分岐集塊，乳頭・管状集塊，不整形突出集塊）に分類し，異常細胞集塊の出現数および占有率を計数〕を行い，判定基準を定めることが望ましい。以下に，参考として大阪府済生会野江病院で定められた判定基準示す。

> **陰　性**：異常細胞集塊出現数 9 個以下あるいは異常細胞集塊占有率 10% 未満
> **疑陽性**：異常細胞集塊出現数 10 個以上かつ異常細胞集塊占有率 10% 以上
> **陽　性**：異常細胞集塊出現数 10 個以上かつ異常細胞集塊占有率 70% 以上

子宮内膜細胞診に求められていることは，組織診による精密検査が必要か否かの判別を行うことである。三段階評価（陰性，疑陽性，陽性）を用いる際には，疑陽性であれば組織診施行対象となる可能性が高いが，ヨコハマシステム（The Yokohama System：TYS，Ⅲ章参照）では，細胞診的に望ましいと考える臨床対応を的確に伝えることが可能である。

3　細胞所見

1）増殖期内膜

内膜腺管と内膜間質が一塊となって採取される割合が高い。細胞像では，内膜腺管は単一腺管状構造を示し，個々の細胞は小型でN/C比が高く，密に配列する。集塊周囲に内膜間質細胞の付着を伴い，管状集塊もしくはシート状集塊として出現する。内膜間質細胞は，類円形核を有する小型細胞として観察される。細胞質は脆弱であるため塗抹時に失われやすいが，保持されているものでは淡明で境界不明瞭である。

2）分泌期内膜

増殖期で形成された機能層の内膜腺管の細胞質が，分泌物により個々の体積を増す。結果，内膜腺管は拡張し細胞間の接着性が弱まることにより，シート状集塊で塗抹される割合が増殖期に比べ高まる。細胞質は分泌物を含有することにより明るく広くなるため，蜂巣状構造（honeycomb appearance）を示す。内膜間質も体積を増した内膜腺管を支えるために浮腫状となり，固定時などに剝離する確率が増し，細胞診標本上に出現する割合が減少する。基本的には管状・シート状集塊を形成するが，増殖期に比較して拡張や分岐を示す集塊が多くみられる。拡張・分岐集塊においては構成細胞のN/C比，細胞質に着目し，分泌期内膜由来であるのか，内膜増殖症などが由来であるのかを鑑別する。内膜間質細胞も増殖期に比較して大型化し，核もやや腫大する。細胞質はやや厚く広くなるため，上皮細胞と誤認し不整形突出集塊と判定することのないよう注意が必要となる。

3）萎縮内膜

萎縮内膜では基底層のみとなるため，内膜間質はほとんど採取されない。内膜腺細胞は，主に厚みのないシート状集塊を形成して出現し，均一核を有する小型の腺細胞で構成される。背景に大食細胞がみられることが多い。

4）子宮内膜増殖症/子宮内膜異型増殖症

組織診では，内膜腺管配列の乱れが領域性に観察され，腺管：間質面積比 1 以上（腺管面積優位）であることを基準に診断される。細胞診標本上には，増殖期内膜類似の形態を示す内膜腺管が拡張や分岐を示す腺管構造を反映し，ボール状，お椀状，拡張腺，分岐腺などの集塊を形成して出現する。内膜腺管の形態が複雑性を増すと，細胞診標本上の内膜間質細胞量も減少する。子宮内膜異型増殖症では，内膜腺管はより複雑な形態を呈するため，腺管が密に増生し内膜間質はより乏しくなる。内膜腺の個々の細胞異型の程度を細胞診標本で評価することは困難であり，拡張・分岐集塊，乳頭・管状集塊の出現頻度（占有率）の上昇を基準に細胞診断を実施する。

5）類内膜癌 grade1/類内膜癌 grade2

組織診における腺管の癒合，乳頭状増殖は，細胞診標本上には腺管集集塊，乳頭集塊として現れる。結合性が保たれている乳頭状集塊では，周囲に内膜間質細胞の付着を伴わないことを拠り所として，乳頭・管状集塊と判定することが求められる。直接塗抹標本では，炎症細胞浸潤や微量の壊死物質などの重要な背景所見が，厚みのために見逃されがちであることを踏まえて慎重に鏡検する必要がある。

また，多量の炎症細胞とともに不整形突出集塊を形成する腫瘍細胞が少数採取されている場合には，細胞異型が軽微であることにより陽性判定に至れないことがある。少なくとも，組織診断による精密検査が必要であることを臨床に伝えることが肝要である。

6）高悪性度子宮内膜癌

類内膜癌 grade3，漿液性癌，明細胞癌では，生物学的特性が高分化類内膜癌と大きく異なるため，高悪性度子宮内膜癌が疑われる旨を臨床に伝えることが望ましい。

類内膜癌 grade3 では，充実性増殖が主体の組織像を示

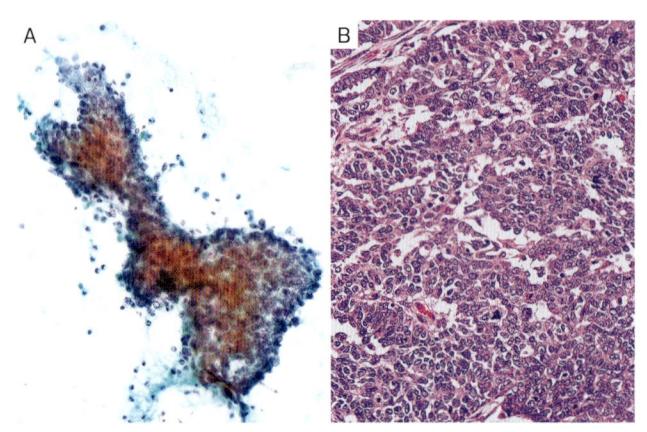

図Ⅶ-10 類内膜癌 grade3 に出現した不整形突出集塊（A：Pap.染色　B：HE染色　A,B：×40）

細胞像では不規則に重積する集塊を形成して出現し，組織像では充実性増殖が目立つ。

Cell clumps with irregular protrusion pattern in endometrioid carcinoma, grade3

A：Tumor cells were observed irregular clusters of cells.
B：In histological findings, solid proliferation was noticeable.

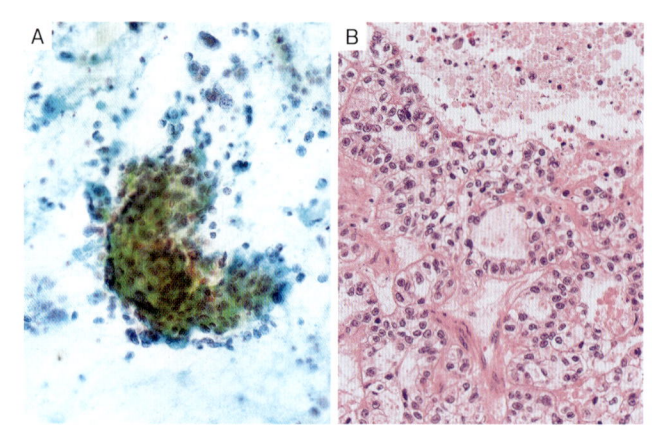

図Ⅶ-12 明細胞癌（A：Pap.染色　B：HE染色　A,B：×40）

細胞像では集塊内に黄色調の基底膜物質を含む集塊として出現し，組織像では小濾胞構造と基底膜肥厚がみられる。

Clear cell carcinoma

A：Cytological finding was characterized cell clump containing yellowish basement membrane substance inside.
B：In histology, micro cystic proliferation and thick basement membranes were observed.

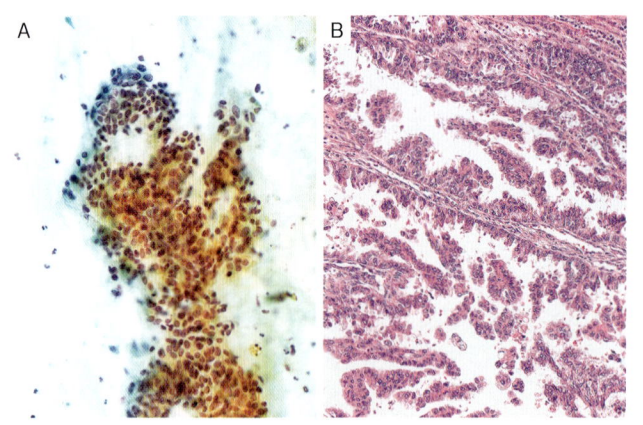

図Ⅶ-11 漿液性癌（A：Pap.染色　B：HE染色　A,B：×20）

細胞像では重積性顕著な大型集塊を形成して出現し，組織像では乳頭状増殖が目立つ。

Serous carcinoma

A：Cytological finding were characterized by papillary proliferation and nuclei with significant atypia.
B：In histological findings, papillary proliferation was noticeable.

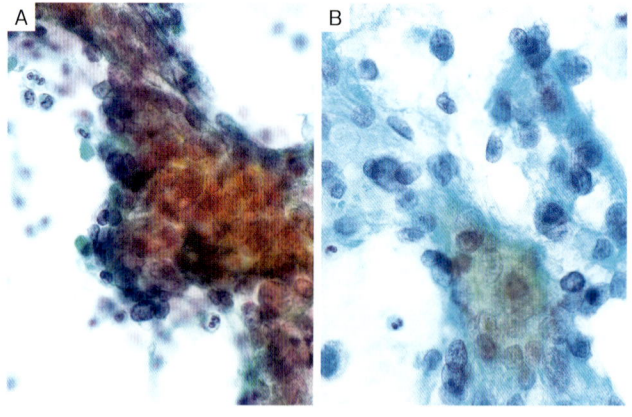

図Ⅶ-13 類内膜癌 grade3 と明細胞癌の細胞像比較（Pap.染色　A,B：×100）

類内膜癌 grade3 の細胞質は比較的狭小，明細胞癌の細胞質は微細顆粒状で比較的豊かである。

Comparison of cytological findings between endometrioid carcinoma, grade3（A）and clear cell carcinoma（B）

Endometrioid carcinoma, grade3（A）was relatively small amount of cytoplasm. Clear cell carcinoma（B）was fine granular and relatively rich cytoplasm.

す症例（図Ⅶ 10）において，高分化型類内膜癌と鑑別が必要となる．漿液性癌では細胞異型が高度な症例では判定上の問題は少ないが，比較的分化した乳頭状増生の著しい症例で類内膜癌 grede1 との鑑別を要する（図Ⅶ-11）。明細胞癌では，背景や腫瘍細胞内に内包されている基底膜物質を見逃さないよう慎重な観察が必要となる（図Ⅶ-12）。類内膜癌 grade3 と明細胞癌は，細胞境界が不明瞭な共通点があるが，類内膜癌 grade3 の細胞質は比較的狭小，明細胞癌の細胞質は微細顆粒状で，比較的豊かなことで鑑別可能である（図Ⅶ-13）。漿液性癌の細胞質は比較的均質で，類内膜癌 grade3，明細胞癌よりも濃染傾向にある（図Ⅶ-14）。

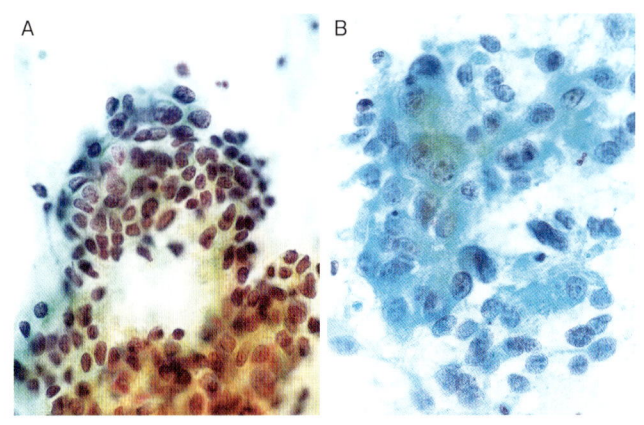

図Ⅶ-14 漿液性癌と明細胞癌の細胞像比較
(Pap. 染色　A,B：×100)

漿液性癌の細胞質は比較的均質で，明細胞癌よりも濃染傾向にある。

Comparison of cytological findings between serous carcinoma (A) and clear cell carcinoma (B)

The cytoplasm in serous carcinoma (A) was relatively homogeneous and stained more intensely than in clear cell carcinoma (B).

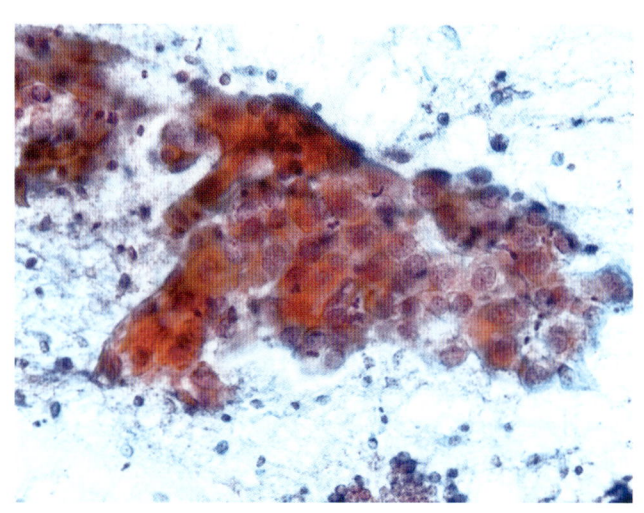

図Ⅶ-15 好酸性変化（化生）を示す集塊
(Pap. 染色, ×40)

委縮内膜症例に出現した好酸性変化（化生）を示す細胞集塊。核形不整は観察されないが，核腫大傾向がみられる。細胞間の結合性は強い。

Clusters of eosinophilic changed (metaplastic) seen in a case of atrophy

Cytologicallybland cells have abundant eosinophilic cytoplasm and no nuclear pleomorphism. They appear with forming single-layered cell clump. Intercellular combinations are good.

4　子宮内膜異型細胞（atypical endometrial cells：ATEC）の細胞像

　子宮内膜異型細胞（atypical endometrial cells：ATEC）は，記述式子宮内膜細胞診報告様式に採用された細胞診判定区分で，その後，世界共通の判定基準として策定されたTYSに踏襲されている。ATECは，診断的意義が不明なもの（ATEC of undetermined significance：ATEC-US）と，子宮内膜異型増殖症/類内膜上皮内腫瘍や悪性病変を除外できないもの（ATEC cannot exclude atypical endometrial hyperplasia/endometrioid intraepithelial neoplasia：ATEC-AE）に区別して用いる。病変名推定が困難な異型細胞を認めた際に用いられる判定区分であり，典型的な細胞診判定基準は存在しないため，数値目標が設定されている。

1) TYSの概要
　標本の種類，標本の適否，記述式細胞診結果報告から構成される。細胞診結果は，陰性/悪性腫瘍および前駆病変ではない（TYS 1），ATEC（TYS 2/TYS 4），異型を伴わない子宮内膜増殖症（TYS 3），子宮内膜異型増殖症/EIN（TYS 5），悪性腫瘍（TYS 6）に分類される。

2) ATEC
　ATEC-USとATEC-AEに分けられ，それぞれに応じた臨床対応が設定されており，従来「疑陽性」とされていた多様な異型細胞が，経過観察を要するものと組織生検を要するものに区別されている。このことは非常に意義深く，記述式報告様式を用いる最大の利点である。

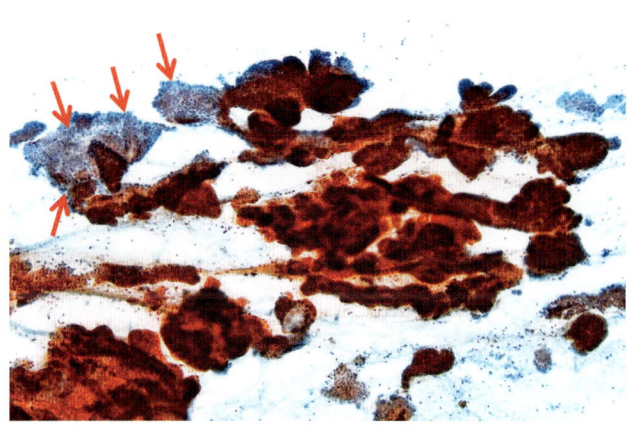

図Ⅶ-16 好酸性変化（化生）を示す集塊
(Pap. 染色, ×10)

委縮内膜症例に出現した乳頭状突出を伴う好酸性および粘液性変化（化生）を示す細胞集塊。細胞間の結合性は強く，表層被覆上皮との連続性がみられる（矢印）。

Clusters of eosinophilic changed (metaplastic) seen in a case of atrophy

Cytologicallybland cells have abundant eosinophilic and mucinous cytoplasm and no nuclear pleomorphism. These cells proliferate in the shape of papillary and the continuity from a e surface epithelium is observed (arrows). Intercellular combinations are good.

（1）ATEC-US（TYS 2）

病変名推定が困難な異型細胞を認め，子宮内膜生検は必ずしも必要としないがフォローアップ（細胞診再検）が薦められる際に用いる。全報告の5％以下であることが望ましい。ATEC-USに該当する細胞像は，単個，小集塊，シート状集塊，拡張分岐集塊などで出現し，クロマチンの増量が確認されない，あるいは変性などによりクロマチンの増量を確認不能であるものが該当する（図Ⅶ-15, 16）。

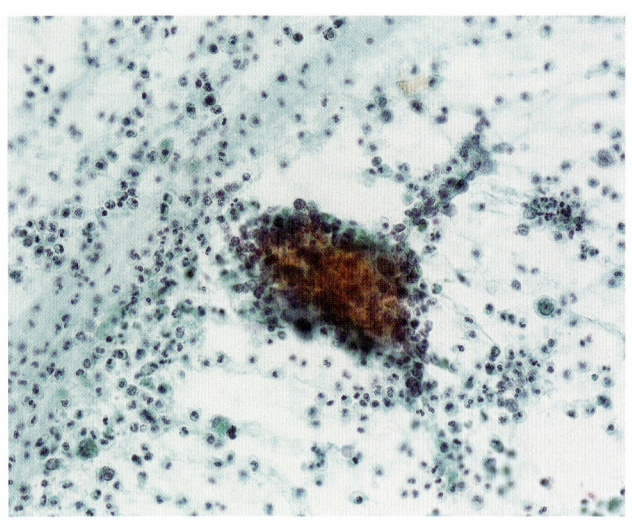

図Ⅶ-17　類内膜癌 grade3 に出現した不整形突出集塊
（Pap. 染色，×40）

多数の炎症細胞を背景に，変性を伴う異型細胞からなる不整形突出集塊がみられる。

Cell clumps with irregular protrusion pattern in endometrioid carcinoma, grade3

Irregular cluster of degenerated tumor cells was observed against the background of numerous inflammatory cells.

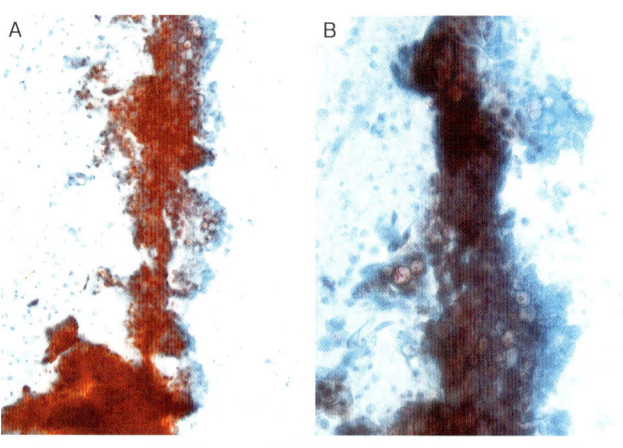

図Ⅶ-19　好酸性および粘液性変化（化生）を示す集塊
（Pap. 染色　A：×20　B：×40）

類内膜癌 grade1 症例に出現した好酸性および粘液性変化（化生）を示す不整形突出集塊。細胞間の結合性は弱く，表層被覆上皮との連続性はみられない。

Clusters of eosinophilic and mucinous changed (metaplastic) cells seen in a case of endometrioid carcinoma, grade1

They were composed of eosinophilic and mucinous changed (metaplastic) cells, and irregular projection figures were seen from the margins of the cell clumps. The continuity from a superficial epithelium isn't observed.

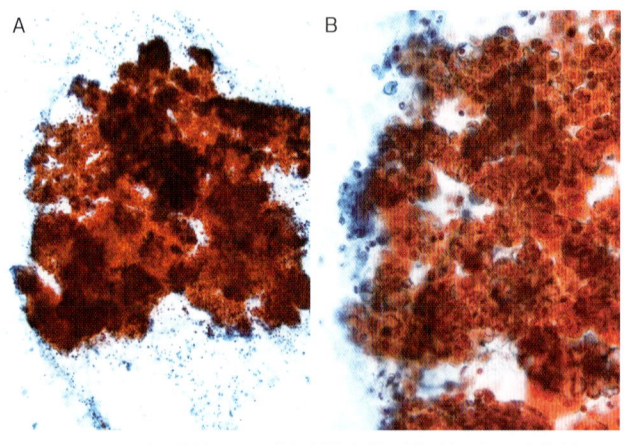

図Ⅶ-18　好酸性および粘液性変化（化生）を示す集塊
（Pap. 染色　A：×4　B：×20）

内膜炎症例に出現した好酸性および粘液性変化（化生）を示す不整形突出集塊。細胞間の結合性は弱く，表層被覆上皮との連続性はみられない。

Clusters of eosinophilic and mucinous changed (metaplastic) cells seen in a case of endometritis

They were composed of eosinophilic and mucinous changed (metaplastic) cells, and irregular projection figures were seen from the margins of the cell clumps. The continuity from a superficial epithelium isn't observed.

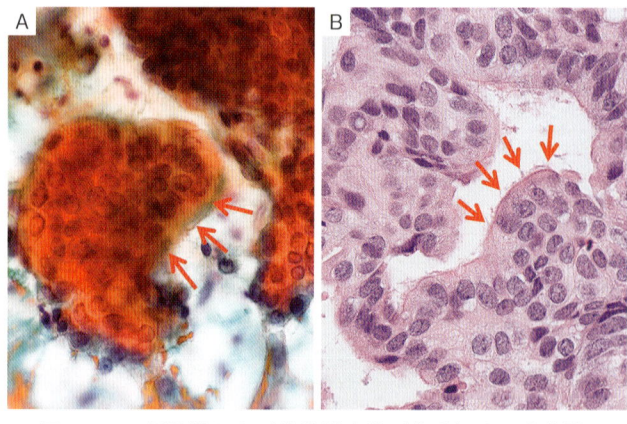

図Ⅶ-20　好酸性および粘液性変化（化生）を示す集塊
（A：Pap. 染色　B：HE 染色　A,B：×100）

類内膜癌 grade1 症例に出現した好酸性および線毛性変化（化生）を示す不整形突出集塊。線毛は矢印で示す。

Clusters of eosinophilic and ciliated changed (metaplastic) cells seen in a case of endometrioid carcinoma, grade1

They were composed of eosinophilic and cilliatedchanged (metaplastic) cells, and irregular projection figures were seen from the margins of the cell clumps. Cilliasare indicated by arrows.

(2) ATEC-AE（TYS 4）

　明白な腫瘍性背景が存在するが異型細胞が認められない場合や，不整形な細胞集塊が存在するが明瞭な腫瘍細胞が存在しない場合などに用いる（図Ⅶ-17）。ATEC 全体の10％以下であることが望ましい。ATEC-AE は，子宮内膜異型増殖症/類内膜上皮内腫瘍あるいはそれ以上の病変が示唆されるものとし，臨床医に内膜生検を推奨するとされている。明白な腫瘍性背景や腫瘍の存在を示唆する化生細胞の出現に加えて，腫瘍が疑われる異型細胞の出現数が非常に少ない症例においても選択される可能性がある。（図Ⅶ-18〜20）

　今後の科学的検証は欠かせないものの，従来の疑陽性症例の一部に ATEC-US と ATEC-AE を用いることは，内膜細胞診における様々な問題点を解決へと導き，診断精度の向上に寄与することは確実である。

（矢野　恵子）

■文　献

1) 日本臨床細胞学会．細胞診ガイドライン 1 婦人科・泌尿器 2015 年版．金原出版 2015.
2) WHO Classification of Tumours Editorial Board. WHO Classification of Tumours, 5th ed., Volume 4 Female genital tumours. IARC Publications 2020.
3) 日本産科婦人科学会ほか．子宮体癌取扱い規約 病理編 第 5 版．金原出版 2022.
4) Yanoh K, et al. New diagnostic reporting format for endometrial cytology based on cytoarchitectural criteria. Cytopathology 2009; 20: 388-394.
5) 矢納研二ほか．記述式報告様式を用いた子宮内膜細胞診の感度特異度確立と向上のための多施設共同研究 班研究報告．第 51 回日本臨床細胞学会 2010.
6) Mutter GL. Endometrial intraepithelial neoplasia (EIN): will it bring order to chaos? The Endometrial Collaborative Group. Gynecol Oncol 2000; 76: 287-290.
7) 平井康夫ほか．ヨコハマシステム準拠子宮内膜細胞診アトラス 第 2 版．医学書院 2022.

VIII ホルモン不均衡内膜および細胞質変化（化生）の細胞像

1 はじめに

体内膜腺は，豊富で柔らかな間質に埋もれた腺管であり，この特徴が細胞診での腺全体の構造変化の観察を可能にしている。子宮内膜細胞診において構造異型を加味した判定方法が有用なのは，エンドサイト，エンドサーチなどで採取され直接塗抹された標本においては，重積性が強い，出血が著明などの理由により細胞所見の詳細な観察が不可能になることが多いためである。言い換えれば，内膜細胞診では組織構築を反映した組織様大型集塊が採取されていることが多いのである。また，子宮内膜増殖症を異常病変として確実に捉える目的で細胞診が施行される場合，その対象は細胞異型を示さないものを含むこととなるため，構造異型を加味した判定方法が必要となる。一方，子宮内膜では腫瘍性変化に加え，ホルモン環境の影響[1~3]，細胞質変化（化生）[4~6]が加わるため，病変は多彩な像を呈する。近年，子宮内膜細胞診では，まず腺の構造を把握し，細胞個々の所見を観察していくことが病変の全体像を理解するためには必要であると諸家により報告されている。いずれの報告においても，子宮内膜増殖症を疑陽性とする判定基準を用いた場合には，非増殖性内膜の疑陽性率は比較的高いものとなっている[7~12]。診断精度向上のためには，誤判定の原因の大半を占める様々な非増殖性内膜や細胞質変化（化生）の組織学的特徴を理解し，細胞診判定に生かすことが必要である。

2 ホルモン不均衡内膜の細胞像

細胞診標本において，無排卵性周期に伴う機能性子宮出血（dysfunctional uterine bleeding：DUB）を反映した子宮内膜と腫瘍性病変を鑑別することは，適切な治療において極めて重要である。出血が多量または少量で不規則な間隔で生じる子宮出血がみられる時，臨床的に推定可能な原因がない場合にはDUBであるとされる（表VIII-1）。無排卵性周期は，性周期を伴う女性のDUBにおいて最も高頻度な原因であり，その組織学的特徴に対し，様々な報告がなされている[1~5]。

また，更年期には生理的に性ホルモンの分泌機能低下が起こり，内膜は萎縮内膜へと変化するが，単純に萎縮内膜に至るケースは少なく，多くの場合，無排卵性周期による

表VIII-1 不正性器出血出現率

	増殖期内膜 （49例）	EGBD （32例）	子宮内膜増殖症 （63例）
平均年齢 （分布）	39.9歳 （25～52歳）	49.7歳 （30～67歳）	47.7歳 （35～65歳）
不正出血	0%	81.3%	63.7%

内膜の不規則な増殖を経て萎縮していく[1]。無排卵性周期にみられる内膜の異常においては子宮内膜増殖症類似の変化を示す場合があり，細胞診の判定上問題となることがある。エストロゲン刺激状態による無排卵性のDUBの原因は，血管外に遊出した赤血球のうっ血，毛細血管における血小板／フィブリン血栓，修復性変化に関連する間質崩壊（stromal breakdown）に由来する。修復性変化は，凝集・圧縮された内膜間質細胞集塊と，再生された上皮細胞による肥厚を示す。それらの形態的変化は，概ね局所的で内膜表層近くで観察され，正常な内膜粘膜によって囲まれている。

Shermanら[13]は無排卵性周期に伴うホルモン不均衡内膜について，次のように記述している。排卵が障害され成熟卵胞が存続し，黄体が形成されないと内膜は増殖するが，分泌期に移行しない。その後，エストロゲンの消退出血または長期持続後破綻出血が起こる。その際に内膜は成熟せず断片化するが，この状態を内膜腺間質破綻（endometrial glandular and stromal breakdown：EGBD）と呼び，その組織像は出血やフィブリンの析出がみられる中，内膜間質の脱落に起因する内膜腺の断片化や，変性凝集を起こした内膜間質細胞が観察される。それぞれの割合やパターンによって，不調増殖期内膜（proliferative phase with breakdown；disordered proliferative phase：DPP），focal glandular crowdingのように記述され，DPPは質的には単純型増殖症と同様の変化が部分的に起こっているとしている。

無排卵性周期に関連したDUBは日常診療において高頻度に遭遇する臨床症状であり，病理組織学的所見と相関させた細胞所見を把握することにより，異常性器出血や子宮内膜肥厚の臨床症状を示す症例に対して，内膜細胞診は重要な役割を果たすことができる[14]。ここでは，EGBDと，DPPの細胞像について解説する。

1) EGBDの細胞像

EGBD症例の細胞診標本には，組織像を反映して増殖期に相当する腺管が断片化しフィブリンに埋もれた像（断片化集塊）（表Ⅷ-2）[14]や，小型の拡張・分岐集塊が観察される．内膜間質細胞の変性凝集像も特徴的である．さらに，表層被覆上皮細胞における細胞質変化（化生）が高頻度に観察される．

(1) 断片化集塊（図Ⅷ-1）

EGBDは，無排卵性周期の中でも特に出血時に高頻度に観察される状態であるため，背景には出血，フィブリン析出がみられることが多い．この背景を"壊死物質"と誤認すると，誤陽性判定につながるので注意を要する．内膜細胞診全般の注意点であるが，まずは標本全体を弱拡大（対物4倍レンズ）で観察し，どの期（phase）に相当するかを把握することが大切である．EGBD症例においては，すべての集塊が断片化することは稀で，標本中には増殖期内膜としての像を示す集塊が出現している．また，しばしば拡張・分岐集塊も観察される（表Ⅷ-3，図Ⅷ-2, 3）[14,15]．

表Ⅷ-2 断片化集塊出現率

	増殖期内膜 (49例)	EGBD (32例)	子宮内膜増殖症 (63例)
断片化集塊	0%	59.4% (a,b)	1.6%

a：増殖期内膜と有意差あり（p<0.0001）
b：子宮内膜増殖症と有意差あり（p<0.0001）

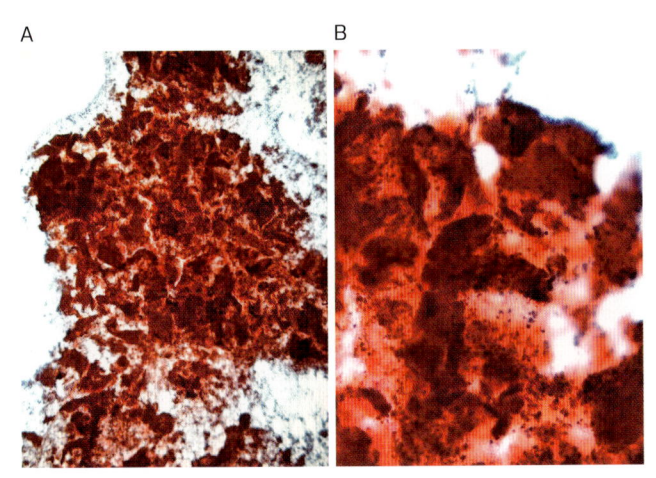

図Ⅷ-1 EGBDの断片化集塊（Pap.染色，A：×4，B：×10）
増殖期相当の内膜腺管が断片化し，血液やフィブリンに埋もれた像として観察される．

Fragmented cluster of endometrium seen in a case of EGBD

Cell clumps which appeared with endometrial stromal cells that the fragmentation glands buried to the blood and the fibrin caused degenerated aggregation.

表Ⅷ-3 拡張・分岐集塊の占有率

	増殖期内膜 (49例)	EGBD (32例)	子宮内膜増殖症 (63例)
拡張・分岐集塊	2.1%	15.1% (a)	34.9% (a,b)

a：増殖期内膜と有意差あり（p<0.0001）
b：子宮内膜増殖症と有意差あり（p<0.0001）

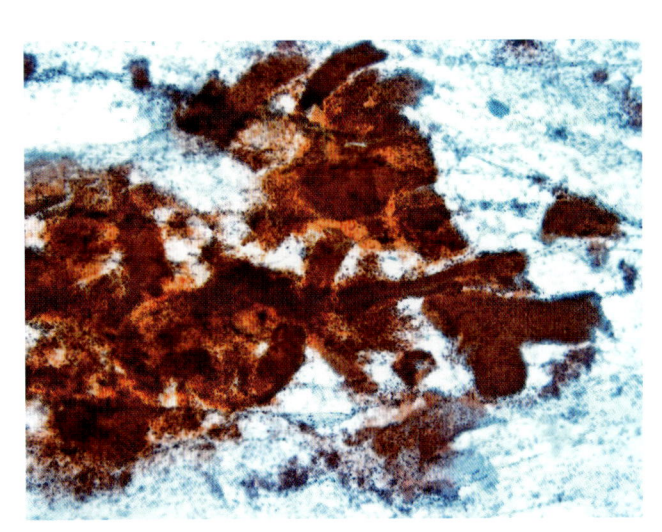

図Ⅷ-2 EGBDの拡張・分岐集塊（Pap.染色，×10）
増殖期相当の内膜腺管が拡張・分岐を示しながら出現している．子宮内膜増殖症例の拡張・分岐集塊に比較し，小型のものが多いことが特徴である．

Clusters of dilated or branched glands seen in a case of EGBD

Cell clumps have irregular dilation and branching in the tube-shaped gland, and it recognizes the cohesion of the endometrial stromal cells in the marginalis of the gland. It is characteristic that they are smaller than clusters of dilated glands seen in a case of endometrial hyperplasia.

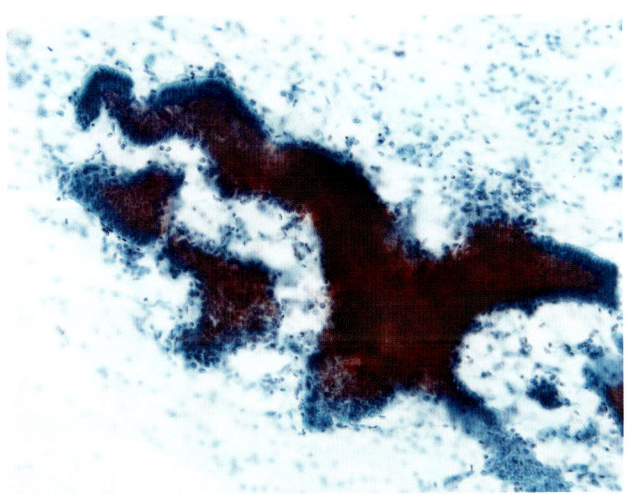

図Ⅷ-3 EGBDの拡張・分岐集塊（Pap.染色，×20）
増殖期相当の内膜腺管が拡張・分岐を示しながら出現している．子宮内膜増殖症例の拡張・分岐集塊に比較し，小型のものが多いことが特徴である．

Clusters of dilated or branched glands seen in a case of EGBD

Cell clumps have irregular dilation and branching in the tube-shaped gland, and it recognizes the cohesion of the endometrial stromal cells in the marginalis of the gland. It is characteristic that they are smaller than clusters of dilated glands seen in a case of endometrial hyperplasia.

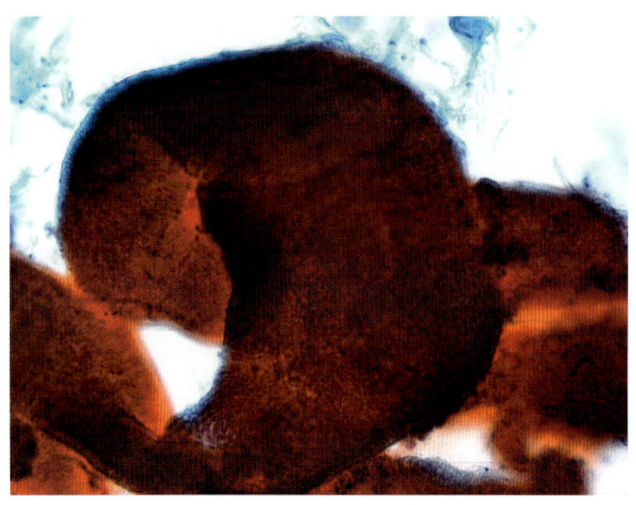

図Ⅷ-4　子宮内膜増殖症の拡張・分岐集塊（Pap. 染色，×10）

増殖期相当の内膜腺管が著しい拡張や，分岐を示しながら出現している。集塊の周囲には内膜間質細胞の付着が確認される。

Clusters of dilated or branched glands seen in a case of endometrial hyperplasia without atypia

A cell clumps have irregular dilation and branching in the tube-shaped gland, and it recognizes the cohesion of the endometrial stromal cells in the marginalis of the gland.

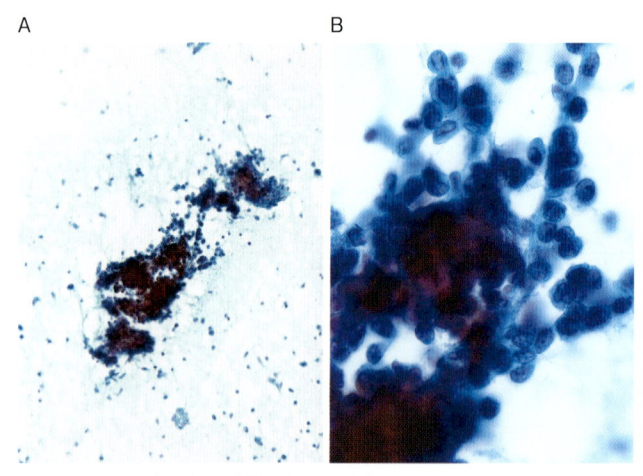

図Ⅷ-5　間質細胞凝集塊（Pap. 染色，A：×20，B：×100）

ヘマトキシリンに過染する，細胞質の乏しい内膜間質細胞が凝集・圧縮された緻密な塊を形成して出現する。

Condenced cluster of stromal cells seen in a case of EGBD

Stromal cells are condensed and form compact nests with hyperchromatic nuclei and little or no cytoplasm.

EGBD 症例と子宮内膜増殖症例の拡張・分岐集塊（図Ⅷ-4）を比較すると，EGBD 症例では子宮内膜増殖症例に比較し腺管の幅が狭いものが多い。これは，EGBD 症例で観察される拡張・分岐集塊が，腺管の断片化による変性所見であることに起因する。

（2）間質細胞凝集塊（内膜間質細胞の変性凝集像）（図Ⅷ-5）

EGBD における間質の破綻像を反映したものと考えられ，過染性核を有し，細胞質の乏しい内膜間質細胞が凝

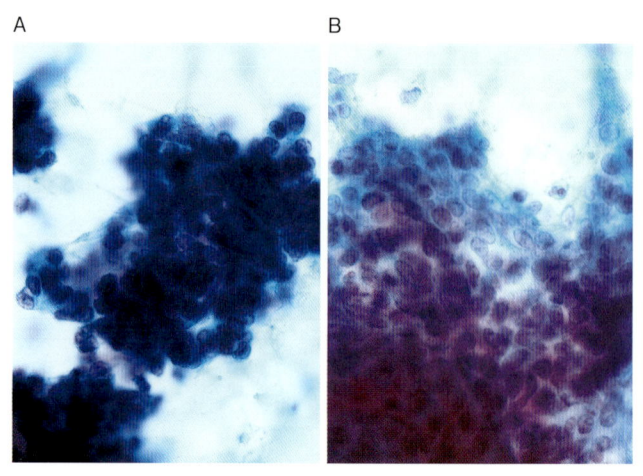

図Ⅷ-6　間質細胞所見の比較（Pap. 染色，A：×20，B：×100）

A：EGBD の間質細胞凝集塊
B：増殖期の間質細胞

両者の鑑別は比較的容易である。

Cytological comparison stromal cells

A：Condensed stromal cluster seen in a case of EGBD
B：Stromal cells seen in a case of proliferative endometrium

The comparison of the cytological findings of stromal cells. The differentiation of both is relatively easy.

表Ⅷ-4　間質細胞凝集塊出現現率

	増殖期内膜 （49 例）	EGBD （32 例）	子宮内膜増殖症 （63 例）
間質細胞凝集塊	48.9%	100%（a,b）	55.6%

a：増殖期内膜と有意差あり（p＜0.0001）
b：子宮内膜増殖症と有意差あり（p＜0.0001）

表Ⅷ-5　間質細胞凝集塊 20 個以上の出現現率

	増殖期内膜 （49 例）	EGBD （32 例）	子宮内膜増殖症 （63 例）
間質細胞凝集塊 20 個以上	0%	84.4% （a,b）	4.8%

a：増殖期内膜と有意差あり（p＜0.0001）
b：子宮内膜増殖症と有意差あり（p＜0.0001）

集・圧縮された緻密な集塊を形成したものである。その変化は増殖期の内膜間質細胞と比較すると，その差は明らかで容易に特徴を認識できる（図Ⅷ-6）。その出現率の上昇は，細胞診標本において EGBD を推定する際に非常に重要な所見となる（表Ⅷ-4, 5）[14,15]。

（3）表層被覆上皮に生じる細胞質変化（化生）

EGBD においては，表層被覆上皮に生じる細胞質変化（化生）が高頻度に観察される[16]。種別は，好酸性および線毛性が主体である（表Ⅷ-6）[17]。それらの細胞形態は，増生を伴う場合には時として子宮内膜増殖症や類内膜癌に誤認されることがあり[18～21]，形態学的鑑別が必要である。種々の細胞質変化（化生）は高エストロゲン状態に起因し

表Ⅷ-6 細胞質変化（化生）の出現率

	増殖期内膜 （49例）	EGBD （32例）	子宮内膜増殖症 （63例）
好酸性	20.4%	34.4%	19.1%
線毛性	8.2%	59.4%	22.2%
合計	28.6%	93.8%（a,b）	41.3%

a：増殖期内膜と有意差あり（p＜0.0001）
b：子宮内膜増殖症と有意差あり（p＜0.0001）

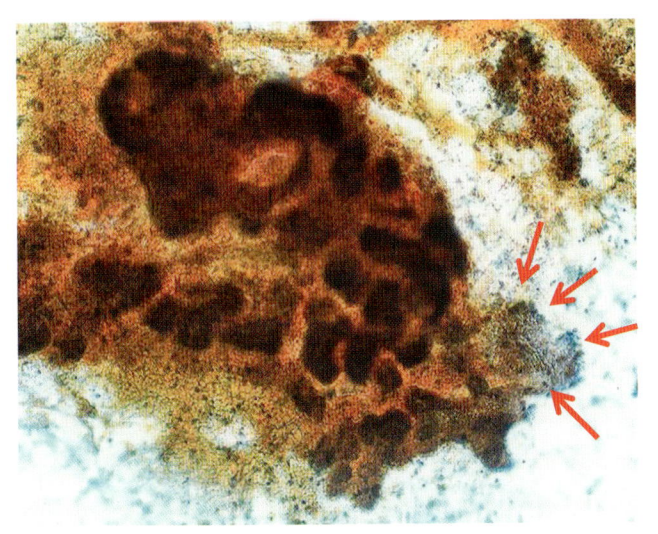

図Ⅷ-7 細胞質変化（化生）を伴う不整形突出集塊（Pap.染色，×10）

表層被覆上皮との連続性が観察される（矢印）不整形突出を示す集塊。細胞質には好酸性や線毛性の変化（化生）が観察され，それらが小乳頭状に増生している。

Clumps with irregular protrusion in a case of EGBD

The continuity from a surface epithelium is observed (arrows). Eosinophilic ciliated changed (metaplastic) cells proliferate in the shape of papillary.

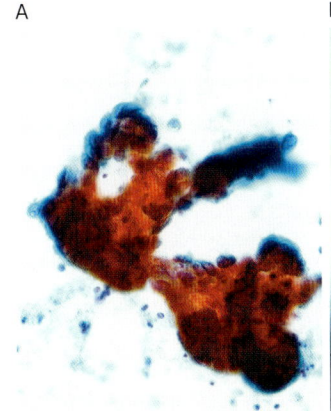

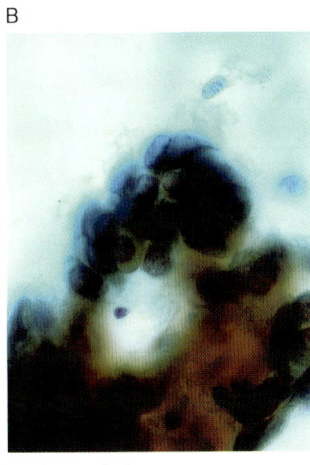

図Ⅷ-8 化生性不整形突出集塊（Pap.染色，A：×40，B：×100）

好酸性変化（化生）を示す細胞のみから構成されている不整形突出集塊。円形の核には腫大傾向がみられる。

Metaplastic clumps with irregular protrusion

They were composed of metaplastic cells that showed thick eosinophilic cytoplasm and a rounded nucleus with slight swelling, and some irregular small projection features were seen from the margins of the cell clumps.

表Ⅷ-7 化生性不整形突出集塊の出現率

	増殖期内膜 （49例）	EGBD （32例）	子宮内膜増殖症 （63例）
化生性不整形 突出集塊	10.2%	90.6% （a,c）	28.6% （b）

a：増殖期内膜と有意差あり（p＜0.0001）
b：増殖期内膜と有意差あり（p=0.0079）
c：子宮内膜増殖症と有意差あり（p＜0.0001）

表Ⅷ-8 化生性不整形突出集塊の占有率

	増殖期内膜 （49例）	EGBD （32例）	子宮内膜増殖症 （63例）
化生性不整形 突出集塊	0.4%	16.1% （a,b）	2.9%

a：増殖期内膜と有意差あり（p＜0.0001）
b：子宮内膜増殖症と有意差あり（p＜0.0001）

ているため，無排卵性周期においては高率に観察される。また，出血時には種々の細胞質変化（化生）が観察され，特に好酸性，線毛性，乳頭状変化（化生）が高率に観察されるので，相乗効果でEGBD症例では細胞質変化（化生）を伴った内膜腺が高率に観察されるのである。それらは細胞集塊の分類としては不整形突出集塊とされるものが多く，しばしば表層被覆上皮との連続性が観察される（図Ⅷ-7）。また，化生細胞のみで構成されている細胞集塊で，細胞集塊辺縁より小突起状の突出がみられ，小突起の細胞質辺縁を明瞭に追うことができるものと定義した化生性不整形突出集塊（図Ⅷ-8）の出現頻度を検討するとEGBDでは優位に出現率が高いことを報告している（表Ⅷ-7，8）。中でも，間質細胞凝集塊を含む化生性不整形突出集塊の出現頻度が高まることは特徴的である（表Ⅷ-9，図Ⅷ-9）[17]。

(4) EGBD症例の細胞診判定

細胞診標本において，増殖期内膜像を示す腺管の断片化と内膜間質細胞の変性凝集像が観察された場合，EGBDを推定することが可能である。EGBD症例では，経過観察により拡張・分岐集塊や化生性不整形突出集塊などの異常細胞集塊の消失をしばしば経験する。EGBDに特徴的な細胞所見がみられる際には，異常細胞集塊数および出現頻度が疑陽性の基準を満たすものであっても細胞診再検による経過観察が適切で，継続的に異常細胞集塊が出現する症例に対してのみ組織生検を行うべきである。

2) DPPの細胞像と細胞診判定

DPP症例では，子宮内膜増殖症例と同様の形態を示す拡張・分岐集塊（図Ⅷ-10）が出現しており，出現数およ

表Ⅷ-9 間質細胞凝集塊を含有する化生性不整形突出集塊の出現率

	増殖期内膜 (5例)	EGBD (29例)	子宮内膜増殖症 (18例)
間質細胞凝集塊含有 化生性不整形突出集塊	20.0%	93.1% (a,b)	16.7%

a：増殖期内膜と有意差あり（p＜0.0001）
b：子宮内膜増殖症と有意差あり（p＜0.0001）

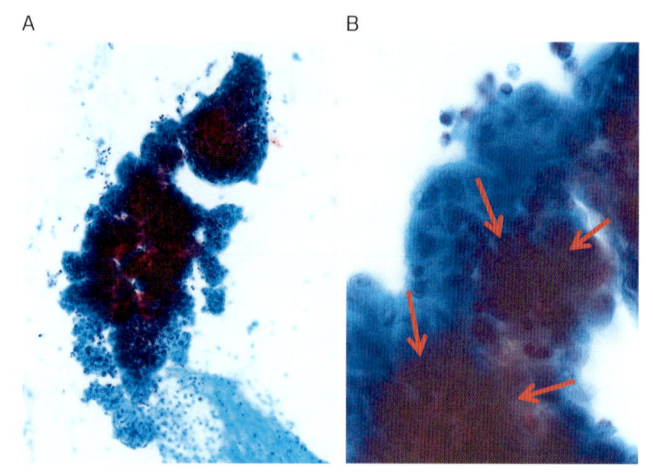

図Ⅷ-9 間質細胞凝集塊を含む化生性不整形突出集塊（Pap. 染色, A：×20, B：×100）

表層被覆上皮との連続性が観察される（矢印）不整形突出を示す集塊。細胞質には好酸性や線毛性の変化（化生）が観察され、それらが小乳頭状に増生している。

Metaplastic clumps with arranged in condensed stromal clusters
They were composed of metaplastic cells that showed thick cytoplasm and a rounded nucleus with slight swelling, and they arranged in condensed stromal clusters (arrows) that included by clumps.

（文献25より）

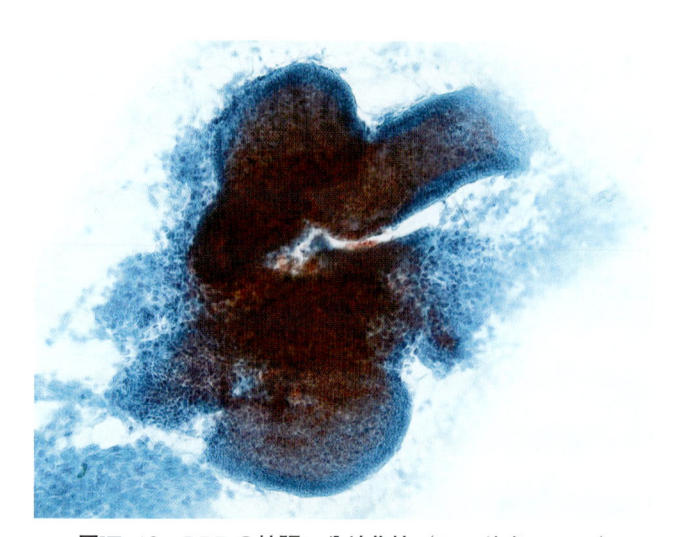

図Ⅷ-10 DPPの拡張・分岐集塊（Pap. 染色, ×20）
増殖期相当の内膜腺管が拡張や分岐を示しながら出現している。子宮内膜増殖症と形態学的に非常に類似した細胞所見である。

Clusters of dilated or branched glands seen in a case of DPP
The cytological findings are very similar to the image of endometrial hyperplasia.

び出現頻度も子宮内膜増殖症例と明らかな違いを認めないことが多い。さらに、再検時に異常細胞集塊の消失が確認される症例も低率である。DPPの組織学的な定義が、質的には子宮内膜増殖症と同様の変化が部分的に起こっているものとされているため、当然と思われる。現在のところ、細胞診でDPPと子宮内膜増殖症を明確に区別する判定基準は策定されていない。したがって、拡張腺管主体の異常細胞集塊が疑陽性の基準を満たした際には、組織生検を施行することが必要であり、その結果、DPPとの組織診断がなされることは稀ではない。

3）DUBのまとめ

DUDに起因する子宮内膜の変化は子宮内膜増殖症に類似する可能性が比較的高く[18〜21]、細胞診断上も問題となる。標本中の拡張・分岐集塊の占有率において、EGBDは子宮内膜増殖症と比較して低値であり、拡張・分岐集塊の出現は子宮内膜増殖症に特徴的であるといえる。しかしながら、同じく拡張・分岐集塊の占有率において、EGBDは増殖期内膜よりも有意に高値を示す（表Ⅷ-3）。このこ

とは、EGBDでは、基本的にはエストロゲン刺激が不十分であるために内膜組織が広範囲にわたって断片化するが、無排卵周期という状況の中で、長期ではないにしろエストロゲン刺激状態である場合、一部に子宮内膜増殖症と同様の変化（腺の囊胞状拡張、腺腔の部分的突出・分枝など）が生じやすいためと推察している。事実、無排卵性周期によるDUBにおいて、エストロゲン刺激が持続的状態の場合、狭い範囲に限局した子宮内膜増殖症に類似した変化が起こり、それらを指してDPPと表現されるのである[13]。したがって、EGBDとDPPは一連の変化であり、明確に区別できるものでも、するべきものでもない。よって、細胞診標本上に腺管の断片化塊と間質細胞凝集塊の出現が認められる場合でも、拡張・分岐集塊の出現が高頻度である場合には慎重な診断をすべきであり、組織学的検索も含めた総合的な評価をしなければならない。

また、Shermanらは、乳頭状合胞体化生が間質崩壊（stromal breakdown）に関連した上皮変化であり、通常表層被覆上皮に観察されるとし[13]、Zamanらは、急性出血時におけるEGBDの病理組織学的所見を報告し、表層被覆上皮に沿って起こった乳頭状合胞体変化の病巣と密接に関連しているとした[22]。そこに示された乳頭状化生の特徴は、結合組織の支持が欠如した小乳頭状の房を形成する好酸性細胞の多層化増生とされ、核の多形性や不整の程度は比較的軽度と記している。よって、前述した化生性不整形突出集塊（図Ⅷ-8）は乳頭状変化（化生）由来と考えられ、この乳頭状変化（化生）の出現が過剰判定の主たる原因となっていることは明らかであり、診断精度の向上にはその形態学的理解が欠かせない。

重ねて述べるが、無排性周期に伴うホルモン不均衡内膜

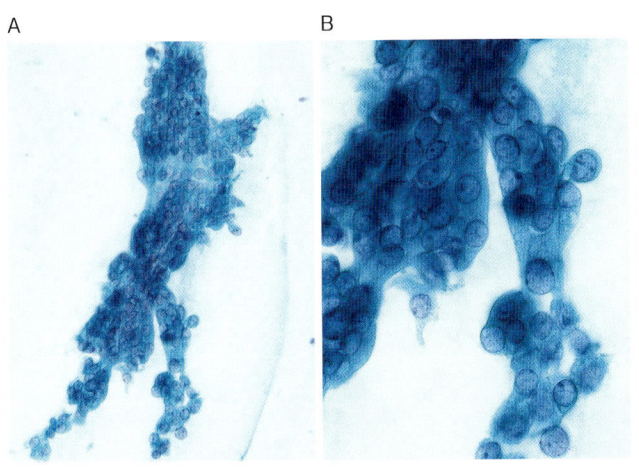

図Ⅷ-11 好酸性変化（化生）を示す集塊（Pap. 染色，A：×40，B：×100）

EGBD 症例に出現した好酸性変化（化生）を示す不整形突出集塊。核形不整は観察されないが，核腫大傾向がみられる。細胞間の結合性は強い。

Clusters of eosinophilic changed (metaplastic) seen in a case of EGBD

Cytologically bland cells have abundant eosinophilic cytoplasm and no nuclear pleomorphism. They appear with forming large cell clump with irregular protrusions. Intercellular bondings are good.

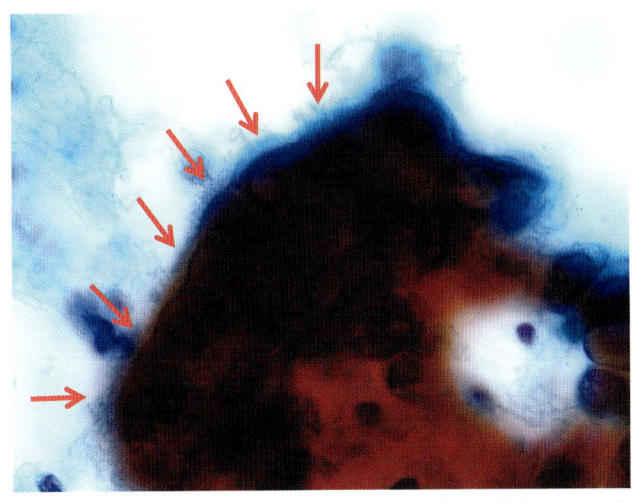

図Ⅷ-12 線毛性変化（化生）を示す集塊（Pap. 染色，×100）

EGBD 症例に出現した線毛性変化（化生）を示す不整形突出集塊。線毛性変化（化生）を伴う細胞には好酸性変化（化生）がみられることが多い。核異型は観察されないが，核腫大傾向がみられる。細胞質辺縁に線毛が明瞭に観察される（矢印）。

Clusters of ciliated changed (metaplastic) seen in a case of EGBD

Cytologically bland cells have abundant eosinophilic cytoplasm and no nuclear pleomorphism. They possess clearly visible luminal cilia (arrows).

においては不正性器出血や内膜肥厚を伴うため，細胞診検査の役割は非常に重要である。無排卵性周期の子宮出血時の細胞像として矛盾のないことを臨床に伝えることは非常に意義深い。細胞診断の信頼性を高めるためには，その細胞像および組織像の把握が重要である。

3 子宮内膜に生じる細胞質変化（化生）について

1980 年に Hendrickson ら[23]は，内膜に生じる本来の変化ではない現象に対して"metaplasia"と表現し，好酸性化生（図Ⅷ-11），線毛性化生（図Ⅷ-12），粘液性化生（図Ⅷ-13），扁平上皮性化生（図Ⅷ-14），明細胞性化生（図Ⅷ-15）などに分類した。以来，"化生"いう用語が広く用いられてきたが，病理総論的定義に相当しない変化も含まれており，加えて"変性"，"再生"などの用語との区別も明確でないため，近年は"cellular changes"あるいは"cytoplasmic changes"という表現に移行しつつある。本書では現状を鑑み，また細胞質に主たる変化が生じることより"細胞質変化（化生）"と記載する。内膜細胞診の診断精度を低下させる原因の1つは，細胞質変化（化生）が生じることによる細胞像の多彩化であり，その理解がさらなる精度の向上に欠かせないことは明らかである。しかしながら，現在の組織学的分類では，"好酸性"という表現を取り上げても"HE 染色におけるエオジン好染性を示すもの"と定義づけされているように，細胞像と組織像を照合することが困難な症例が少なからず存在する。また，線毛性変化（化生）はほとんどが好酸性変化（化生）を示す細胞に生じることや，種々の細胞質変化（化生）がしばしば混在して観察される（図Ⅷ-16）ことがさらなる混乱を招いている。ここでは，細胞質変化（化生）に関して報告されている知見について述べる。

1) EGBD における細胞質変化（化生）

ホルモン不均衡内膜の1つである EGBD においては，乳頭状増生を伴う好酸性変化（化生）を示す細胞（図Ⅷ-8, 9）が高率に観察される[17]。Zaman らは，EGBD の病理組織学的所見，特に急性出血時における変化を，表層被覆上皮に生じた乳頭状合胞体変化（化生）と密接に関係するとし，結合組織の支持が欠如した小乳頭状の房を形成する好酸性細胞の多層化増生とし，核の多形性や不整の程度は比較的軽度であると報告している[22]。EGBD では，これらの変化が乳頭状増生を伴う好酸性細胞質変化（化生）を示す細胞集塊として高率に観察され，細胞診断において過剰判定の一因となっている[24]。前項で述べたように，間質細胞凝集塊を含む化生性不整形突出集塊（図Ⅷ-9）の存在は，特に無排卵性周期における EGBD と子宮内膜増殖症を細胞学的に鑑別する上で有用である[7]。無排卵性周期に伴うホルモン不均衡内膜においては，不正性器出血や内膜肥厚を示すため，細胞診検査の役割は今後さらに重要性を増すものと思われる。

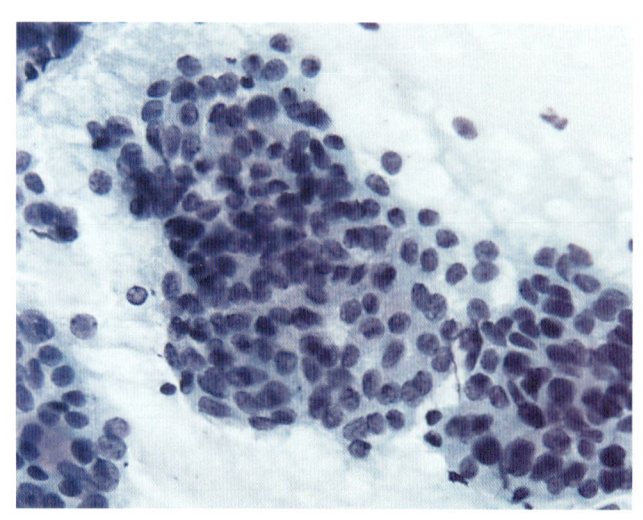

図Ⅷ-13 粘液性変化（化生）を示す集塊（Pap. 染色，×40）
類内膜腺癌G1症例に出現した粘液性変化（化生）を示す不整形突出集塊。細胞質には粘液が認められる。

Clusters of mucinous changed (metaplastic) seen in a case of G1

It is characteristic to show irregular digitations when it appears on G1 case as a cell clump with an irregular protrusion. Tumor cells have abundant clear and hazy cytoplasm.

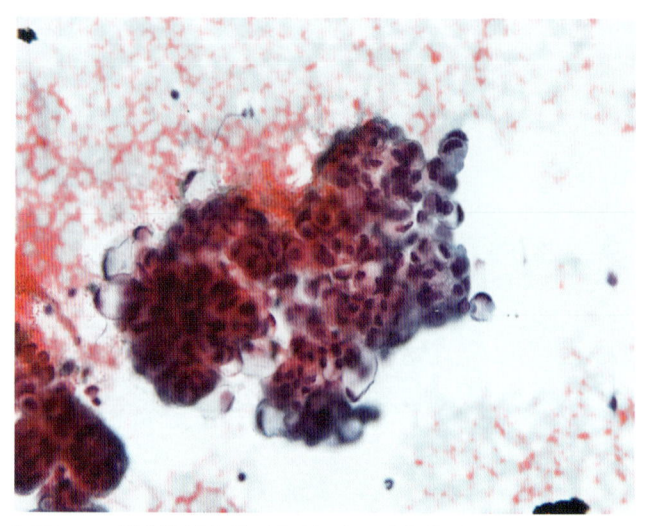

図Ⅷ-15 明細胞性変化（化生）を示す集塊（Pap. 染色，×40）
萎縮内膜症例に出現した明細胞性変化（化生）を示す細胞集塊。細胞間の結合性が強く，核異型も観察されない。

Clear metaplastic cells in a case of atrophy

Cytologically bland cells have abundant clear cytoplasm and no nuclear pleomorphism. Intercellular bondings are very good.

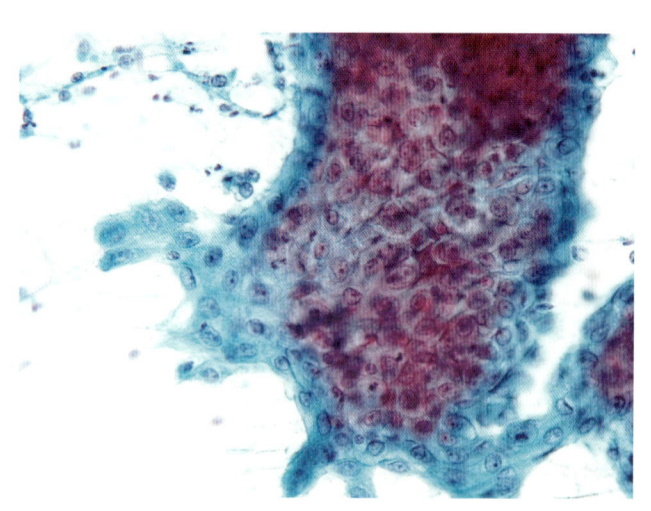

図Ⅷ-14 扁平上皮性変化（化生）を示す集塊（Pap. 染色，×40）
類内膜腺癌G1症例に出現した扁平性変化（化生）を示す不整形突出集塊。細胞質には厚みがみられ，細胞境界明瞭となっている。

Clusters of squamous changed (metaplastic) seen in a case of G1

It is characteristic to show irregular digitations when it appears on G1 case as a cell clump with an irregular protrusion. Tumor cells have abundant thick cytoplasm and their border becomes clear.

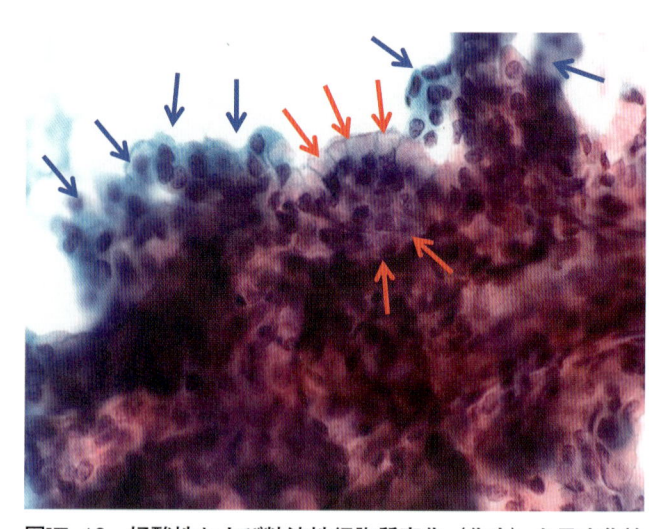

図Ⅷ-16 好酸性および粘液性細胞質変化（化生）を示す集塊（Pap. 染色，×40）
EGBD症例に出現した好酸性（青矢印）と粘液性（赤矢印）の変化（化生）が混在する不整形突出集塊。細胞間の結合性は強い。

Clusters of eosinophilic and mucinous changed (metaplastic) cells seen in a case of EGBD

Cytologically bland cells have abundant eosinophilic (blue-arrows) and mucinous (red-arrows) cytoplasm and no nuclear pleomorphism. They appear with forming large cell clump with irregular protrusions. Intercellular bondings are good.

2）細胞質変化（化生）が細胞診成績に及ぼす影響

　各病変において，最も多く観察される細胞質変化（化生）は，好酸性変化（化生）と線毛性変化（化生）である（表Ⅷ-10）。また，表Ⅷ-11に示すようにこれらの出現が細胞診成績に直接的な影響を及ぼすことは明らかである。特に，ホルモン不均衡内膜の1つであるEGBDにおいては，乳頭状増生を伴う好酸性細胞質変化（化生）を示す細胞が高率に観察され（図Ⅷ-8，9）[17]，細胞診断において過剰判定の要因となっている。すなわち，EGBD症例において，細胞質変化（化生）を伴う細胞の出現を認めた症例と認めなかった症例の間には，細胞診断の正診率に統計学的有意差が認められ，誤判定の内容はすべて過剰判定であった。

　過去には，細胞質変化（化生）が由来であったと思われ

Ⅷ　ホルモン不均衡内膜および細胞質変化（化生）の細胞像

表Ⅷ-10　細胞診標本中の各病変における細胞質変化（化生）の出現率

	増殖期内膜 (49 例)	EGBD (32 例)	DPP (38 例)	子宮内膜増殖症 (63 例)	類内膜腺癌 G1 (42 例)
扁平上皮性	0.0%	0.0%	0.0%	3.2%	26.2%
好酸性	28.6%	93.8%＊	50.0%	41.3%	42.9%
粘液性	0.0%	0.0%	0.0%	0.0%	9.5%
明細胞性	0.0%	0.0%	0.0%	0.0%	0.0%

＊：好酸性変化（化生）において EGBD はいずれよりも有意に高値（p＜0.05）

表Ⅷ-11　好酸性および線毛性変化（化生）の有無と細胞診成績

	増殖期内膜 (55 例)		EGBD＊ (36 例)		子宮内膜増殖症 (70 例)	
	ECC（−）	ECC（＋）	ECC（−）	ECC（＋）	ECC（−）	ECC（＋）
陰性	40	14	4	4	4	0
疑陽性	0	1	0	28	39	26
陽性	0	0	0	0	0	1
合計	40	15	4	32	43	27

ECC：eosinophilic and ciliated metaplasitic changes〔好酸性および線毛性変化（化生）〕
＊：ECC の有無で有意差あり（p＜0.0001）

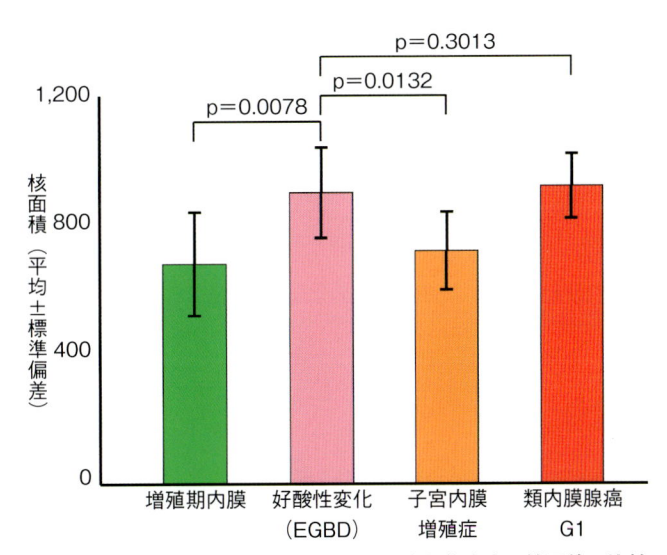

図Ⅷ-17　好酸性変化（化生）を示す細胞と他病変の核面積の比較

る異型細胞が，誤判定され腺癌と診断されたという報告がなされている．それは，1975 年の Ehrmann[24] による 2 つの症例報告である．その内容は，子宮内膜の間質破綻の状態にあったと思われる患者の腟部頸部擦過標本中に腺癌細胞類似の異型細胞が出現したというもので，無排卵性周期における不規則な細胞集塊を形成する細胞質変化（化生）由来の細胞が誤判定に結びついたものと思われる．

3）各種細胞質変化（化生）と他病変の核面積の比較

内膜細胞診標本では，背景の血液成分の混入，重積性が強いなどの理由により，往々にして個々の細胞形態の観察が困難となるが，核の大きさは常に良悪性の判断基準となる重要な指標である．画像解析装置を用いてパパニコロウ染色を施した細胞診標本のデジタル画像における核面積を計測すると，EGBD 症例中の好酸性変化（化生）を示す細胞の核面積は，類内膜癌 G1 の核面積と有意差を認めない（図Ⅷ-17）．この結果は好酸性変化（化生）を示す細胞の核面積の増大が過剰判定の一因であることを示している[25]．

細胞診判定においては，核面積とともに N/C 比は重要な観察ポイントであるが，出血や重積により N/C 比の観察が困難な症例にしばしば遭遇する．好酸性変化（化生）と線毛性変化（化生）を伴う細胞の出現が，細胞診成績に直接的な影響を及ぼすことは前項で述べた通りである．特に，EGBD 症例において，異常細胞塊として出現する化生性不整形突出集塊[17]も，内膜表層被覆上皮に沿って生じる乳頭状の好酸性変化（化生）と線毛性変化（化生）を示す細胞から構成されているものであり，不整な集塊形状

とともに核面積の増大が過剰判定を引き起こす原因と考える（図Ⅷ-8, 9）。

組織診断においては，細胞質変化（化生）を示す細胞と腺癌細胞の鑑別は比較的容易であるとされているが，Jacquesら[26]が，子宮体内膜の表層被覆上皮における細胞質変化（化生）が生検標本における組織診断で誤判定を招く要因であると報告しているように，細胞質変化（化生）を伴う細胞（特に好酸性変化）の存在が，過剰判定を引き起こす。また，核面積の測定値の解析においては増殖期内膜と子宮内膜増殖症の核面積値には有意差を認めない（図Ⅷ-17）ことからも，子宮内膜細胞診における細胞構築を加味した判定基準の有用性が示唆される。

4）細胞質変化（化生）の生物学的特性

時として，細胞質変化（化生）は構造的な異型を伴い，子宮内膜異型増殖症や類内膜腺癌との鑑別を要する。特に，表層被覆上皮に生じる好酸性変化（化生）は最も頻繁に遭遇する細胞質変化（化生）であるが，p53蛋白の免疫組織化学的な過剰発現が観察されると報告されている[27～29]。この項では，研究により明らかにされた細胞質変化（化生）の生物学的特性について述べる。

（1）各種病変における細胞質変化（化生出現頻度）

様々な種類の細胞質変化（化生）を，Hendricksonらの分類[23]を参考に，好酸性，粘液性，扁平上皮性，明細胞性その他に分類し，各病変における細胞診標本上の出現頻度を調査すると，好酸性の細胞質変化（化生）がすべての病変で高頻度に観察される（表Ⅷ-10）。よって，それらの細胞像の整理と把握が重要である。

（2）非細胞質変化（化生）部と細胞質変化（化生）部の免疫染色所見の比較

内膜病変における免疫組織化学的検索の有用性に関する報告は，用いる一次抗体や評価が様々であるが[27～31]，Ki-67，cyclin A，p53蛋白の3種類の一次抗体を用いて検討すると，各病変における非細胞質変化（化生）部と細胞質変化（化生）部の免疫所見には良好な相関がみられる。すなわち，p53蛋白に対する一次抗体には，細胞質変化（化生）部が非細胞質変化（化生）部と比較して強く染色され，Ki-67およびcyclin Aに対する一次抗体においては，対照的に非細胞質変化（化生）部が細胞質変化（化生）部と比較して強く染色される。特に重要と考えるのは，細胞増殖因子関連の一次抗体（Ki-67およびcyclin A）に対して，細胞質変化（化生）部が非細胞質変化（化生）部と比較して発現が低い点である。このことは，時として細胞異型や構造異型と誤認されるが子宮内膜の細胞質変化（化生）の生物学的特性は退行性であることを示している。よって，好酸性は最も頻繁に遭遇する細胞質変化（化生）であり，p53蛋白の免疫組織化学的な過剰発現が観察されるが，その変化は反応性のものと推定される。

p53蛋白の過剰発現は漿液性腺癌において高頻度に観察される。漿液性腺癌の確定診断を目的にp53蛋白の免疫染色を施行する場合には，その染色性がびまん性で強いことを確認することで細胞質変化（化生）部の陽性所見と鑑別することが重要である。

子宮内膜に生じる病変には，ホルモン環境の影響や多彩な細胞質変化（化生）が加わるため，多くの細胞質変化（化生）を観察した際には，注意深い追跡調査が必要である[32～36]。細胞質変化（化生）が多く観察され，細胞診断や病理組織診断に難渋する症例においては，細胞増殖因子とp53蛋白を組み合わせた免疫組織化学的検索も有用である。

（3）好酸性変化（化生）を示す細胞のp53遺伝子解析

EGBD症例中の好酸性細胞質変化（化生）を伴う表層被覆上皮細胞のp53遺伝子突然変異分析を実施したところ，すべてwild-typeのp53 exon5,6,7,8）の塩基配列と同様であり，p53遺伝子の突然変異は認識されず，免疫染色におけるp53蛋白の過剰発現は反応性の変化であることが示されている[37]。

4 おわりに

ホルモン不均衡内膜の中でも，EGBDとDPPにおいては特徴的な細胞所見が観察されるが，両者は無排卵性周期における一連の変化であることを理解することが大切である。また，ホルモン不均衡内膜では他病変よりも高率に細胞質変化（化生）が生じ，その異型が過剰判定の原因になりうることを認識するべきである。

ホルモン不均衡内膜の細胞所見，体内膜に生じる細胞質変化（化生）の細胞所見，生物学的特性を細胞診断基準にフィードバックすることにより，診断精度の向上が期待される。

（矢野　恵于）

■文　献

1) 本山悌一. ホルモン失調による子宮内膜病変の所見と診断. 病理と臨床 1998; 16: 539-543.
2) 桜井幹己. "子宮増殖症と鑑別すべき非腫瘍性病変". 取り扱い規約に沿った腫瘍鑑別アトラス 子宮体部 第2版. 森脇昭介ほか（編）. 文光堂 1999; 49-53.
3) 林玲子ほか. 子宮内膜機能性出血の細胞診—内膜細胞診疑陽性例の再検討から. 日本臨床細胞学会雑誌 2002; 41: 201-208.

4) 田口孝爾. "子宮内膜の上皮細胞にみられる化生の種類と腫瘍性病変との鑑別". 取り扱い規約に沿った腫瘍鑑別アトラス 子宮体部 第2版. 森脇昭介ほか（編）. 文光堂 1999; 8-15.
5) Silverberg SG, et al. Tumors of the Uterine Corpus and Gestational Trophoblastic Disease (Atlas of Tumor Pathology, 3rd series). Armed Forces Institute of Pathology 1992; 191-206.
6) 渡辺徹ほか. 子宮内膜表層に観察される Surface syncytial change の細胞像. 日本臨床細胞学会雑誌. 1996; 35: 198-204.
7) 佐藤倫也ほか. 子宮内膜増殖症の細胞所見とその臨床的背景. 日本臨床細胞学会雑誌 1998; 37: 637-642.
8) 上坊敏子ほか. 子宮内膜細胞診診断精度の検討. 日本臨床細胞学会雑誌. 2000; 39: 381-388.
9) 則松良明ほか. 子宮増殖症および類内膜腺癌 G1 の細胞像に関する検討―細胞集塊の形態異常を中心に. 日本臨床細胞学会雑誌 1998; 37: 650-659.
10) 清水恵子ほか. 子宮内膜細胞診疑陽性例の検討―構造異型を加味した判定基準を主体に. 日本臨床細胞学会雑誌 2002; 41: 89-94.
11) 則松良明ほか. 子宮内膜増殖症と非増殖症良性内膜にみられる細胞像の鑑別は可能か. 日本臨床細胞学会誌 2002; 41: 313-320.
12) 小田瑞恵ほか. 子宮内膜細胞診の判定の取扱いと限界. 産婦人科の実際 2002; 51: 907-911.
13) Sherman ME, et al. Blaustein's Pathology of the Female Genital Tract. 5th ed. Kurman RJ, et al., eds. Springer 2002, 431-439.
14) 清水恵子ほか. 内膜増殖症を疑い細胞診疑陽性としたホルモン不均衡内膜症例の検討. 日本臨床細胞学会雑誌 2004; 43: 266-271.
15) Shimizu K, et al. Endometrial glandular and stromal breakdown, part 1: cytomorphological appearance. Diagn Cytopathol 2006; 34: 609-613.
16) Ronnet BM, et al. "Precursor lesions of endometrial carcinoma". Blaustein's Pathology of the Female Genital Tract. 5th ed. Kurman RJ, et al., eds. Springer 2002, 484-493.
17) Norimatsu Y, et al. Endometrial glandular and stromal breakdown, part 2: cytomorphology of papillary metaplastic change. Diagn Cytopathol 2006; 34: 665-669.
18) Vakiani M, et al. Histopathological findings of the endometrium in patients with dysfunctional uterine bleeding. Clin Exp Obstet Gynecol 1996; 23: 236-239.
19) Fraser IS, et al. A comparison of mechanisms underlying disturbances of bleeding caused by spontaneous dysfunctional uterine bleeding or hormonal contraception. Hum Reprod 1996; 11 (Suppl. 2): 165-178.
20) Livingstone M, et al. Mechanisms of abnormal uterine bleeding. Hum Reprod Update 2002; 8: 60-67.
21) Ferenczy A. Pathophysiology of endometrial bleeding. Maturitas 2003; 45: 1-14.
22) Zaman SS, et al. Endometrial papillary syncytial change; a nonspecific alterlation associated with active breakdown. Am J Clin Pathol 1993; 99: 741-745.
23) Hendrickson MR, et al. Endometrial epithelial metaplasias: proliferations frequently misdiagnosed as adenocarcinoma. Report of 89 cases and proposed classification. Am J Surg Pathol 1980; 4: 525-542.
24) Ehrmann RL. Atypical cells and stromal breakdown two case reports. Acta Cytol 1975; 19: 463-469.
25) Shimizu K, et al. Diagnostic value of endometrium associated with papillary metaplastic changes in endometrial cytopathology. Diagn Cytopathol 2009; 37: 487-491.
26) Jacques SM, et al. Surface epithelial changes in endometrial adenocarcinoma: diagnostic pitfalls in curettage specimens. Int J Gynecol Pathol 1995; 14: 191-197.
27) Shiozawa T, et al. Immunohistochemical detection of cyclin A with reference to p53 expression in endometrial endometrioid carcinomas. Int J Gynecol Pathol 1997; 16: 348-353.
28) Quddus MR, et al. p53 immunoreactivity in endometrial metaplasia with dysfunctional uterine bleeding. Histopathology 1999; 35: 44-49.
29) Bur ME, et al. p53 expression in neoplasms of uterine corpus. Am J Clin Pathol 1992; 98: 81-87.
30) Shih HC, et al. Immunohistochemical experession of cyclins, cyclin-dependent kinases, tumor-suppressor gene products, Ki-67, and sex steroid receptors in endometrial carcinoma: positive staining for cyclin A as a poor prognostic indicator. Hum Pathol 2003; 34: 471-478.
31) Quddus MR, et al. Expression of cyclin D1 in normal, metaplastic, hyperplastic endometrium and endometrioid carcinoma suggests a role in endometrial carcinogenesis. Arch Pathol Lab Med 2002; 126: 459-463.
32) Kaku T, et al. Association of endometrial epithelial metaplasias with endometrial carcinoma and hyperplasia in Japanese and American women. Int J Gynecol Pathol 1993; 12: 297-300.
33) Mai KT, et al. 'Minimal deviation' endometrioid carcinoma with oncocytic change of the endometrium. Arch Pathol Lab Med 1995; 119: 751-754.
34) Ronnett BM, et al. "Precursor lesions of endometrial carcinoma". Blaustein's Pathology of the Female Genital Tract. 5th ed. Kurman RJ, et al., eds. Springer 2002; 484-493.
35) Lehman MB, et al. Simple and complex hyperplastic papillary proliferations of the endometrium: a clinicopathologic study of nine cases of apparently localized papillary lesions with fibrovascular stromal cores and epithelial metaplasia. Am J Surg Pathol 2001; 25: 1347-1354.
36) Rorat E, et al. Papillary metaplasia of the endometrium: clinical and histopathologic considerations. Obstet Gynecol 1984; 64: 90S-92S.
37) Shimizu K, et al. Expression of immunoreactivity and genetic mutation in eosinophilic and ciliated metaplastic changes of endometrial glandular and stromal breakdown: cytodiagnostic implications. Ann Diagn Pathol 2009; 13: 89-95.

IX 子宮内膜細胞診における液状化検体細胞診の有用性

1 はじめに

近年，液状化検体細胞診（liquid-based cytology：LBC）は子宮内膜細胞診においても利用されるようになり，その有用性について報告がなされている[1〜7]。LBCの標本作製法は，細胞塗抹の原理により沈降法とフィルター転写法に大別され，2法の細胞像は異なることが知られている。本章では2法のLBCを子宮内膜細胞診に使用する際の，2法の利点，欠点および直接塗抹法との細胞像の違いについて述べる。なお，沈降法はSurePath™，フィルター法はThinPrep®を用いた。

2 標本作製法

標本作製法は，直接塗抹とLBCのスプリットサンプル法を用いた。採取器具はソフトサイトを使用し，直接塗抹標本作製後，ソフトサイトに付着した残余検体を用いてLBC標本を作製した。LBC法の詳細を以下に示す。

① SurePath™（表IX-1）

基本的に子宮頸部検体の標本作製法[8]と同様の手順を用手法で行った。子宮頸部検体では分離用試薬にバイアル内の細胞浮遊液を重層する際，バイアルのボルテックスミキサーによる振盪操作を行うが，子宮内膜検体では，振盪により細胞集塊にアーティファクトが加わる可能性が高いと考え省略している。

表IX-1 SurePath™の標本作製法（用手法）

① 直接塗抹標本作製後のソフトサイトをSurePath™バイアル内で濯ぎ，細胞を回収する
② 分離用試薬4mLを入れた遠心チューブにバイアル内の細胞浮遊液を8mL重層する ボルテックスによる振盪操作は行わない
③ 遠心（200G, 2分）
④ 上清を8mL吸引除去する
⑤ 遠心（800G, 10分）
⑥ デカントし上清を捨て，沈渣に1mLの精製水を添加，混和する ボルテックスによる振盪操作は行わない
⑦ セットしたセトリングチャンバー内に検体を0.2mL分注する
⑧ 10分静置後，検体を除去し，エタノールの分注，除去を2回行う
⑨ セトリングチャンバーを外し，95％エタノールで浸漬固定を行う

② ThinPrep®（表IX-2, 3）

溶血処理を施行後，標本作製を行った。ThinPrep®の溶血処理には子宮頸部検体に行う溶血法（Gyne法とする）と体腔液や穿刺材料などの非婦人科検体に行われる溶血法（Non-Gyne法とする）の2種類[9]がある。細胞保存固定液としてプレザーブサイト液，溶血，粘液融解剤としてサイトライト液を使用するのは同様だが，使用する順序が異なっている。直接塗抹法，SurePath™，ThinPrep®における標本作製上の要点を表IX-4に示す（文献10も参照）。

3 子宮内膜細胞診におけるLBCの特徴

1）SurePath™

バイアル内の細胞保存固定液に溶血作用があり，固定と同時に溶血が行われる。赤血球によるマスキングがなく，有核細胞の塗抹密度の高い標本が作製できる（図IX-1）。また，分離用試薬を用いた密度勾配遠心法により，検鏡の障害となる炎症細胞や粘液が軽減する。子宮内膜細胞診では赤血球や炎症細胞を多く含む検体が提出されることもあ

表IX-2 ThinPrep®の標本作製法（Gyne法）

① 直接塗抹標本作製後のソフトサイトをThinPrep®バイアル内で濯ぎ，細胞を回収する
② ThinPrep®バイアルの全量（20mL）を遠心チューブに移し1,200Gで5分間遠心する
③ 上清を除去し，沈渣にサイトライト酢酸混合液を30mL加え，静置後，1,200Gで5分間遠心する
④ 上清を除去し，沈渣にプレザーブサイト液を20mL加え，混和後，元のThinPrep®バイアルに戻す
⑤ ThinPrep®5000プロセッサーのUroCyteシークエンスでFISH対応尿用フィルターを使用し*，ThinPrep®標本を1枚作製する

*：文献10より

表IX-3 ThinPrep®の標本作製法（Non-Gyne法）

① 直接塗抹標本作製後のソフトサイトをThinPrep®サイトライトチューブ内で濯ぎ，細胞を回収する
② サイトライトチューブを遠心（1,200G, 5分）
③ 上清を除去し，沈渣をThinPrep®バイアルに入れ混和し，静置する
④ ThinPrep®5000プロセッサーのUroCyteシークエンスでFISH対応尿用フィルターを使用し*，ThinPrep®標本を1枚作製する

*：文献10より

IX 子宮内膜細胞診における液状化検体細胞診の有用性

表IX-4 済生会野江病院における標本作製法の比較

	直接塗抹法	SurePath™	ThinPrep®
固定液の主成分	エタノール	エタノール	メタノール
プレパラートへの接着	直接塗抹	沈降静電接着法	フィルター濾過圧着転写法
塗抹範囲	プレパラート全面（25×50mm）	直径13mmのサークル	直径11mmのサークル＊
前処理	なし	分離用試薬による前処理	サイトライト酢酸混合液，サイトライト液による溶血処理

＊：FISH用フィルター使用時

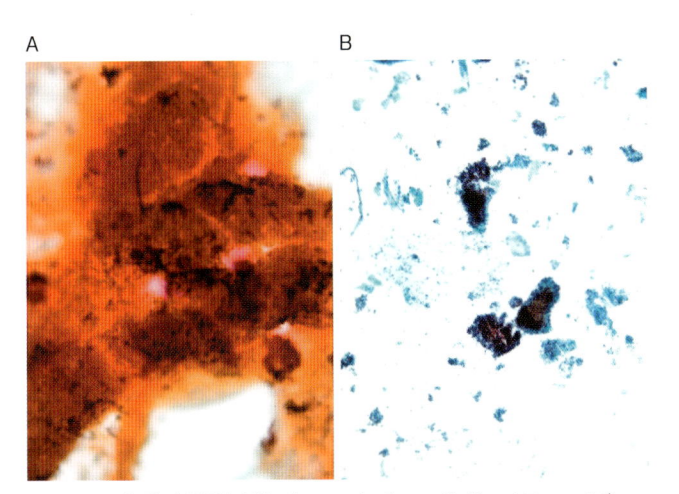

図IX-1 内膜腺間質破綻（EGBD）（Pap. 染色, AB：×10）
A：Conventional smear, B：SurePath™
直接塗抹法（A）では血液成分が内膜細胞集塊を覆い鏡検が困難だが，SurePath™（B）では溶血作用により血液が消失し，鏡検が容易である。

Endometrial glandular and stromal breakdown（EGBD）
In SurePath™(B), clarification of background findings are observed.

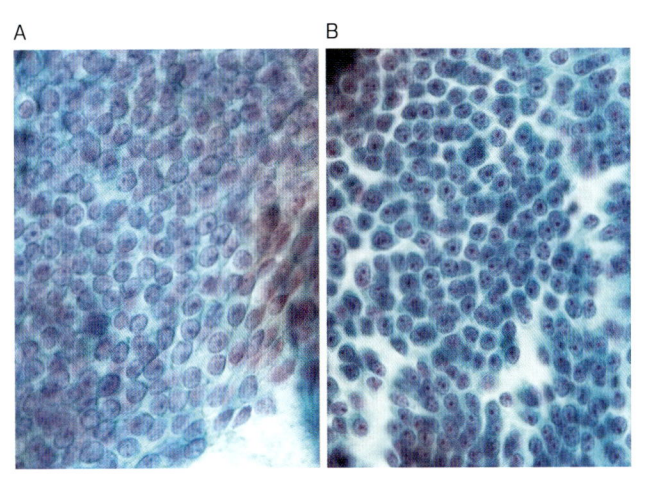

図IX-2 増殖期内膜（Pap. 染色, AB：×100）
A：Conventional smear, B：SurePath™
直接塗抹法（A）に比べSurePath™（B）では，核が小型化し濃染している。

Proliferative phase
In SurePath™(B), nuclear miniaturization and hyperchromasia are observed.

り，これらの作用は非常に有用と考える。細胞のスライドガラスへの接着には沈降静電法の原理が用いられている。重力と電気的結合により，細胞に外的な圧力が加わることなく塗抹されるため，採取された際の立体的な構築が保持されやすい。この利点を最大限に生かすため，当院の標本作製ではボルテックスによる振盪操作を省いている。本来の構造を保持した集塊を観察できるSurePath™は構造異型を加味した判定が必要な子宮内膜細胞診に適している。構造が保たれる反面，個々の細胞においては立体化を一因とする二次元的な細胞の小型化が観察される。その影響は直接塗抹標本と比較した場合，核の濃染として観察されるため，細胞判定では注意を要する（図IX-2）。また，子宮内膜腺間質破綻（endometrial glandular and stromal breakdown：EGBD）症例で認められる変性を伴う内膜間質細胞の凝集塊と上皮細胞集塊の鑑別は細胞の立体化により直接塗抹標本よりも苦慮することがある。強拡大での核形の観察（図IX-3）やCD10による免疫細胞化学の施行が鑑別の一助になる（図IX-4）。

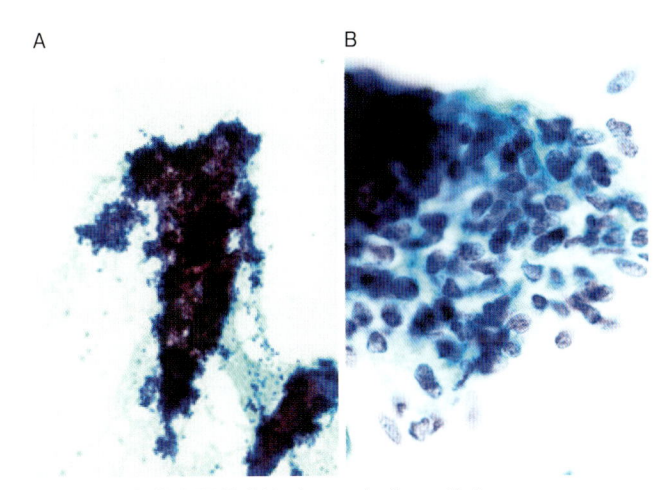

図IX-3 内膜腺間質破綻（EGBD）（Pap. 染色, A：×20, B：×100）
AB：SurePath™
内膜間質細胞と腺細胞の鑑別には，核形の観察が重要である。

Endometrial glandular and stromal breakdown（EGBD）
Observation of nuclear shapes are important as a point of differentiation between endometrial stromal cells and glandular cells.

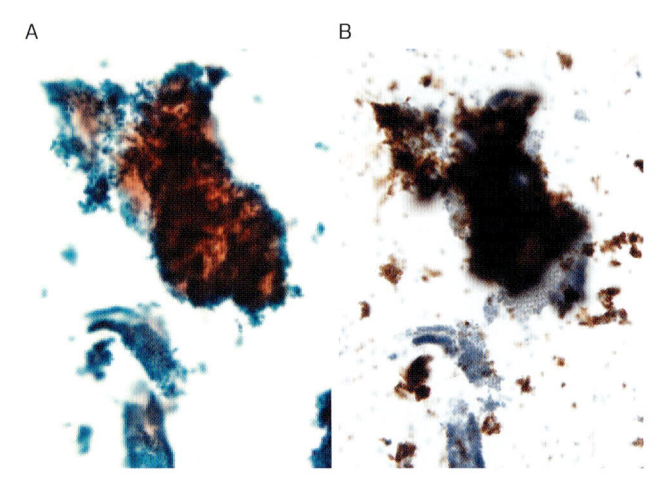

図Ⅸ-4 内膜腺間質破綻（EGBD）〔A：Pap. 染色，B：免疫細胞化学染色（CD10），AB：×20〕
AB：SurePath™
内膜間質細胞の同定には CD10 抗体を用いた免疫細胞化学染色も有用である。

Endometrial glandular and stromal breakdown（EGBD）
Immunocytochemical stain for CD10 is useful for identifying endometrial stromal cells.

2）ThinPrep®

ThinPrep® ではフィルター膜面に回収された細胞が，外的圧力によってスライドガラスに転写されるため，細胞が若干引き伸ばされ平面化を起こす。これは直接塗抹標本においても生じているアーティファクトであり，ThinPrep® では直接塗抹標本に近い細胞像が得られるといえる（**図Ⅸ-5**）。しかし，Gyne 法と Non-Gyne 法の溶血処理を行った ThinPrep® 標本では背景所見や核所見に相違が認められる。Gyne 法と Non-Gyne 法の細胞所見の違いを以下にまとめる。

（1）背景所見

Gyne 法では Non-Gyne 法に比べ，不定形物質の出現率が高い（87％ 対 41％）（**表Ⅸ-5**）。不定形物質とは ThinPrep® 標本に認められる様々な形態を呈するライトグリーン好染性物質（**図Ⅸ-6**）を指し，弱拡大（対物4倍）で確認可能なものと定義した。その由来は赤血球，血漿，粘液などの液状物が標本作製過程で固形化したもの，あるいはそれらの分解産物と考えるが，成分の特定には至っていない。2法において不定形物質の出現率が異なる要因としてサイトライト液での処理時間の違いやサイトライト液の溶血能，粘液融解能が酢酸添加の有無（すなわち pH の違い）によって異なる[11]，あるいは作用対象が固定の完了した物質か未固定の物質かによって異なることが考えられる。

（2）核所見

核面積に着目し，次の検討を行った。ThinPrep® 標本と一対となる直接塗抹標本において増殖期内膜細胞，分泌期内膜細胞，萎縮内膜細胞と判定した各10症例（Gyne 法

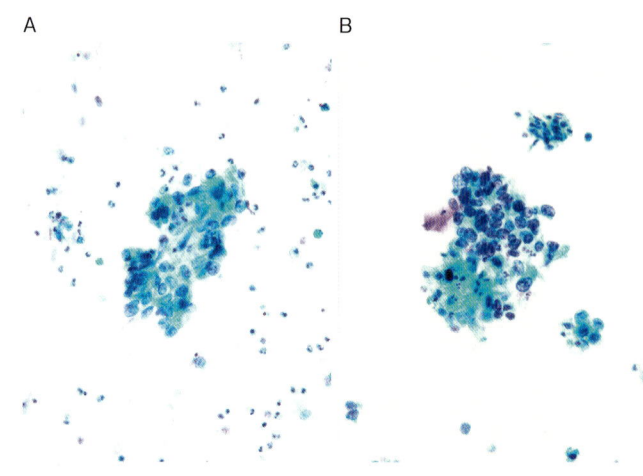

図Ⅸ-5 漿液性癌（Pap. 染色，AB：×40）
A：Conventional smear，B：ThinPrep®
ThinPrep®（B）では平面的に塗抹されるため直接塗抹（A）に類似した細胞像が得られる。

Serous carcinoma
The cytological findings in A and B are similar.

表Ⅸ-5 不定形物質の出現率

	Gyne 法		Non-Gyne 法		p 値
	n	％	N	％	
なし	13	12.7	67	59.3	p＜0.01
あり	89	87.3	46	40.7	
合計	102		113		

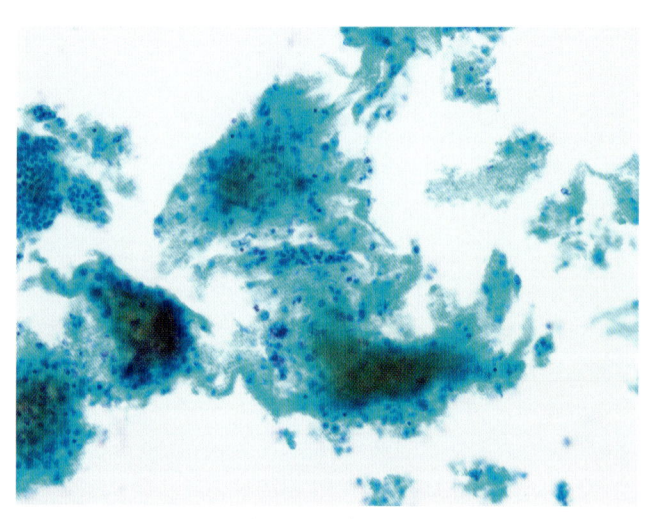

図Ⅸ-6 不定形物質（Pap. 染色，×40）
ThinPrep®，Gyne 法
不定形物質はライトグリーン好染性を示す。

Amorphous substances
Amorphous substances are stained light green.

の分泌期内膜細胞は7症例）のうち，シート状細胞集塊を構成する100個の内膜上皮細胞を選択し，対物100倍で撮影した画像から，画像解析ソフト ImageJ（https://imagej.nih.gov/ij/）を用いて核面積を計測した。直接塗抹標本の

表Ⅸ-6　Gyne 法と Non-Gyne 法の良性内膜細胞における核面積の比較

(μm^2)

	Gyne 法			Non-Gyne 法		
	直接塗抹法	ThinPrep®	ThinPrep®/直接塗抹法	直接塗抹法	ThinPrep®	ThinPrep®/直接塗抹法
増殖期内膜	36.4±6.0	31.5±5.2	0.87	34.8±8.4	27.4±6.4	0.79
分泌期内膜	37.5±7.1	34.2±5.2	0.91	37.0±8.0	26.8±10.1	0.73
萎縮	32.8±6.2	27.6±9.5	0.84	32.9±6.2	26.3±11.3	0.80
平均±SD	35.4±6.7	30.8±7.6	0.87	34.9±7.8	26.9±9.5	0.77

核面積に対する ThinPrep® 標本の核面積の割合を核面積比とし，Gyne 法と Non-Gyne 法を比較した（表Ⅸ-6）。

Gyne 法の平均核面積比が 0.87，Non-Gyne 法が 0.77 となり，有意に Non-Gyne 法の方が核の収縮率が高いことがわかった（図Ⅸ-7，8）。サイトライト液による処理時間が核面積に及ぼす影響について培養細胞を使って調査した報告[12]では，経時的（直後，1 時間後，6 時間後，24 時間後）に核面積の縮小を認めたとされている。Non-Gyne 法でのサイトライト液処理時間は日常業務内の運用であったため，16～24 時間であった。Non-Gyne 法による ThinPrep® の実用にあたっては検体を採取する臨床と処理時間の短縮や一定化に向けた運用面での連携の再考が必要である。一方，Gyne 法ではサイトライト酢酸混合液での処理時間は一定（5 分）であったにもかかわらず，核面積比は 0.4～1.39 までのバラつきが認められ，核面積比が 1.00 以上，すなわち収縮を認めない症例も 7 症例認めた（図Ⅸ-9）。サイトライト液での処理時間以外の因子が核面積に影響を与えることが示唆され，Gyne 法による ThinPrep® の実用の際には検討が望まれる。

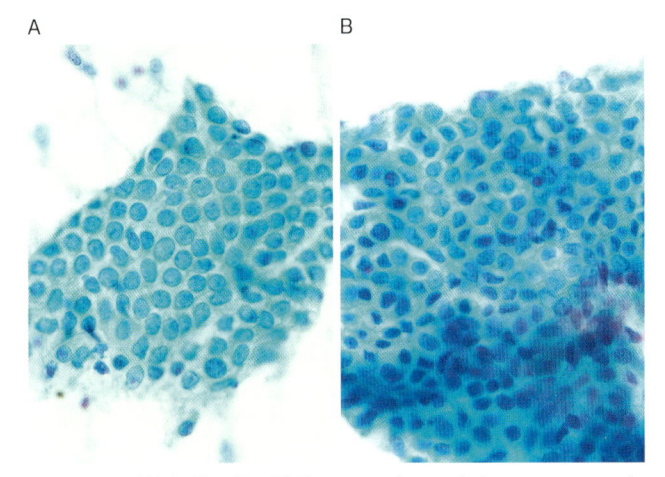

図Ⅸ-8　萎縮内膜，核面積比：0.76（Pap. 染色，AB：×100）
A：Conventional smear，B：ThinPrep® Non-Gyne 法
直接塗抹（A）の平均核面積：37.0 μm^2，ThinPrep® Non-Gyne 法の平均核面積：28.0 μm^2

Atrophic endometrium, nuclear area ratio: 0.76

Average nuclear area in conventional smear (A) is 37.0 μm^2, Average nuclear area in ThinPrep® Non-Gyne method (B) is 28.0 μm^2.

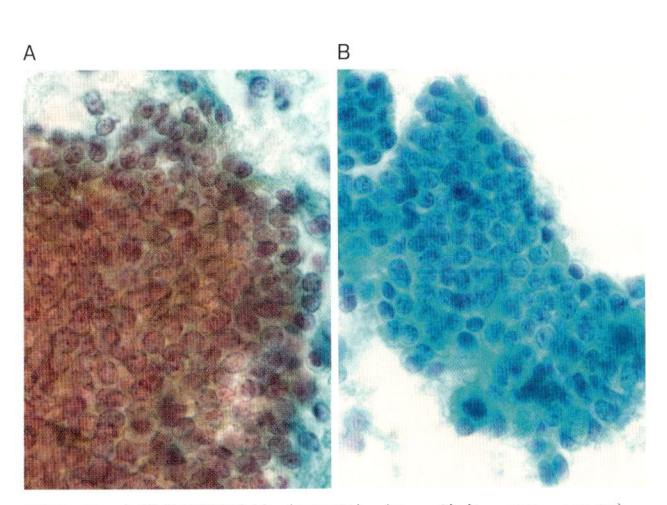

図Ⅸ-7　内膜腺間質破綻（EGBD）（Pap. 染色，AB：×100）
A：Conventional smear，B：ThinPrep® Gyne 法
直接塗抹（A）の平均核面積：43.1 μm^2，ThinPrep® Gyne 法の平均核面積：35.5 μm^2

Proliferative phase, nuclear area ratio：0.83

Average nuclear area in conventional smear (A) is 43.1 μm^2, Average nuclear area in ThinPrep® Gyne method (B) is 35.5 μm^2.

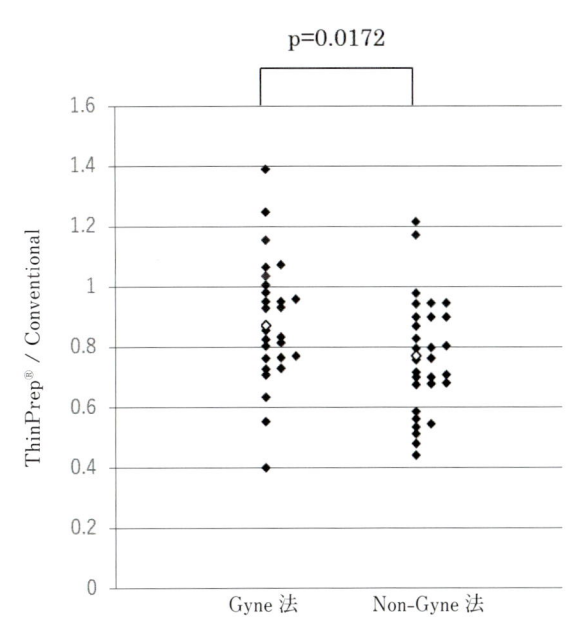

図Ⅸ-9　Gyne 法と Non-Gyne 法における核面積比の分布
Distribution of nuclear area ratio between Gyne method and Non-Gyne method

4 直接塗抹法，SurePath™，ThinPrep® における細胞像の比較（表Ⅸ-7）

表Ⅸ-7　LBC2法における子宮内膜細胞診像の特徴

SurePath™	ThinPrep®
細胞，集塊の立体化，小型化 上皮細胞と内膜間質細胞の鑑別が困難	平面的，直接塗抹法に近い細胞像 不定形物質を認める Gyne法＞Non-Gyne法 直接塗抹標本との核面積比からみた核の収縮率 Gyne法＜Non-Gyne法

1）増殖期内膜（図Ⅸ-10）

豊富な間質細胞とともに細く，直線的な管状集塊が認められる（組織様大型集塊）。管状集団の形状はSurePath™，ThinPrep®標本においてもよく保たれているが，溶血処理を行ったThinPrep®標本では核の収縮がみられることもある。

2）分泌期内膜（図Ⅸ-11）

幅の広い管状集塊や細胞境界が明瞭なシート状集団として認められる。弱拡大においても蜂巣状の確認は可能である。管状集塊内部に組織診で鋸歯状変化にあたる襞状構造が観察されることもある。

3）内膜腺間質破綻（EGBD）（図Ⅸ-12）

出血時に検体採取が行われると直接塗抹標本では血液に

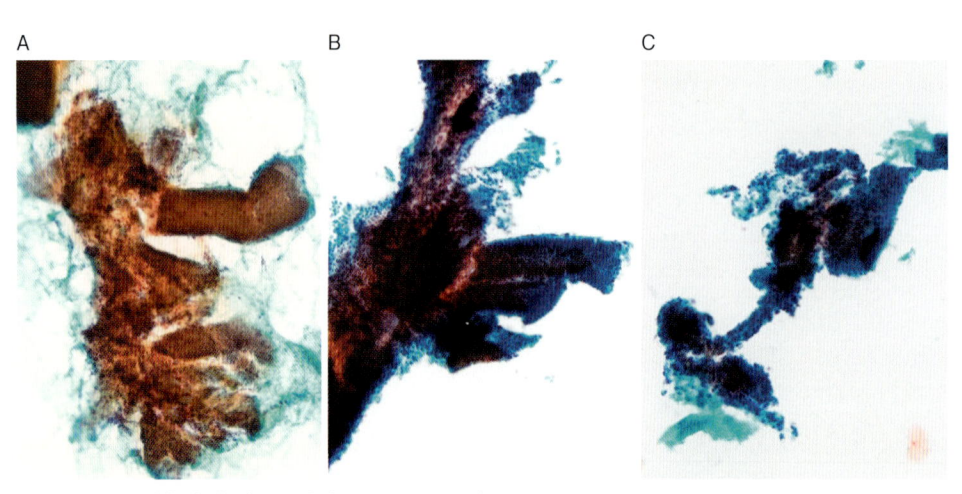

図Ⅸ-10　増殖期内膜（Pap.染色，ABC：×20）
A：Conventional smear，B：SurePath™，C：ThinPrep® Non-Gyne法
単一管状腺と豊富な内膜間質細胞が観察される。

Proliferative phase
Tubular glands and abundant endometrial stromal cells are observed.

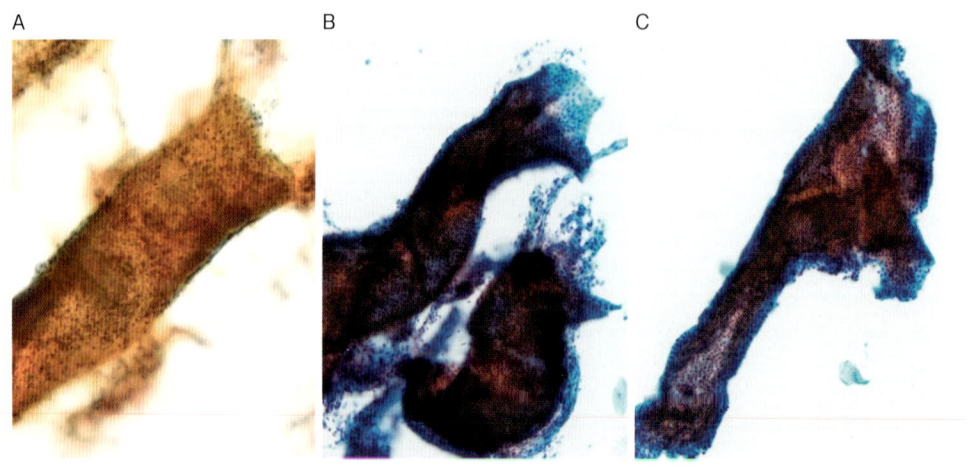

図Ⅸ-11　分泌期内膜（Pap.染色，ABC：×20）
A：Conventional smear，B：SurePath™，C：ThinPrep® Gyne法
増殖期に比べて幅が広がった管状集塊として観察される。

Secretory phase
Wider tubular glands are observed compared to proliferative phase.

よるマスキングのため，細胞所見の観察が困難になる。LBC，特にSurePath™では血液やフィブリンが除去された標本を作製することが可能であるため，観察が容易となる（図Ⅸ-12，上段中央）。EGBDでは内膜間質細胞の変性凝集像の認識が判定のポイントとなる（図Ⅸ-12，下段）。

4）子宮内膜増殖症
異型を伴わない子宮内膜増殖症では増殖期様の管状集塊とともに拡張・分岐を示す異常細胞集塊の出現を認める。直接塗抹標本では異常細胞集塊の出現数や内膜細胞集塊における占有率を算出し，判定を行っている。SurePath™，ThinPrep®標本においても拡張分岐集塊の出現数や集塊の重積性の有無を観察し，判定を行う。

5）類内膜癌 Grade1（図Ⅸ-13, 14）
高分化類内膜癌の細胞像は，篩状主体，乳頭状主体，両者の混合に大別される。直接塗抹標本でしばしばみられる

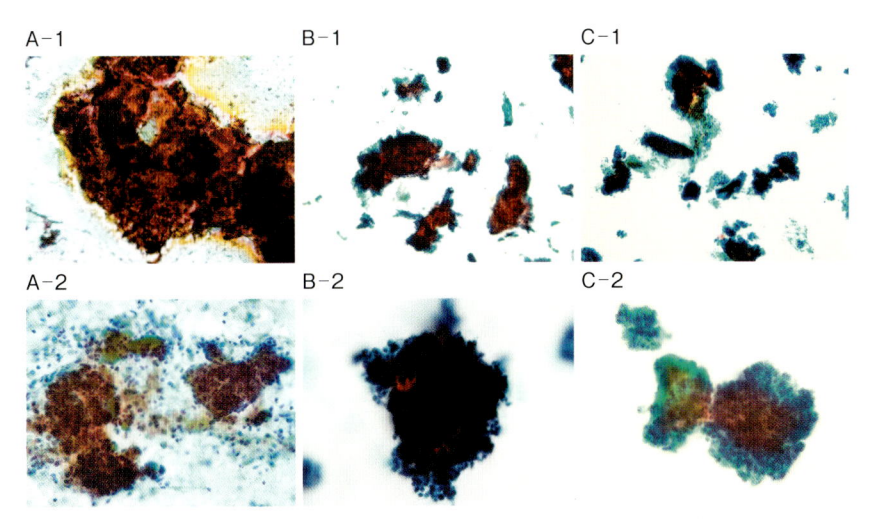

図Ⅸ-12 内膜腺間質破綻（EGBD）（Pap. 染色，1：×10，2：×40）
A：Conventional smear，B：SurePath™，C：ThinPrep® Gyne法
直接塗抹法（A-1）では血液によるマスキングが観察の妨げであるが，LBC（B-1，C-1）では除去され観察が容易である。A-2，B-2，C-2で示す内膜間質細胞の変性凝集像は重要な細胞所見である。

Endometrial glandular and stromal breakdown (EGBD)
In A, covered with blood, making observation difficult. In EGBD cases, stromal cells are condensed and form compact nests with hyperchromatic nuclei.

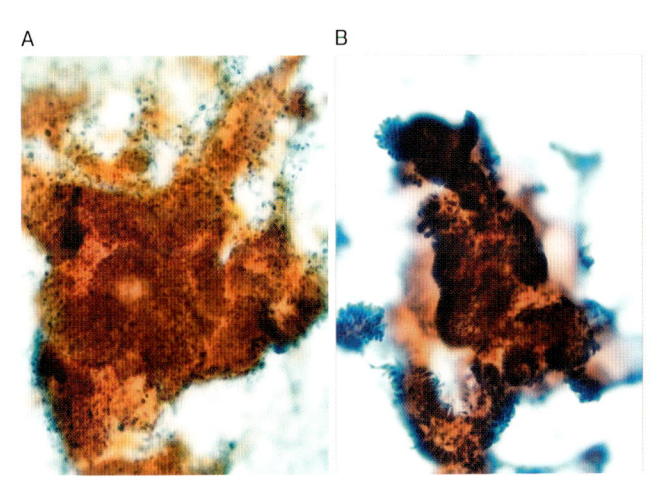

図Ⅸ-13 類内膜癌 Grade1（Pap. 染色，AB：×20）
A：Conventional smear，B：SurePath™
直接塗抹法（A）では不規則な乳頭状構造を含む乳頭・管状集塊を認める。SurePath™（B）では同様の所見が立体的に認められる。

Endometrioid carcinoma, grade1
In SurePath™(B), papillo-tubular cluaters are observed three-dimensionally.

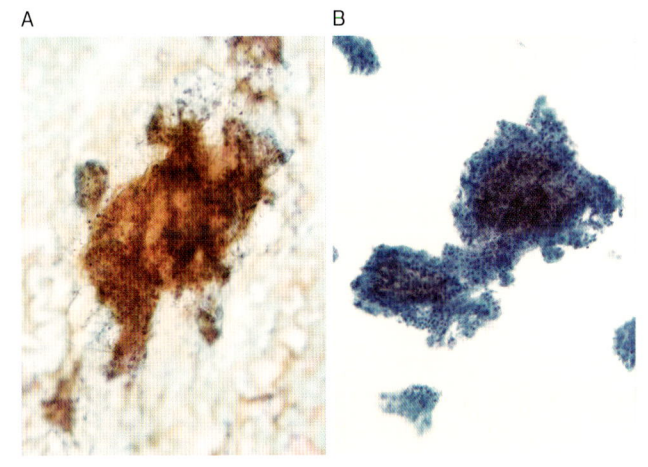

図Ⅸ-14 類内膜癌 Grade1（Pap. 染色，AB：×20）
A：Conventional smear，B：ThinPrep® Non-Gyne法
直接塗抹法（A）では集塊内に大小様々な腺腔を含有する乳頭・管状集塊を認める。ThinPrep® Non-Gyne法（B）においても同様の細胞所見が観察される。

Endometrioid carcinoma, grade1
Similar papillo-tubular cluaters are observed in both A and B.

内部に不規則な乳頭状構造を含む大型の乳頭・管状集塊は，SurePath™，ThinPrep® 標本においても同様の所見が認められる。LBC 標本では，細胞集塊の重積性は細胞異型の軽微な類内膜癌 Grade1 症例においては，もっとも重んじるべき所見である。

6) 類内膜癌 Grade3（図Ⅸ-15）

壊死性背景に主に孤在性に出現する腫瘍細胞が認められる。SurePath™，ThinPrep® 標本ともに直接塗抹に比較して核小体が目立つ。

7) 明細胞癌（図Ⅸ-16）

淡明な細胞質を有するホブネイル細胞からなる腫瘍で充実性，乳頭状，管状嚢胞状など多彩な形態を呈するⅡ型体癌である。腫瘍性背景に腺腔形成を示さず，孤在性や小集塊を形成する腫瘍細胞が出現し，SurePath™ 標本においても同様の像が観察される。LBC 標本では背景が清明になり，血管結合織の認識が容易となる。

（小椋　聖子）

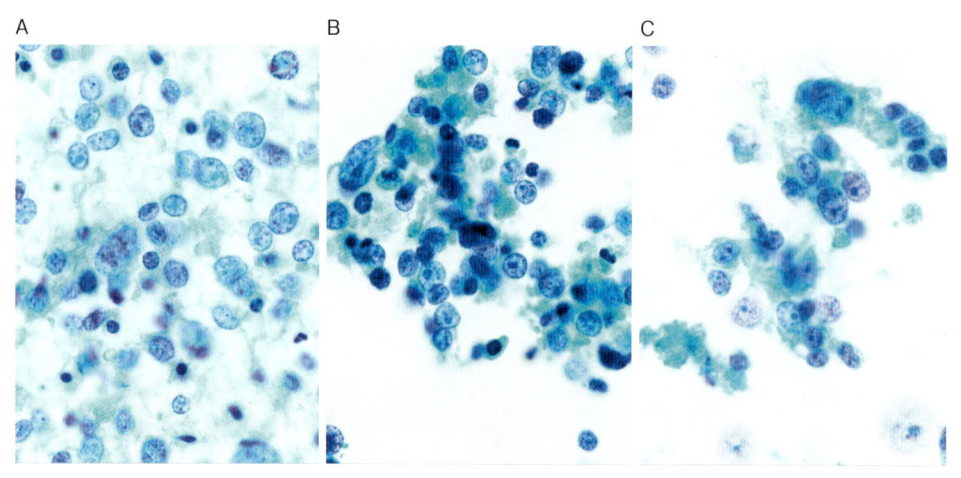

図Ⅸ-15　類内膜癌 Grade3（Pap. 染色，ABC：×100）
A：Conventional smear，B：SurePath™，C：ThinPrep® Non-Gyne 法
腫瘍性背景の中に，結合性疎な腫瘍細胞が出現している。B，C では背景の清明化とともに，核小体の肥大が観察される。B では核に濃染傾向がみられる。

Endometrioid carcinoma, grade3
Loosely connected tumor cells are observed with a neoplastic background. In B and C, clear background and enlarged nucleolus are observed. In addition, hyperchromasia is prominent in B.

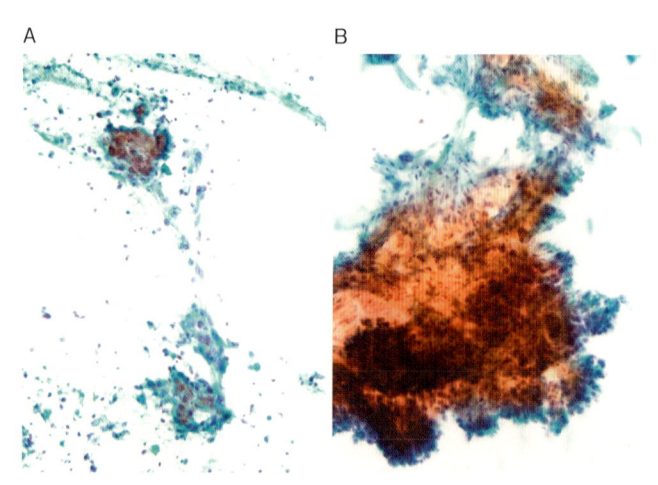

図Ⅸ-16　明細胞癌（Pap. 染色，AB：×20）
A：Conventional smear，B：SurePath™
直接塗抹法（A）では，腫瘍性背景に孤在性や小集塊を形成する腫瘍細胞が出現している。SurePath™ 標本（B）では背景が清明になり，血管結合織の認識が容易である。

Clear cell carcinoma
Solitary or small clumps tumor cells are observed with a neoplastic background. In SurePath™(B), clear background and vascular connective tissue are easy to recognize.

■文　献

1) Norimatsu Y, et al. Utility of thinlayer preparations in the endometrial cytology: evaluation of benign endometrial lesions. Ann Diagn Pathol 2008; 12: 103-111.
2) 町田大輔ほか. Thinlayer 標本による子宮内膜細胞診の評価. 日臨細胞誌 2008; 47: 95-102.
3) Norimatsu Y, et al. Utility of liquid-based cytology in endometrial pathology: diagnosis of endometrial carcinoma. Cytopathology 2009; 20: 395-402.
4) 坂本寛文ほか. 液状処理細胞診による子宮内膜の細胞像について. 日臨細胞誌 2013; 52: 8-11.
5) Buccoliero AM, et al. Liquid-based endometrial cytology: cyto-histological correlation in a population of 917 women. Cytopathology 2007; 18: 241-249.
6) Margari, N, et al. A reporting system for endometrial cytology. Cytomorphologic criteria-Implied risk of malignancy. Diagn Cytopathol 2016; 44: 888-901.
7) Fambrini M, et al. Clinical utility of liquid-based cytology for the characterization and management of endometrial polyps in postmenopausal age. Int J Gynecol Cancer 2008; 18: 306-311.
8) 井上正樹（監修）. BD LBC Reference Book. 日本ベクトン・ディッキンソン, 東京, 2012.
9) ThinPrep®5000 system operator's manual. Marlborough; Hologic, 2017.
10) 池本理恵ほか. ThinPrep における子宮内膜細胞診と組織診. 日臨細胞誌 2017; 56: 619.
11) 吉澤俊祐ほか. タンパク質の凝集剤としての塩・有機溶媒・高分子. 生物工学 2015; 93: 260-263.
12) Norimatsu Y, et al. Efficacy of CytoLyt® hemolytic action on ThinPrep® LBC using cultured osteosarcoma cell line LM8. Acta Cytol 2014; 58: 76-82.

症例アトラス

症例1　増殖期内膜
Normal proliferative endometrium

30歳代　エンドサーチ直接塗抹

　増殖期においては，腺細胞，内膜間質細胞ともに数のみが増加する時期であるので，基本的に核密度の高い細胞集塊が観察される。組織様大型集塊で出現する場合には，豊富な内膜間質細胞に埋もれるように，細く単一管状の腺管が規則正しく配列している様子がみられる（図1-1, 2）。組織様大型集塊が表層被覆上皮側から観察される場合，腺管の開口部がみられる（図1-3, 4）。また，集塊内に血管構造が観察される場合，分泌期のように蛇行せず直線状にみられることが多い（図1-5）。

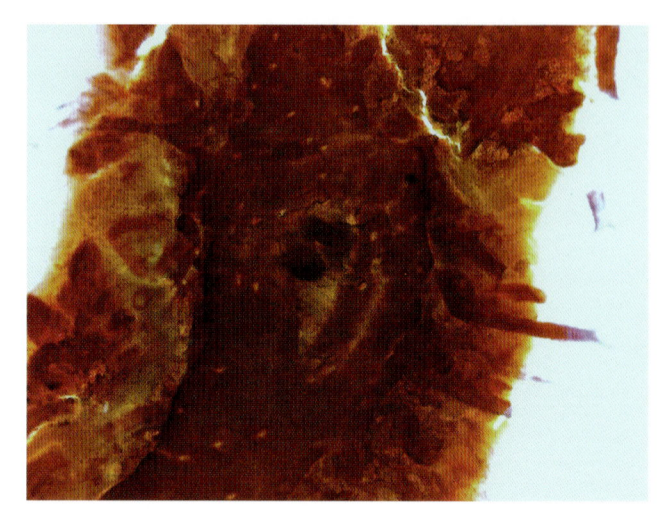

図1-3

図1-1

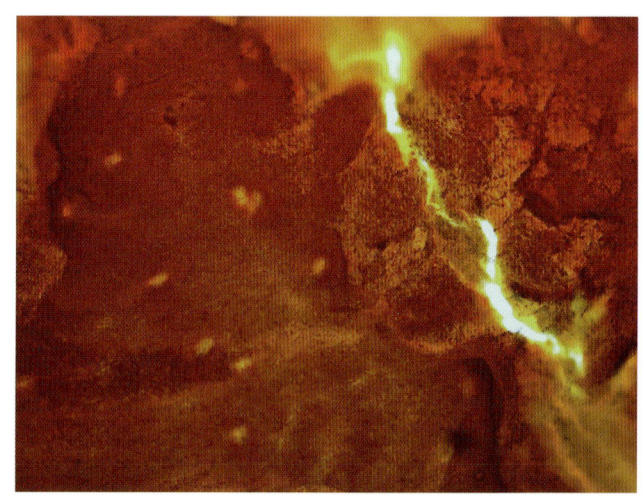

図1-4

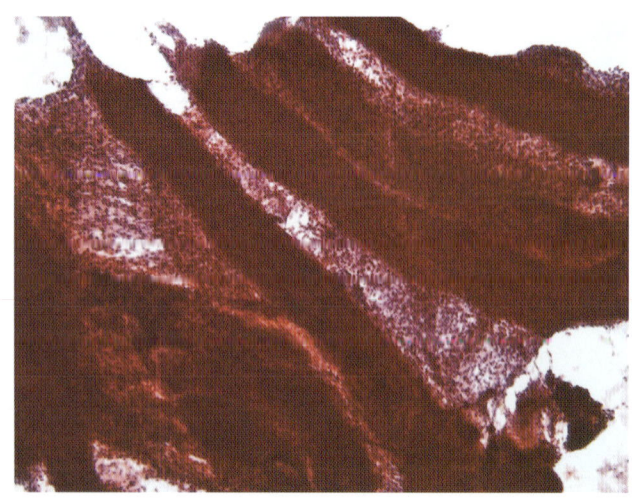

図1-2

図1-5

症例アトラス

採取時や塗抹時のアーティファクトで腺管のみが単独で出現する場合には管状集塊で出現する（図1-6）。腺管の内側が腔状であることは集塊周囲への内膜間質細胞の付着を確認することで間接的に認識される（図1-7）。管状集塊が塗抹時に開かれるとシート状に観察される（図1-8）。個々の腺細胞は，細胞質狭小，N/C比は高く，クロマチンは顆粒状で均等分布を示す（図1-9）。増殖期では，内膜間質細胞も細胞質狭小でN/C比が高いが，核形が多彩（楕円形，紡錘形，腎形など）で，クロマチンは腺細胞に比較し微細である（図1-10）。

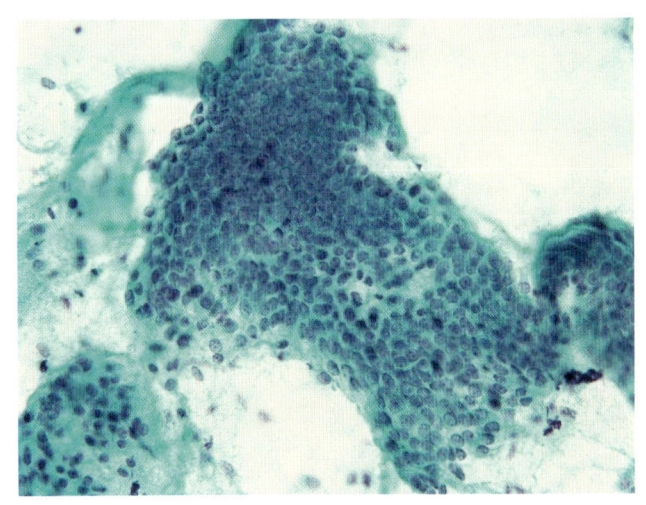

図1-8

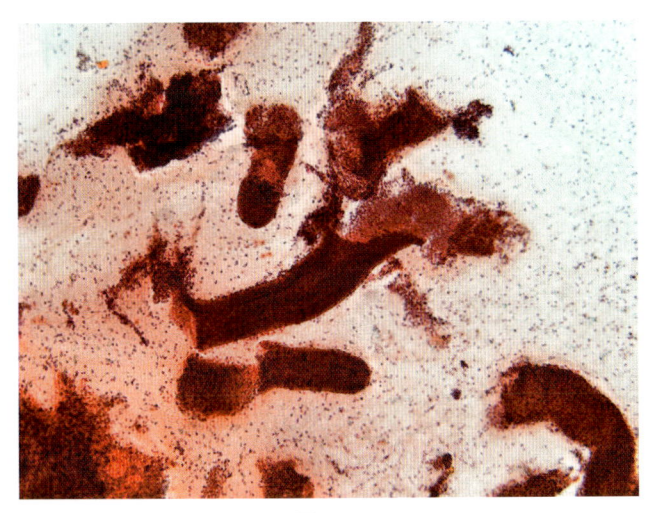

図1-6

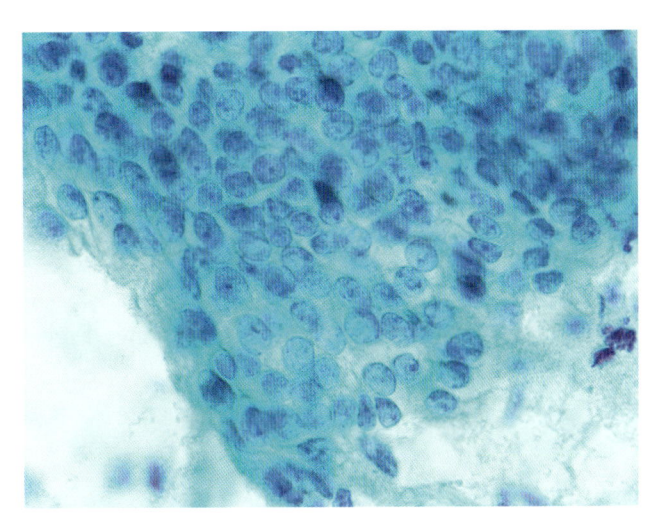

図1-9

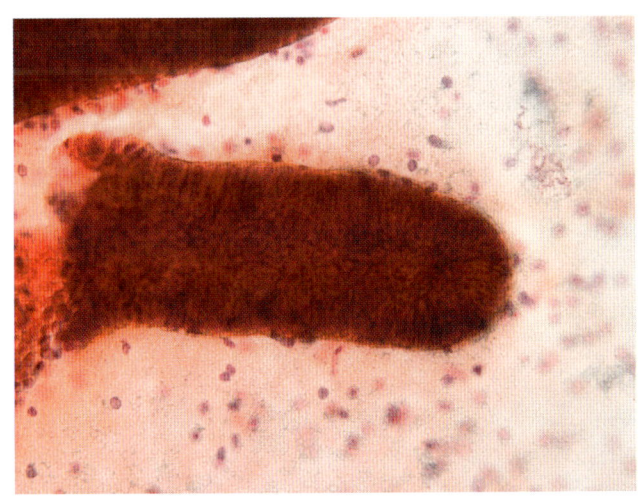

図1-7

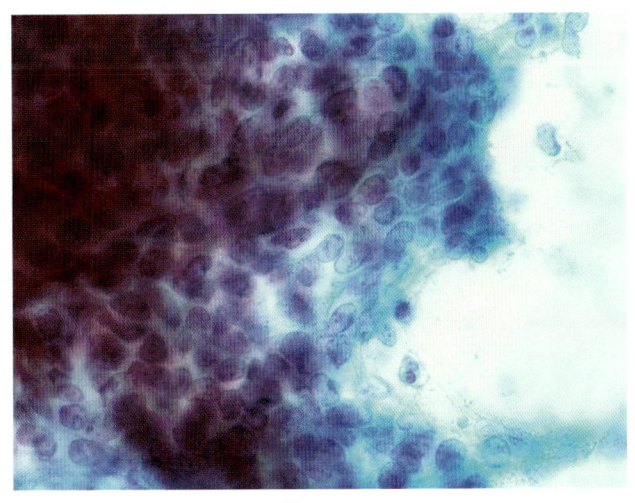

図1-10

71

症例 2　分泌期内膜
Normal secretory endometrium

40歳代　エンドサーチ直接塗抹

　分泌期においては，腺細胞，内膜間質細胞ともに個々の細胞の体積が増加する．細胞診で分泌期内膜としての特徴を捉えられるのは中期～後期である．組織様大型集塊で出現する場合には，腺管が規則正しく配列している様子がみられることは増殖期と同様である（図2-1）が，腺管の幅が個々の細胞の体積増加を反映して拡大する（図2-2）．集塊内に血管構造が観察される場合，太く蛇行してみられることが多い（図2-3）．分泌期で単一管状に観察された腺管は時に拡張を示し（図2-4, 5），内部に組織診で鋸歯状変化にあたる襞状構造（図2-4, 5 矢印）が観察されることもある．

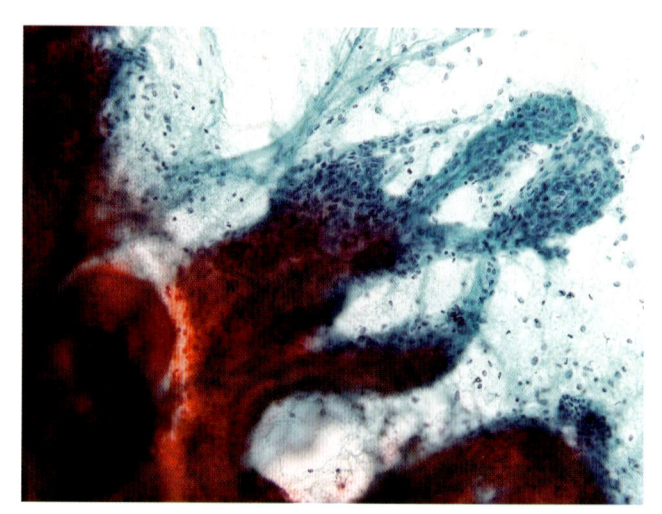

図2-3

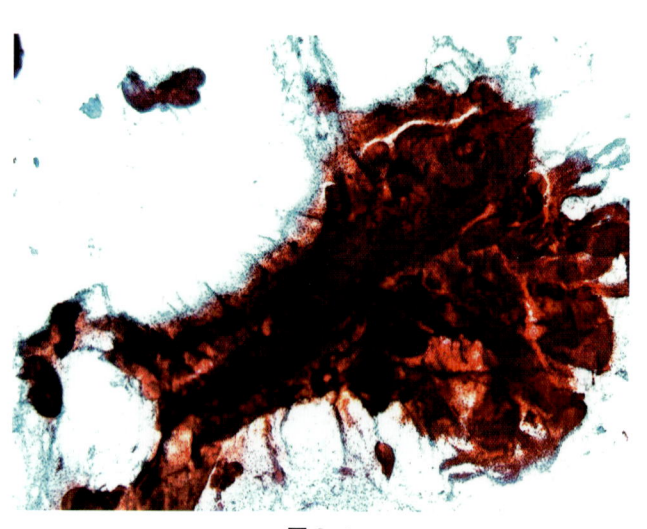

図2-1

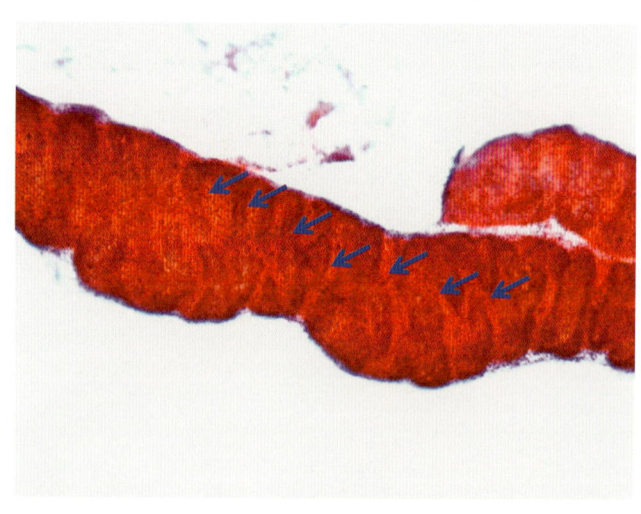

図2-4

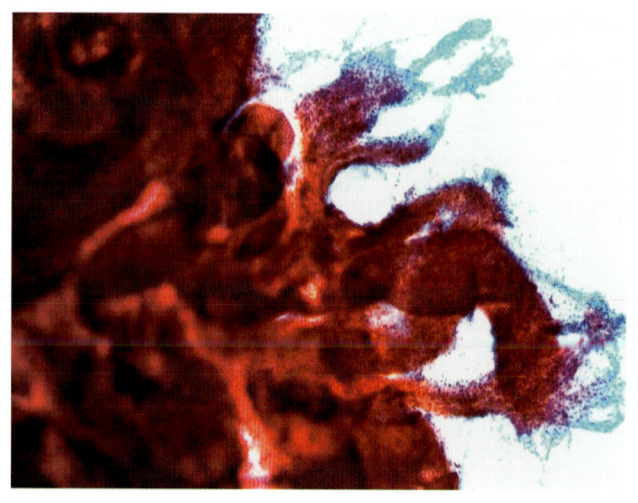

図2-2

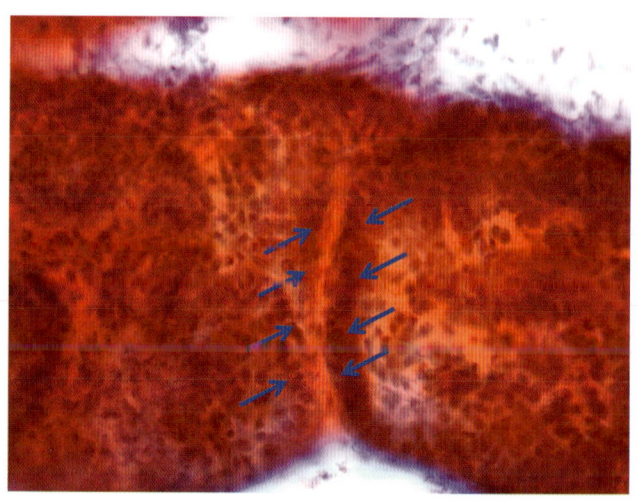

図2-5

症例アトラス

シート状集塊で出現した場合，細胞境界明瞭で，核密度が低くなった，いわゆる蜂巣状の所見が観察できる（図2-6, 7）。個々の腺細胞は，細胞境界明瞭，細胞質豊富，N/C比は低く，クロマチンは細顆粒状に均等分布を示し，核分裂像はほとんど観察されない（図2-7）。分泌期後期では，内膜間質細胞も細胞質豊富で時に厚みのある形態で出現する（図2-8）。内膜間質細胞の細胞境界が不明瞭な場合でも，核間距離より細胞質が豊富でN/C比が低いことがわかる（図2-9）。内膜間質細胞の核形は増殖期に比較して円形を示すことが多いが，クロマチンは微細である（図2-10）。

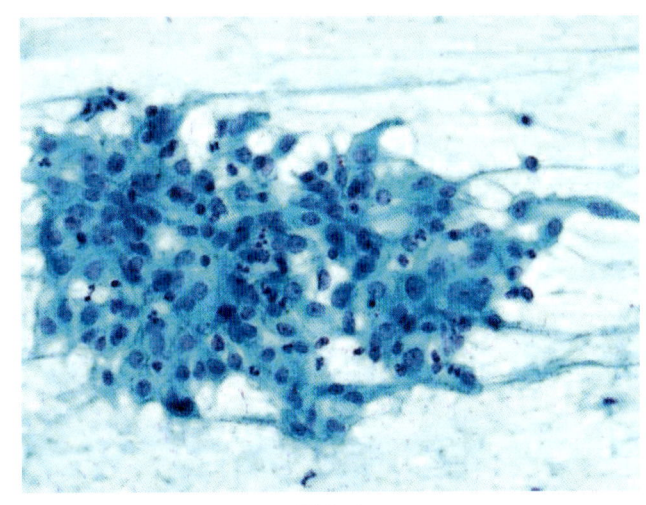

図2-8

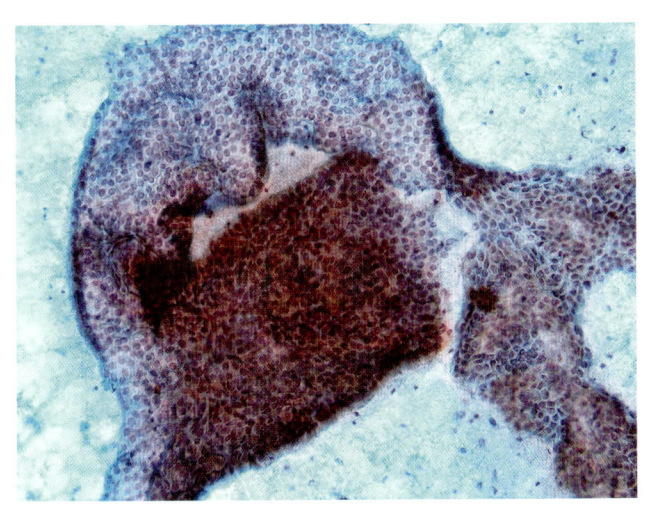

図2-6

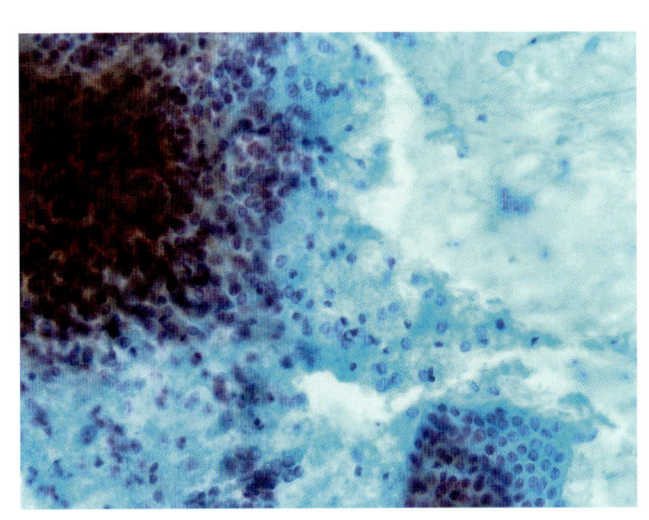

図2-9

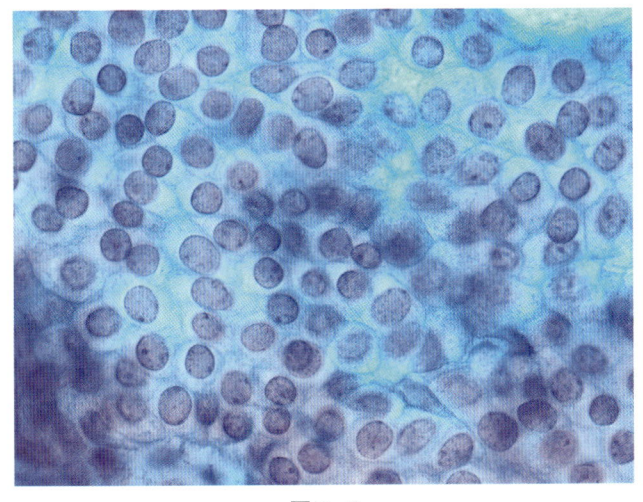

図2-7

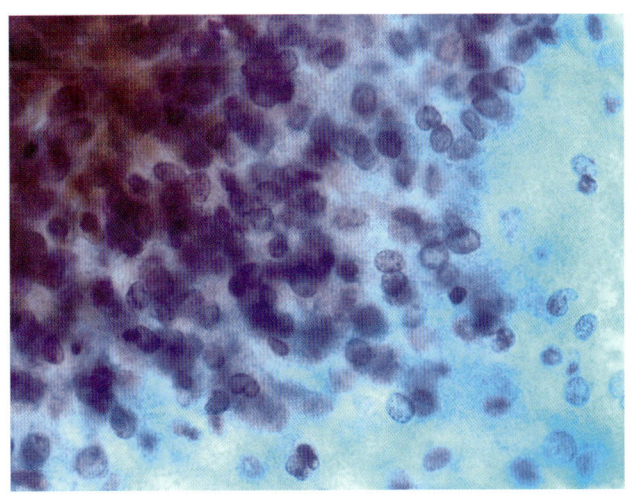

図2-10

症例3 増殖期内膜
Normal proliferative endometrium

40歳代　ソフトサイト直接塗抹法，
LBC：Sure Path™法

　直接塗抹法では，増殖期内膜由来であることは容易に判定可能であるが，血液成分などによるマスキングや過度な重積で，個々の細胞の観察が困難となる場合が少なくない（図3-1）。SurePath™法では，そのようなアーティファクトが軽減された状態で，直接塗抹法とほぼ同様の細胞集塊を観察することができる（図3-2）。同法は沈降法であるため，集塊の構造をより立体的に捉えることが可能だが，高度に重積すると詳細な観察が難しくなる場合がある（図3-3）。重積が比較的軽度な場合は，強拡大においても直接塗抹法と同様の基準で，細胞密度の高い管状集塊やシート状集塊を捉えることができる（図3-4, 5）。

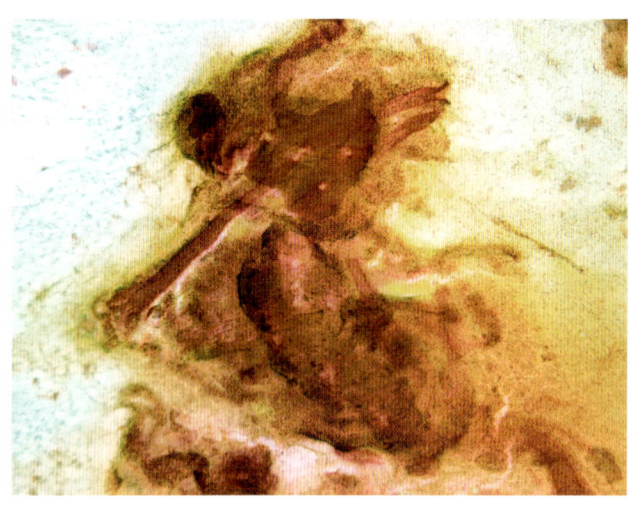

図3-1

図3-2

図3-3

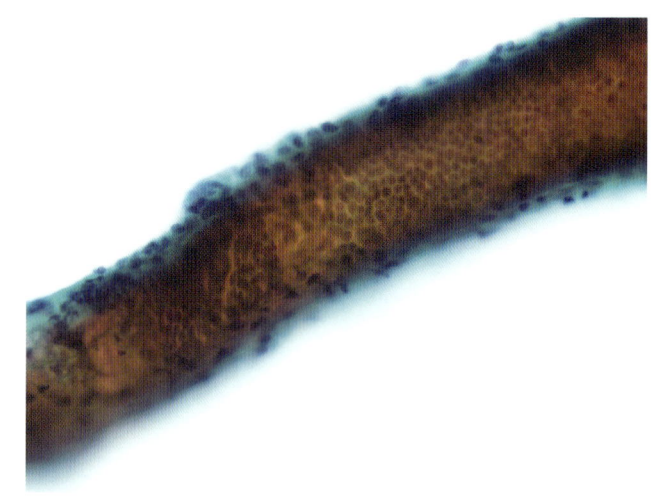

図3-4

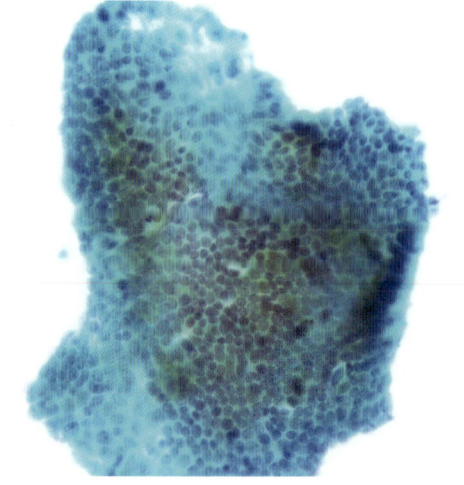

図3-5

症例 4　分泌期内膜
Normal secretory endometrium

40歳代　ソフトサイト直接塗抹法，
LBC：Sure Path™法

　分泌期内膜は，直接塗抹法では腺管の幅が拡張した管状集塊や細胞密度の低下したシート状集塊が種々の割合でみられる（図4-1）。SurePath™法においても，ほぼ同様の細胞集塊が観察されるが，集塊同士の重なりは軽減される（図4-2）。したがって，腺管幅の拡張や細胞密度の低下もより容易に捉えることができる（図4-3）。また，SurePath™法では個々の細胞が小型化するが，シート状集塊として出現する場合は，直接塗抹法と同様に細胞境界明瞭な蜂巣状構造を呈する（図4-4, 5）。

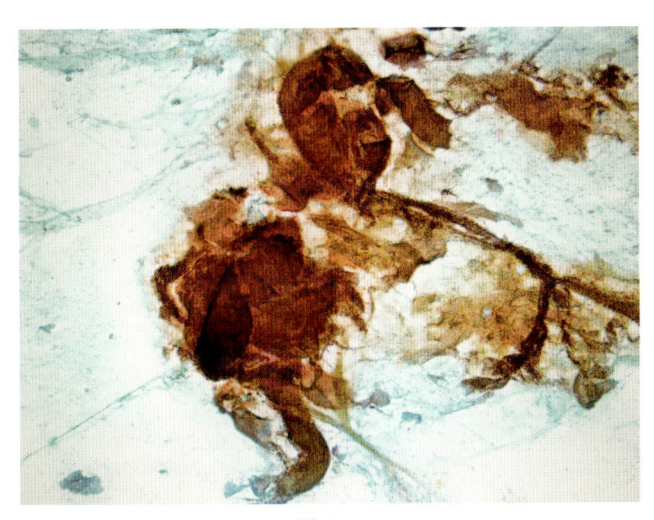

図4-1

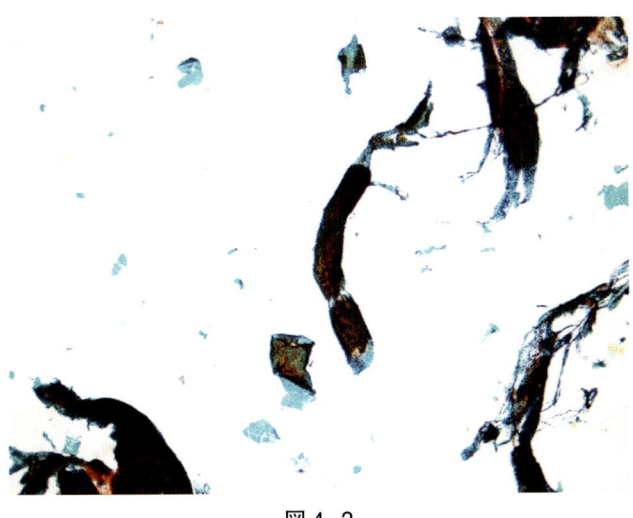

図4-2

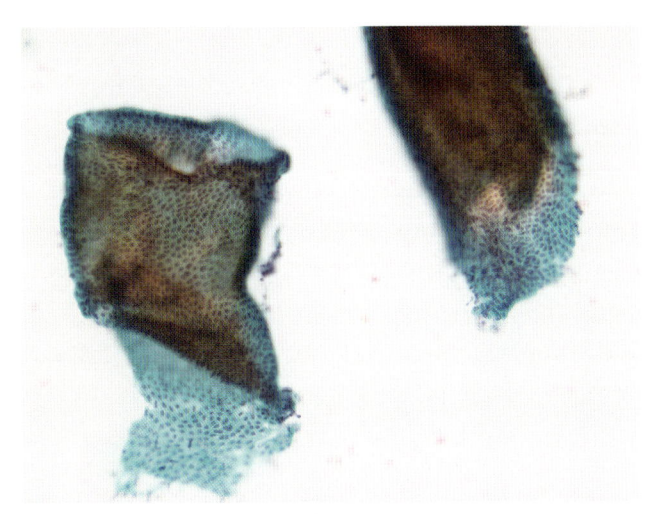

図4-3

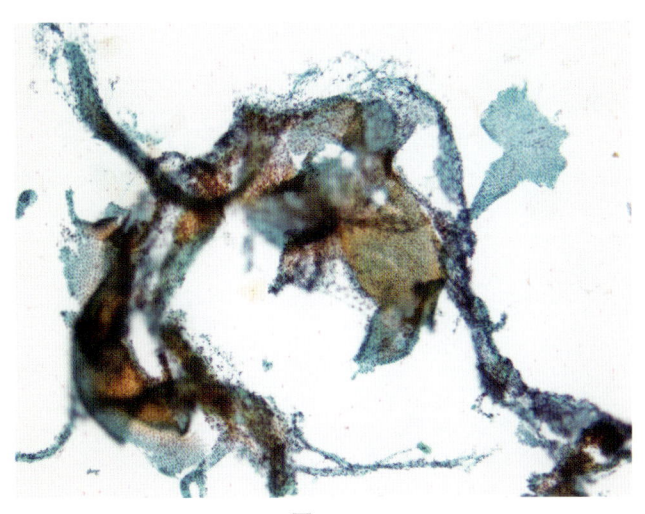

図4-4

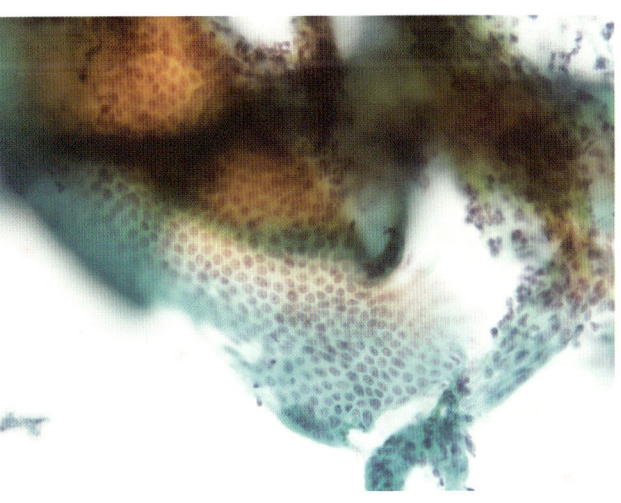

図4-5

症例 5　増殖期内膜
Normal proliferative endometrium

30歳代　ソフトサイト直接塗抹法，LBC：Thin Prep® 法
（サイトライト液前処理，尿用フィルター）

　ThinPrep®法を内膜細胞診に応用する際に良好な細胞像を得るには，FISH対応尿用フィルターの使用が欠かせない．また，サイトライト液前処理を行うことで，ときに細胞像の観察を妨げる不定形物質（様々な形態を呈するライトグリーン好染性物質）の出現を抑制する効果も期待できる．直接塗抹法（**図5-1**）に比較し，サイトライト液前処理 ThinPrep®法では，背景の血液成分が除去されて背景が清明化し，集塊形状の観察も容易となる（**図5-2, 3**）．強拡大での個々の細胞の観察では，サイトライト液前処理の影響により核収縮が生じ N/C 比が低下し，増殖期のシート状集塊が分泌期様にみえることがある（**図5-4, 5**）．

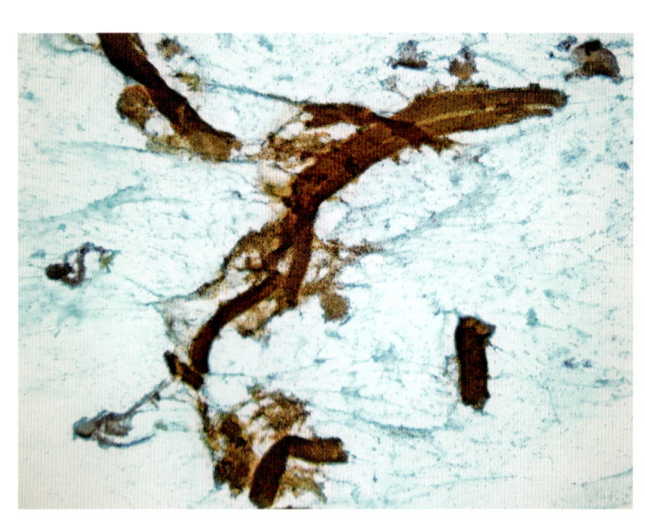

図 5-1

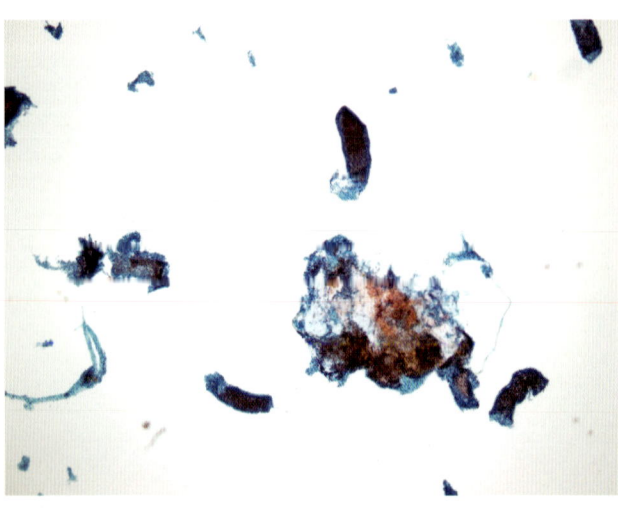

図 5-2

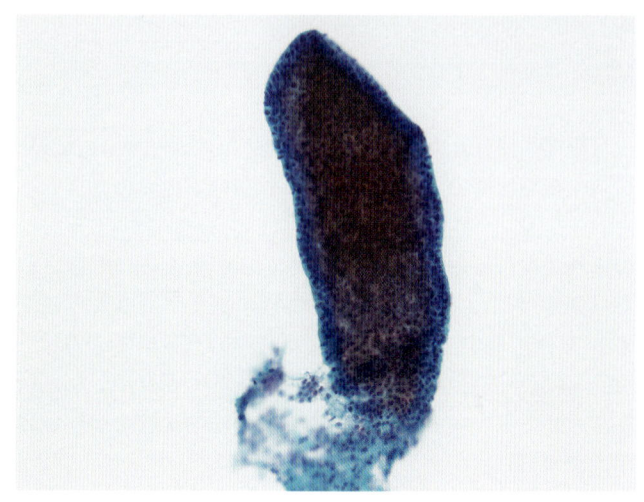

図 5-3

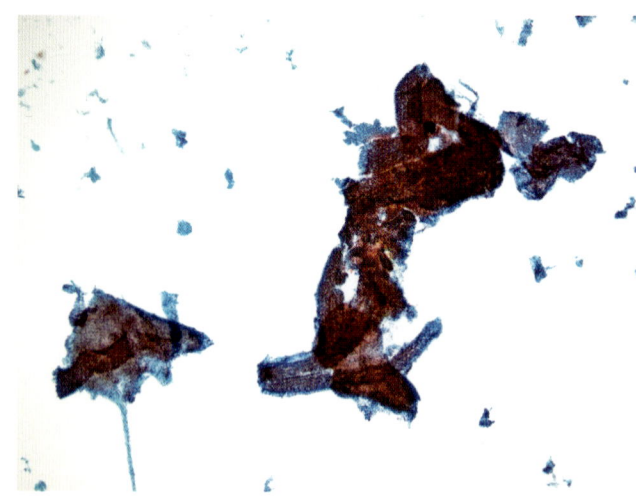

図 5-4

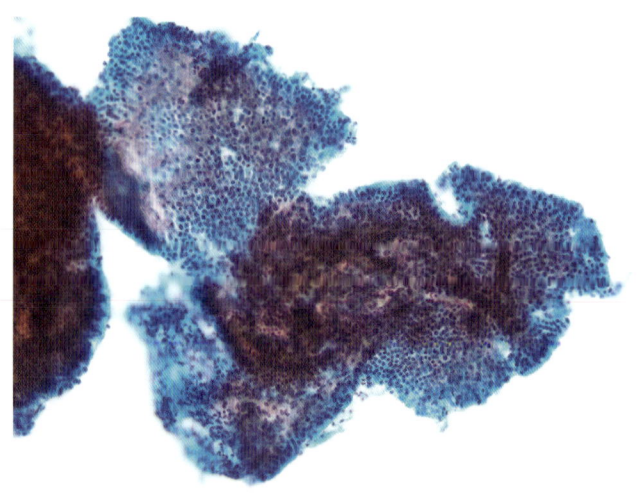

図 5-5

40歳代　ソフトサイト直接塗抹法，
LBC：Thin Prep®法（前処理なし，尿用フィルター）

　対象として，サイトライト液前処理を行わず，尿用フィルターを使用した増殖期内膜の細胞像を示す。直接塗抹法では，細長い単一管状の腺管で構成される組織様大型集塊をみる（図5-6）が，ThinPrep®法では，大型集塊は塗抹されにくく，管状集塊として出現することが多い（図5-7）。一方，転写法で塗抹された細胞集塊は，直接塗抹法と同様の所見を示し，また沈降法でみられる重積の強調もみられないため，細胞密度の高い管状集塊でも，強拡大で個々の細胞像の観察が可能である（図5-8）。細胞質が融解状に変化する傾向があるため，シート状集塊では，その傾向が目立つ場合があるが判定には影響しない（図5-9, 10）。

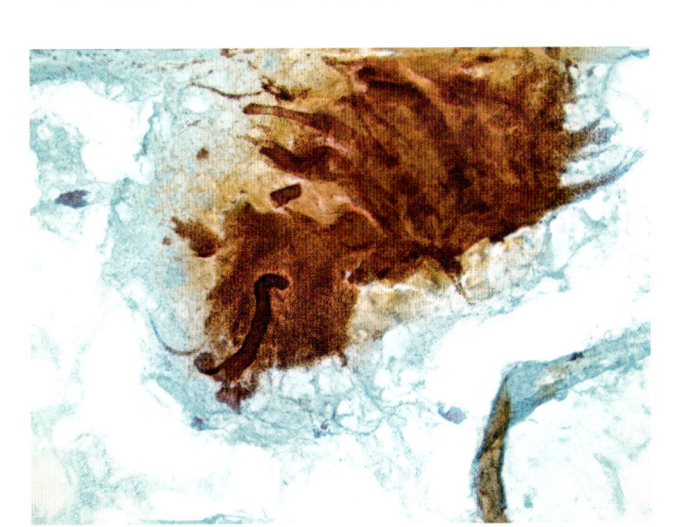

図5-6

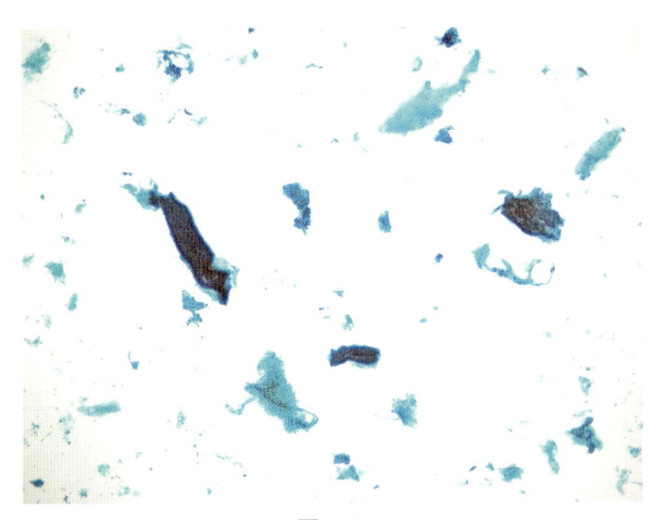

図5-7

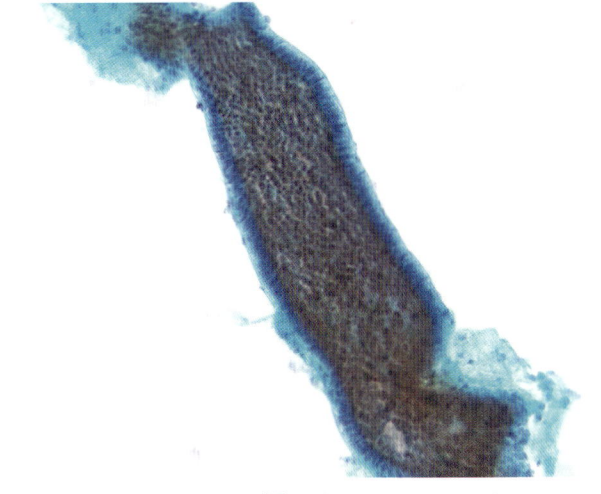

図5-8

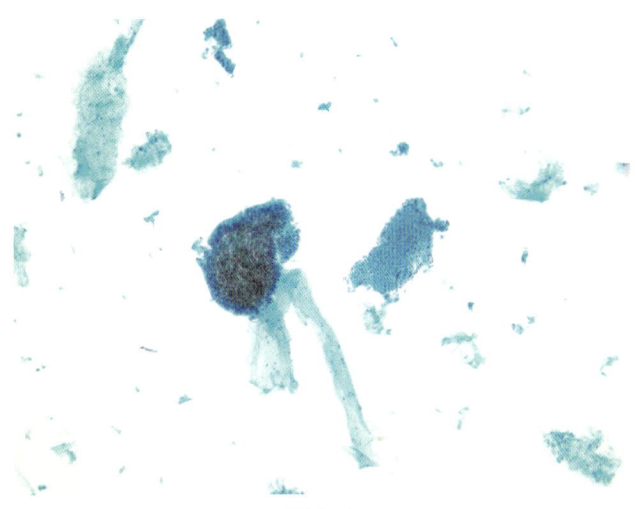

図5-9

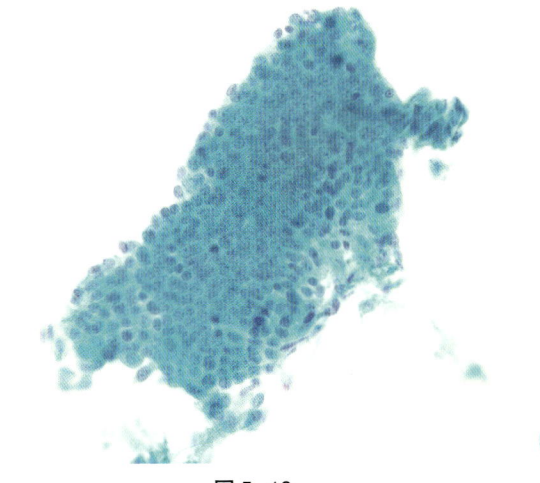

図5-10

症例6　分泌期内膜
Normal secretor endometrium

40歳代　ソフトサイト直接塗抹法，
LBC：Thin Prep®法（サイトライト液前処理，尿用フィルター）

　直接塗抹法では，**図6-1**に示すように腺管幅の増大と迂曲蛇行を伴う管状集塊およびシート状集塊がみられるが，サイトライト液で前固定したThinPrep®法でも，直接塗抹法と同様の細胞集塊が得られる（**図6-2**）。分泌期では，細胞の体積が増大することにより集塊内の細胞密度が低下するため，個々の細胞の観察も直接塗抹法と同様に容易になる（**図6-3**）。一方，サイトライト液前処理により核が収縮し，N/C比が低下することで，特にシート状集塊でみられ蜂巣状構造に関しては直接塗抹法よりも強調される傾向がある（**図6-4, 5**）。

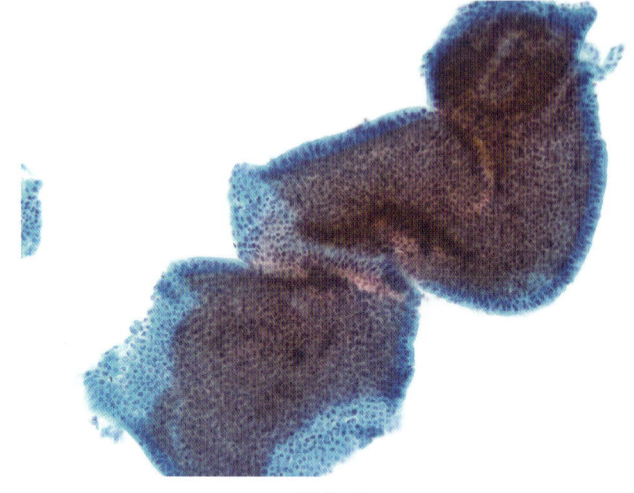

図6-3

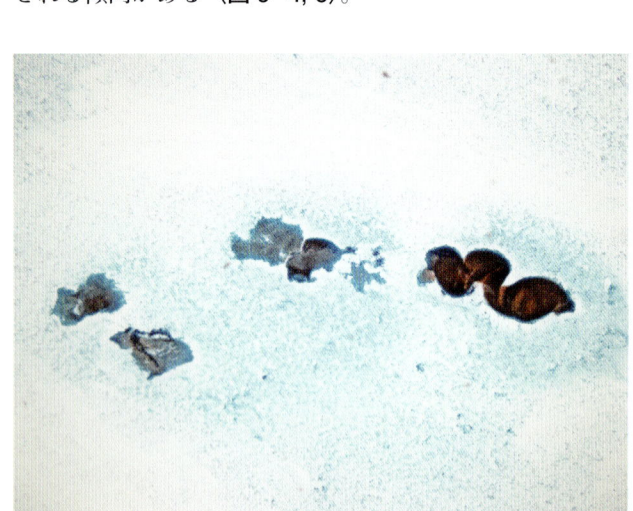

図6-1

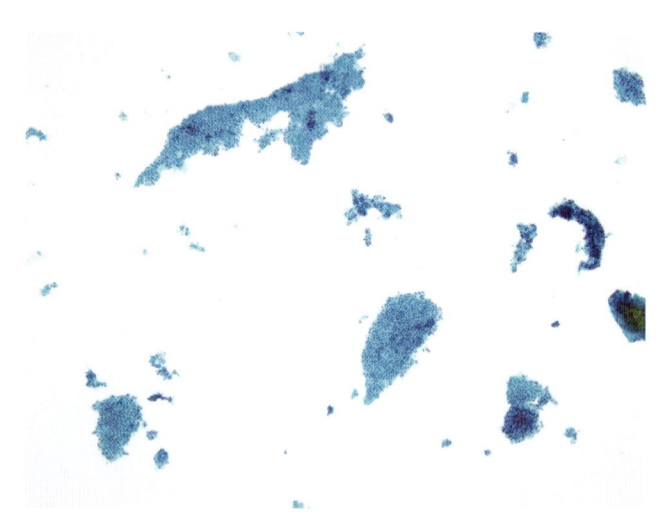

図6-4

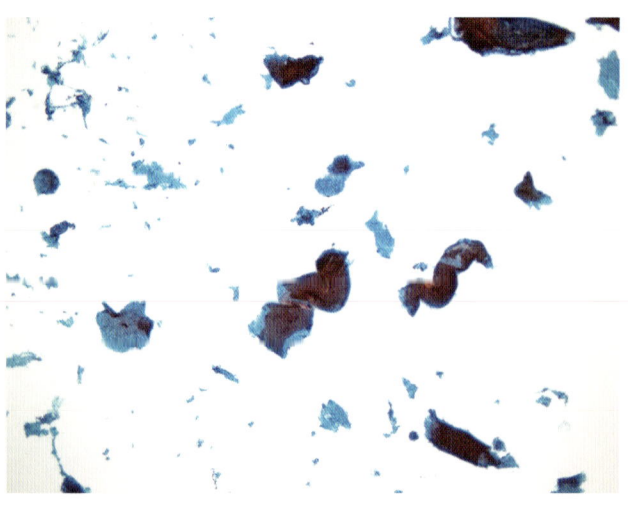

図6-2

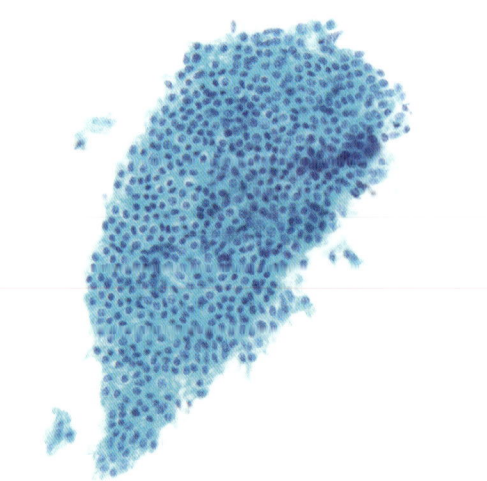

図6-5

症例アトラス

40歳代　ソフトサイト直接塗抹法，
LBC：Thin Prep®法（前処理なし，尿用フィルター）

　対象として，サイトライト液前処理を行わず，尿用フィルターを使用した分泌期内膜の細胞像を示す。直接塗抹標本では，大型のシート状集塊を主体に，腺管幅の拡大した管状集塊が混在した細胞像を示している（図6-6）。ThinPrep®法では，管状あるいはシート状集塊のみで構成された像を示しており，直接塗抹法と同様で，管状集塊では腺管幅の拡張がみられる（図6-7〜9）。また，沈降法でみられるような細胞の小型化がみられないため，シート状集塊として観察される場合は，細胞容積の増大を反映した細胞境界明瞭な蜂巣状構造を示す（図6-10）。

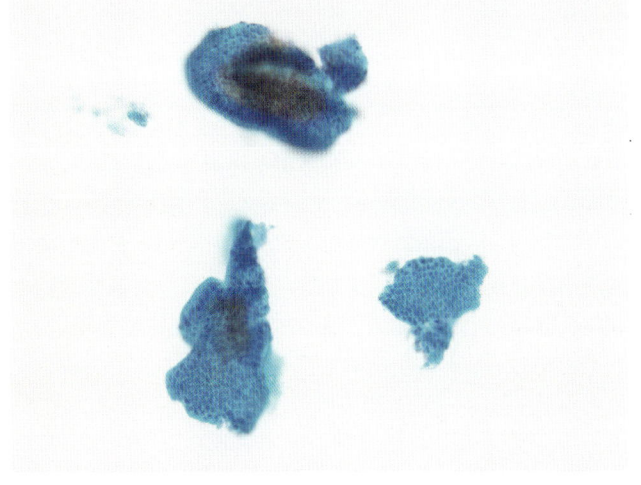

図6-8

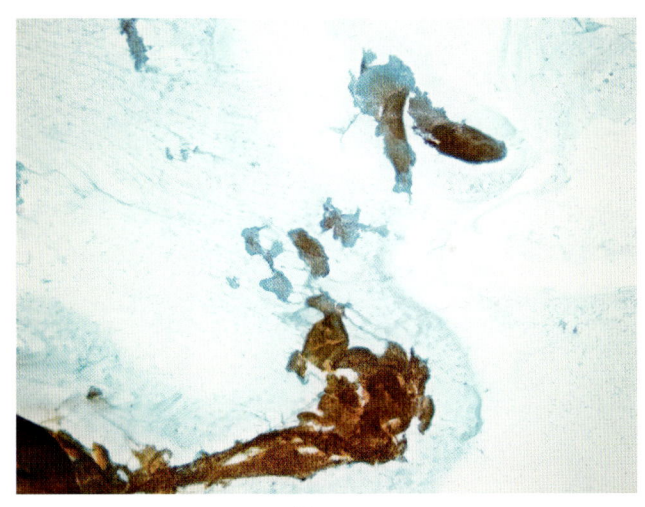

図6-6

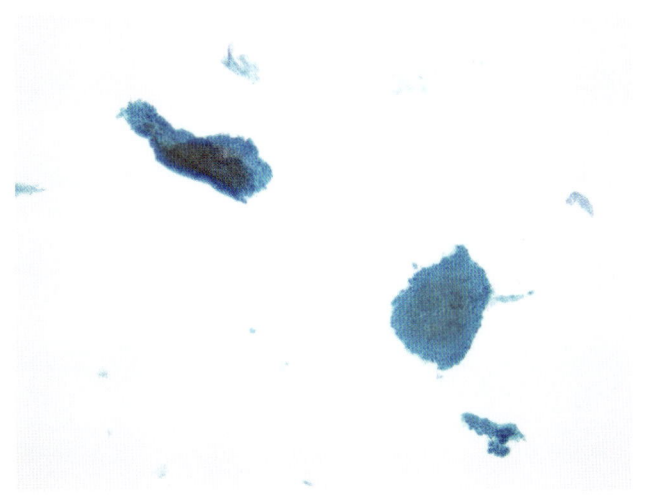

図6-9

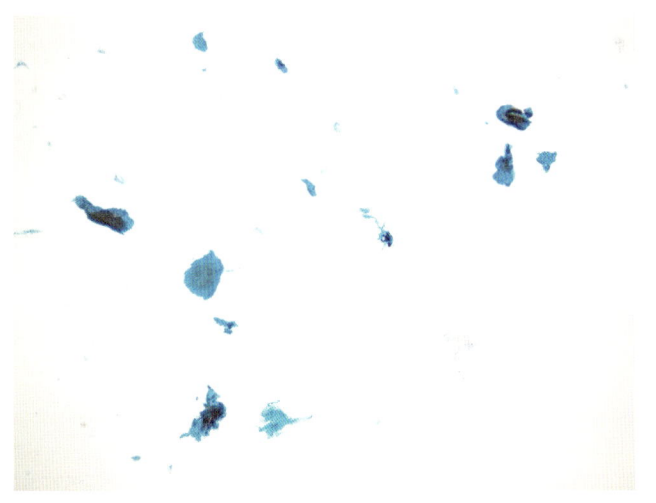

図6-7

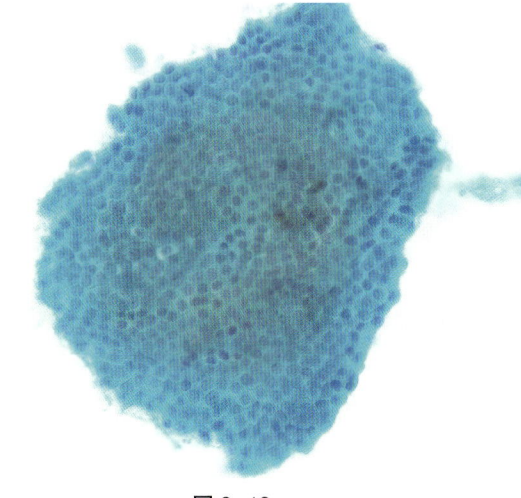

図6-10

79

症例 7　月経期内膜
Menstrual phase endometrium

30歳代　エンドサーチ直接塗抹

　背景に好中球と大食細胞を中心とする炎症細胞浸潤を伴って，分泌期後期の内膜腺が観察される（**図7-1, 2**）。内膜腺は概ね断片化し，表層被覆上皮由来の細胞集塊が不規則な形状の集塊を形成して出現する（**図7-3**）こともあるが，個々の細胞異型はみられない。また，表層被覆上皮が内膜間質細胞を包み込む像が観察され，月経期内膜の判定に非常に有用である（**図7-4, 内膜間質；矢印**）。また，大型の不整形突出集塊を認めることがあるが，細胞間結合が強固である点が腺癌細胞との鑑別点となる（**図7-5**）。分泌期で背景に炎症細胞浸潤をみる場合には，月経期内膜の可能性を念頭に鏡検することが誤判定を防ぐ上で重要である。

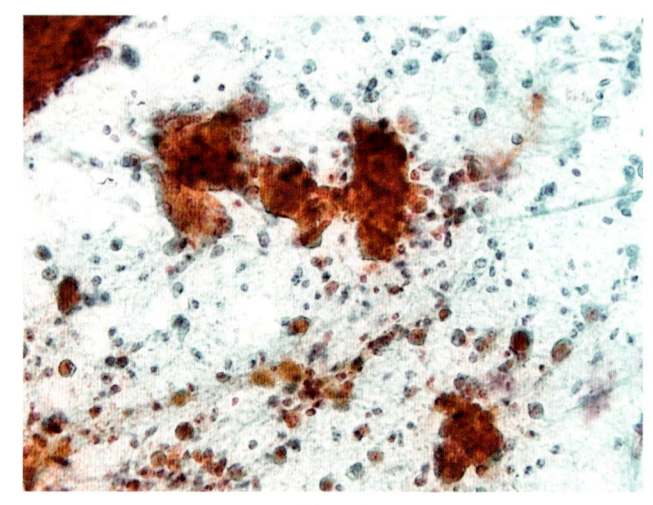

図 7-3

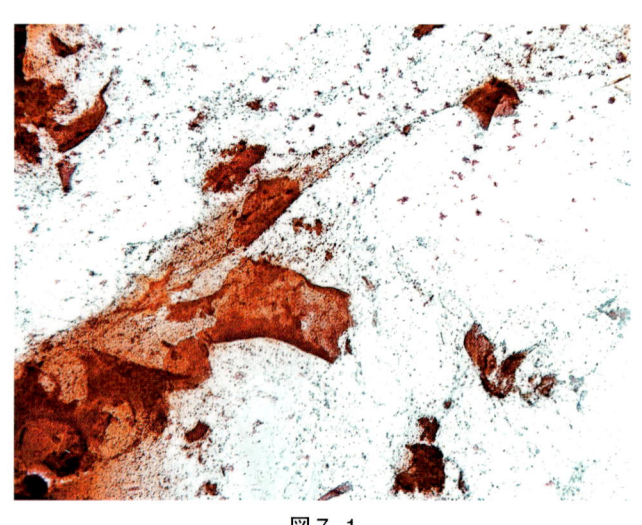

図 7-1

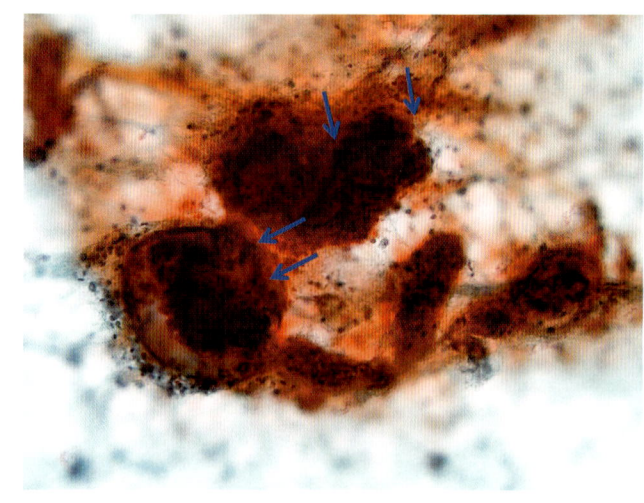

図 7-4

図 7-2

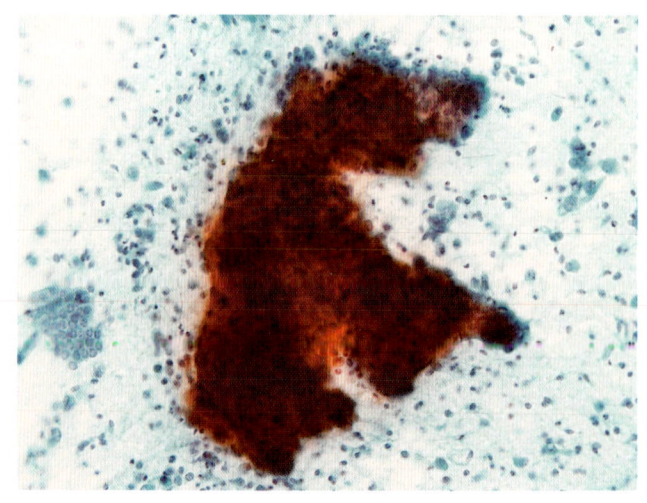

図 7-5

症例 8　萎縮内膜
Normal atrophic endometrium

60歳代　エンドサーチ直接塗抹

　萎縮した内膜から採取された標本上には厚みのないシート状細胞集塊の出現のみがみられることが多い（図8-1〜4）。薄くほぼ基底層のみとなった内膜の表層から採取されることに起因すると思われ，腺細胞間の結合性は強い。個々の腺細胞は，小型で細胞質狭小，N/C比は高く，クロマチンは粗顆粒状に均等分布を示し，増殖期に類似しているが核に厚みがなく核分裂像もみられない（図8-5）。また，内膜間質細胞がほとんど採取されないことも萎縮内膜の大きな特徴である。

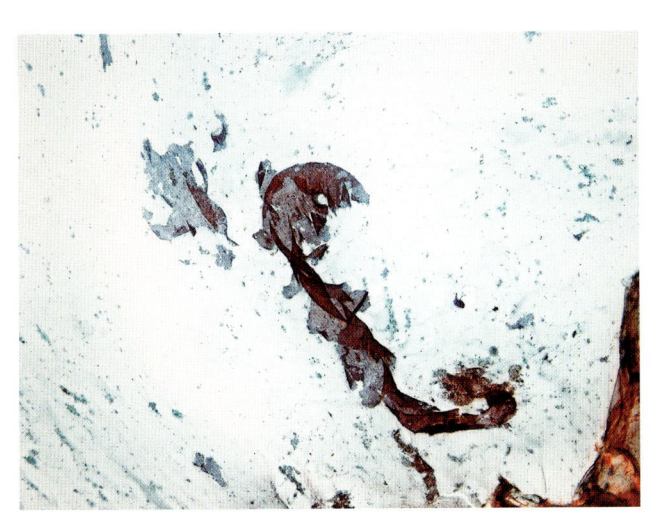

図8-1

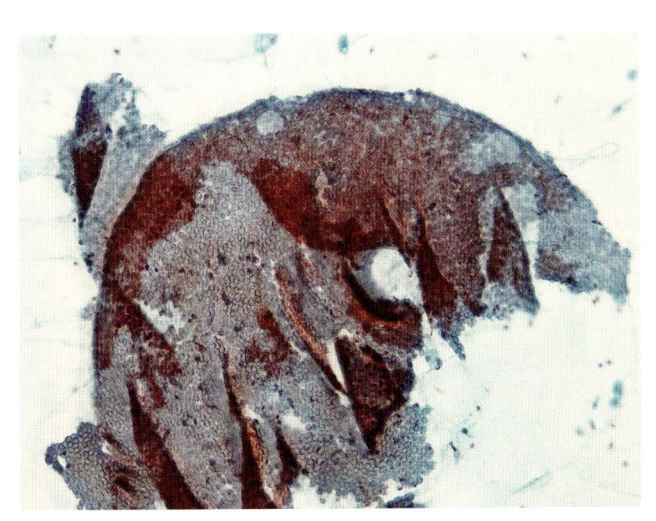

図8-2

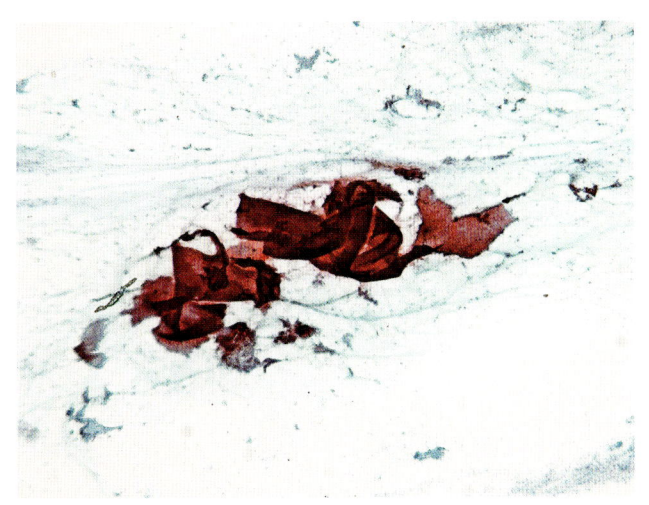

図8-3

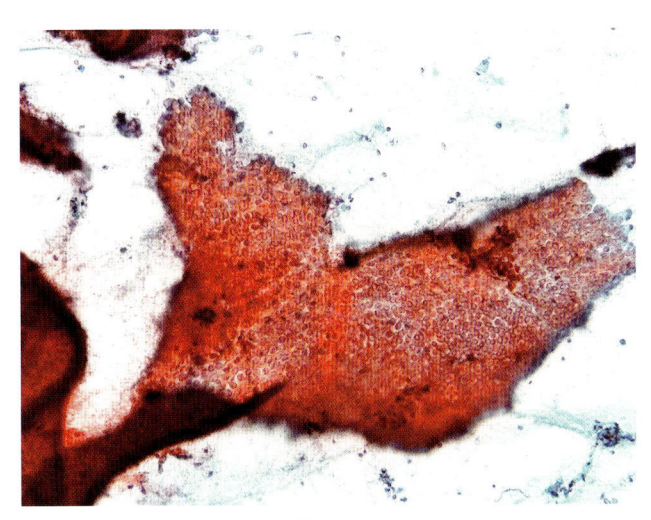

図8-4

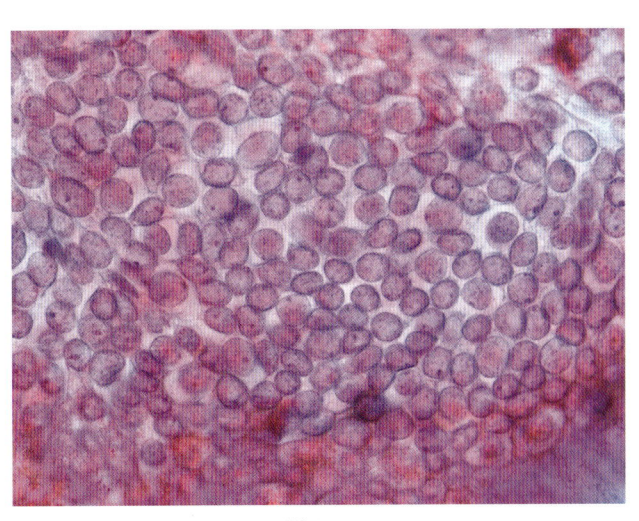

図8-5

症例9　萎縮内膜
Normal atrophic endometrium

70歳代　エンドサーチ直接塗抹

　萎縮内膜においては，背景に無構造物質の出現を認めることがある（図9-1, 2）。この無構造物質は分泌物が固形化したものと考えられ，概ねライトグリーン好性であるが，時に二層性に染色される（図9-3, 4）。また，炎症細胞としては大食細胞の出現をみる機会が多く，多核巨細胞も稀に出現する（図9-5）。この多核巨細胞の核は円形から類円形で，核の位置は偏らずほぼ均等に分布しており，いわゆる異物型多核巨細胞の形態を示している。

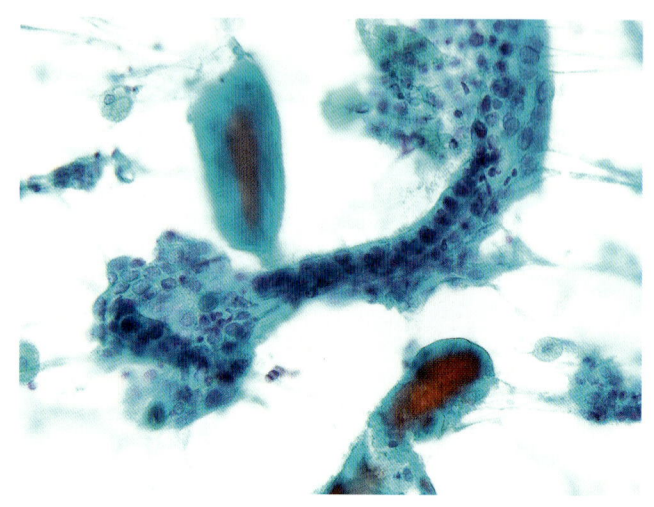

図9-3

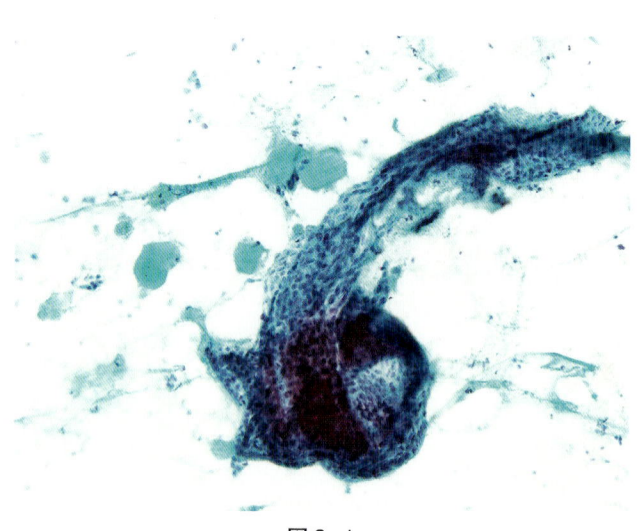

図9-1

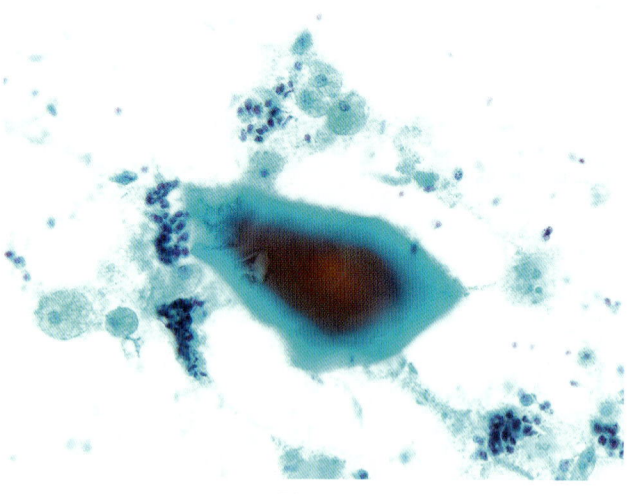

図9-4

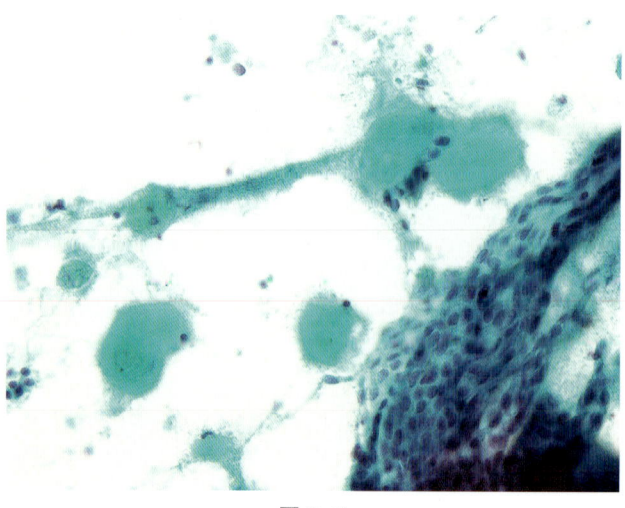

図9-2

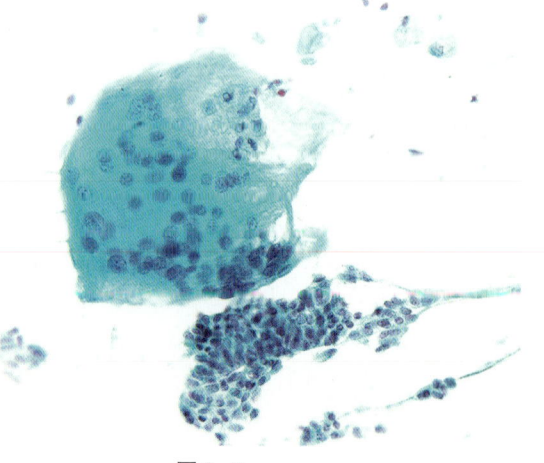

図9-5

症例アトラス

症例 10	細胞質変化（化生）を伴う萎縮内膜
	Atrophic endometrium with cytoplasmic (metaplastic) changes

60歳代　エンドサーチ直接塗抹

　萎縮内膜においては，細胞質変化（化生）を伴う細胞のみから構成される化生性不整形突出集塊の出現をみることがある（図10-1赤矢印，図10-2）。構成細胞は萎縮上皮（図10-1青矢印）に比較して大型で，細胞質には好酸性変化（化生）がみられ，ライトグリーンに好染している（図10-3〜5）。"好酸性"とはHE染色における"エオジン色素好染性"との意味で，パパニコロウ染色においてはライトグリーン好染性が一般的である。核の大型化や核小体の肥大がみられるため，疑陽性判定されることもあるが，背景が清明で細胞質変化（化生）を示す細胞の結合性が強い場合には陰性とするべきである。

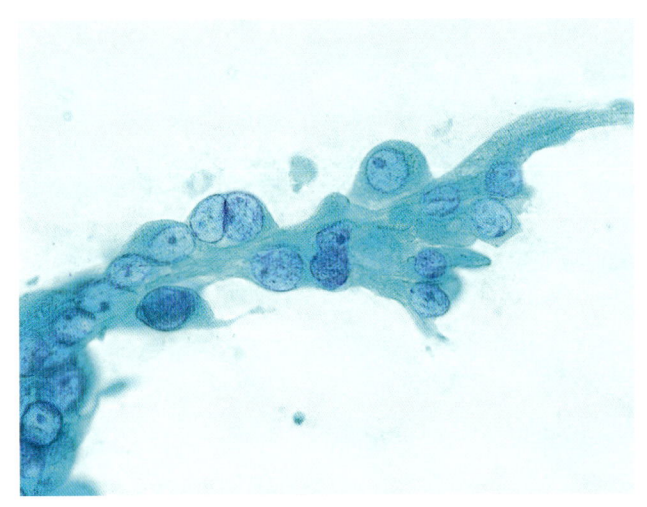

図10-3

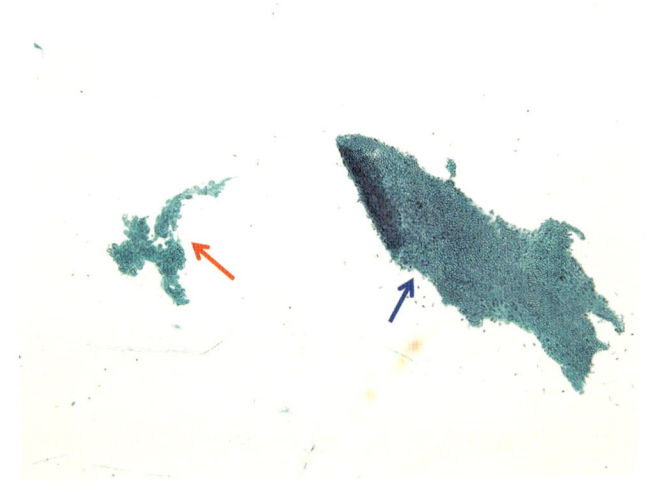

図10-1

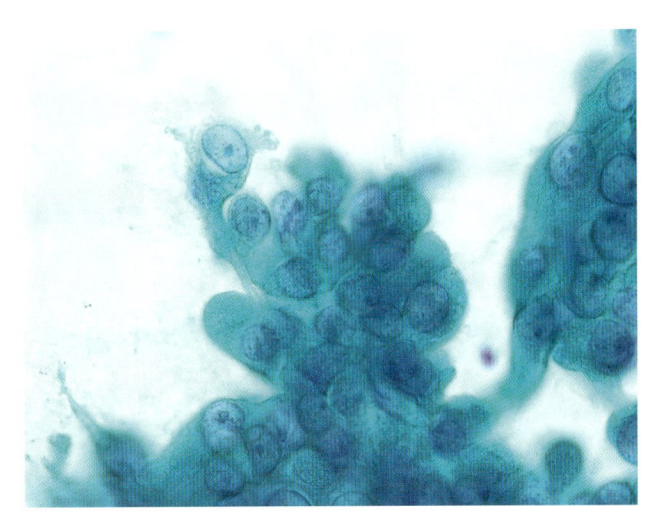

図10-4

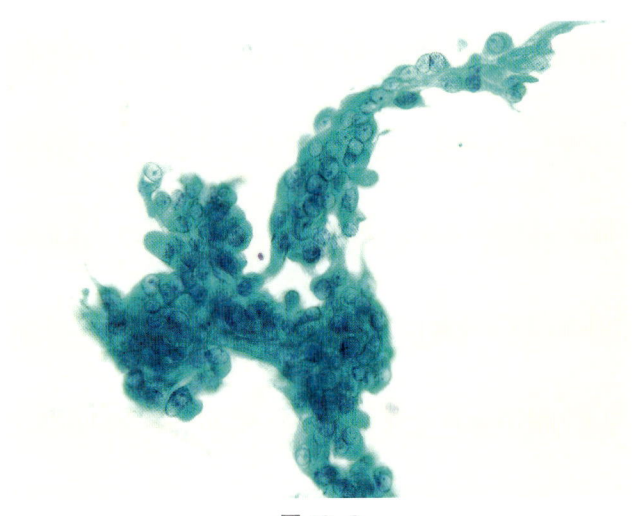

図10-2

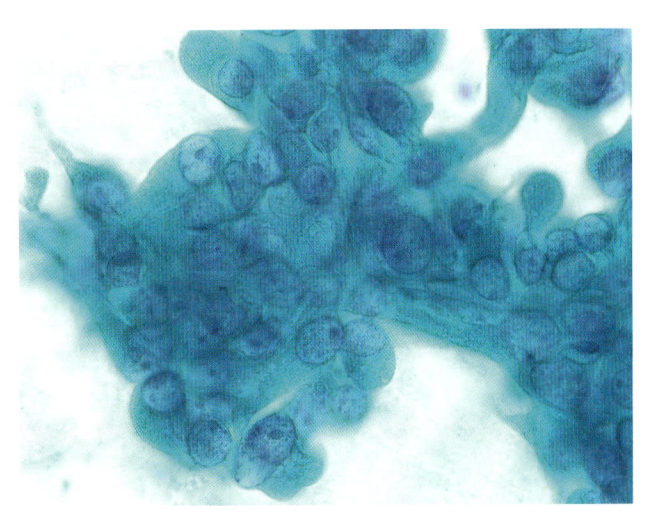

図10-5

83

症例 11　細胞質変化（化生）を伴う萎縮内膜
Atrophic endometrium with cytoplasmic (metaplastic) changes

60歳代　エンドサーチ直接塗抹

　一症例中に多種類の細胞質変化（化生）の出現をみることは稀ではない。本症例では，萎縮上皮との連続性を示す好酸性変化（化生）（図11-1, 2），小乳頭状集塊を形成する好酸性変化（化生）（図11-3），表層被覆上皮に連続する細胞質変化（化生）（図11-4, 5）が観察された。図11-4, 5の構成細胞には，卵管上皮のintercalated ("peg") cell（"釘"細胞）に類似した形態を示す細胞がみられる（図11-5矢印）。組織診断では卵管上皮の構成成分（線毛細胞，分泌細胞，"釘"細胞）が観察される場合，卵管性変化（化生）と表現されるが，細胞像での認識は困難なことが多い。多種類の細胞質変化（化生）の出現は細胞像を多彩にするが，病変の良悪との直接的な関係はない。

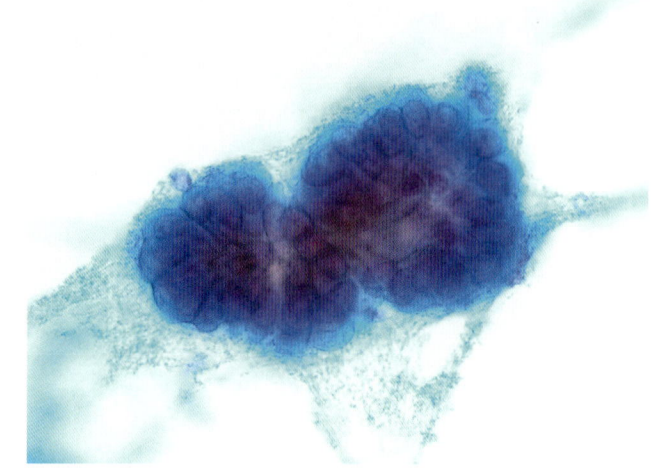

図 11-3

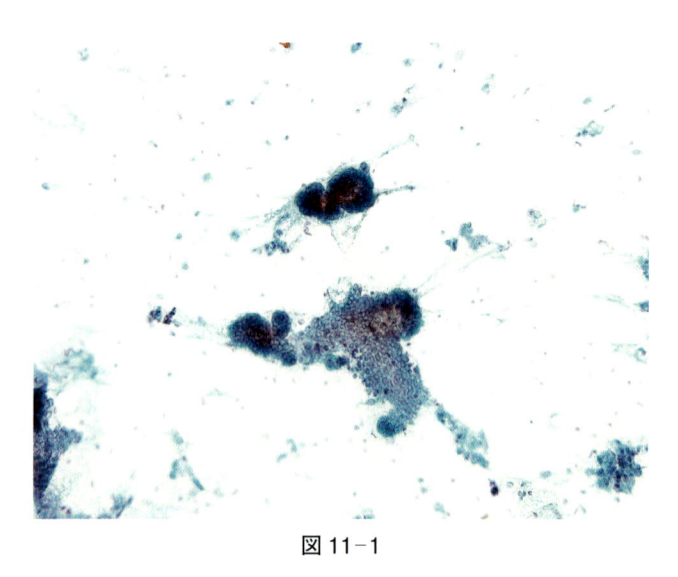

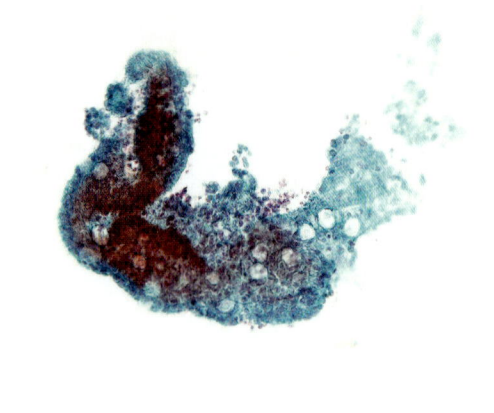

図 11-1

図 11-4

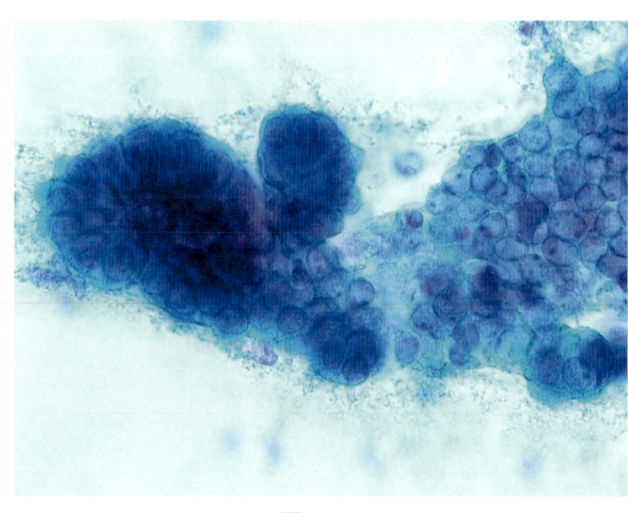

図 11-2

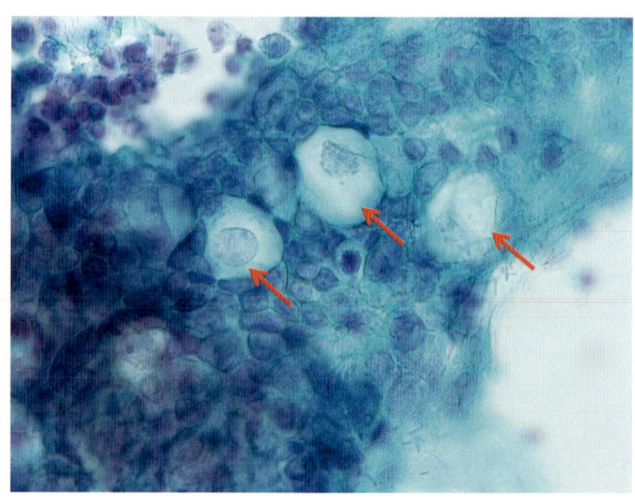

図 11-5

症例 12 細胞質変化（化生）を伴う萎縮内膜
Atrophic endometrium with cytoplasmic (metaplastic) changes

80歳代　エンドサーチ直接塗抹

　出血時には，細胞質変化（化生）を示す細胞が比較的高頻度に観察される。その主体は好酸性変化（化生）で小乳頭状の増生を伴う不整形突出集塊を形成して出現することが多く（図12-1, 2），異常細胞集塊と誤認されやすいが，集塊内に内膜間質細胞が内包されている像（図12-2 矢印）を確認することにより表層被覆上皮由来であることを認識できる。個々の細胞所見を観察可能な集塊（図12-3〜5）では，より容易に内膜間質細胞の内包（図12-4 矢印）を確認することができる。また，細胞質が厚く，N/C比は小さく，細胞間の結合性が強い点も悪性との鑑別に役立つ所見である。本症例は萎縮性出血と臨床的に診断された。

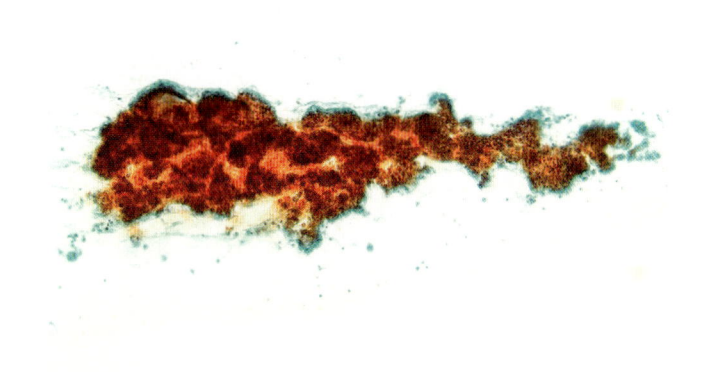

図12-1

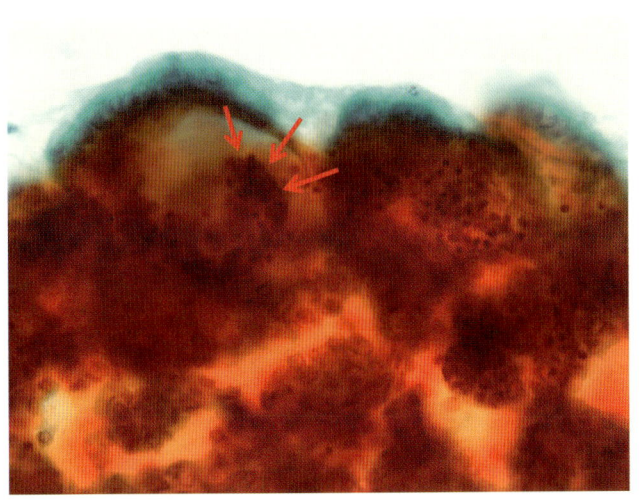

図12-2

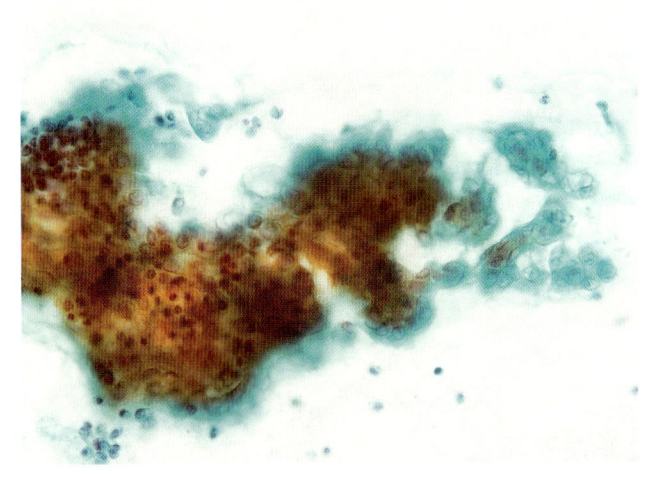

図12-3

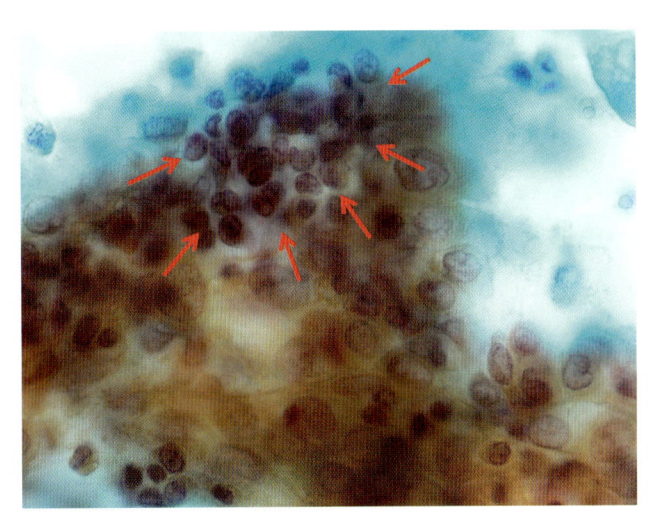

図12-4

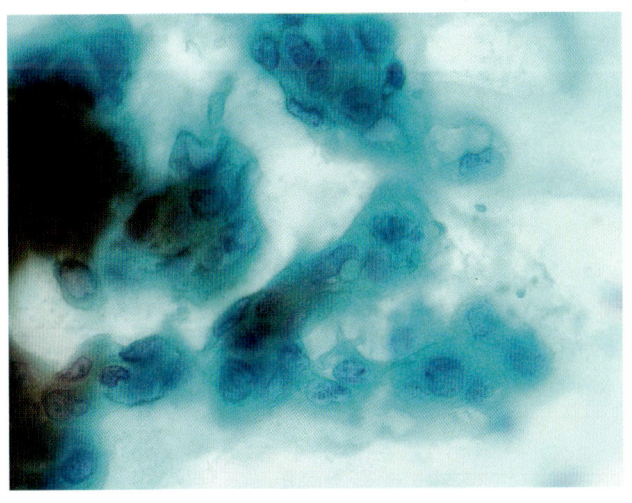

図12-5

症例 13　細胞質変化（化生）を伴う萎縮内膜
Atrophic endometrium with cytoplasmic (metaplastic) changes

60歳代　エンドサイト直接塗抹

　臨床症状なく，検診として提出された閉経女性の内膜細胞診標本上にも，時折著しい細胞質変化（化生）が観察される。本症例では，大型集塊で出現し，大小の乳頭状突出が重なり合って増生する像が観察される（図13-1）。背景は清明で，個々の細胞は，細胞質が厚く好酸性と粘液性の細胞質変化（化生）を示し，N/C比は小さく，細胞間の結合性は強く，悪性との鑑別は可能である（図13-2〜4）。図13-5では，非常に大型の細胞集塊で出現しているが，表層被覆上皮に連続する像が確認可能である（図13-5矢印）。

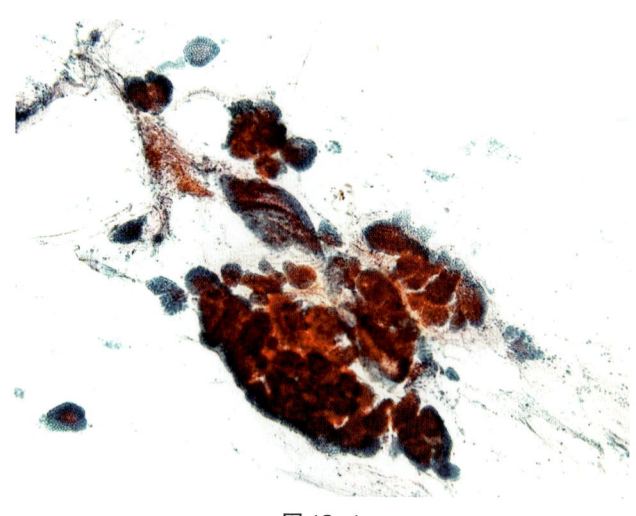

図 13-1

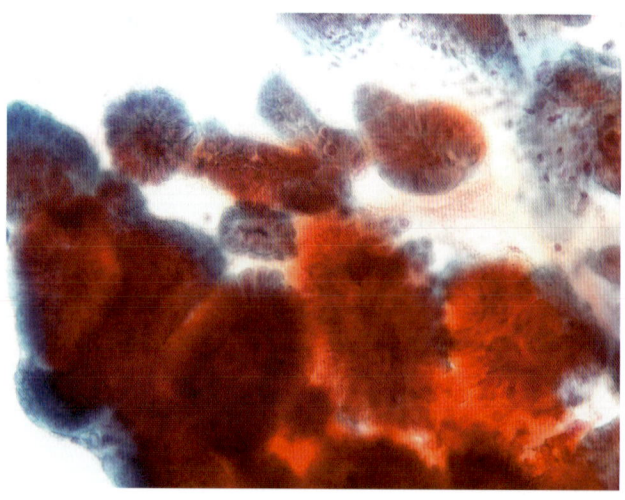

図 13-2

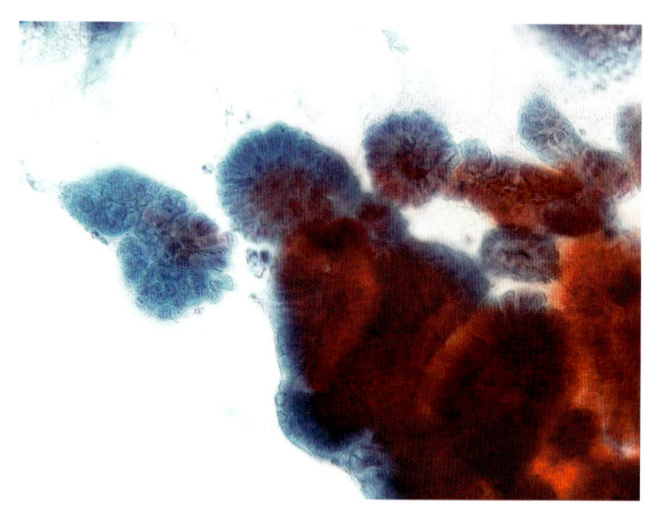

図 13-3

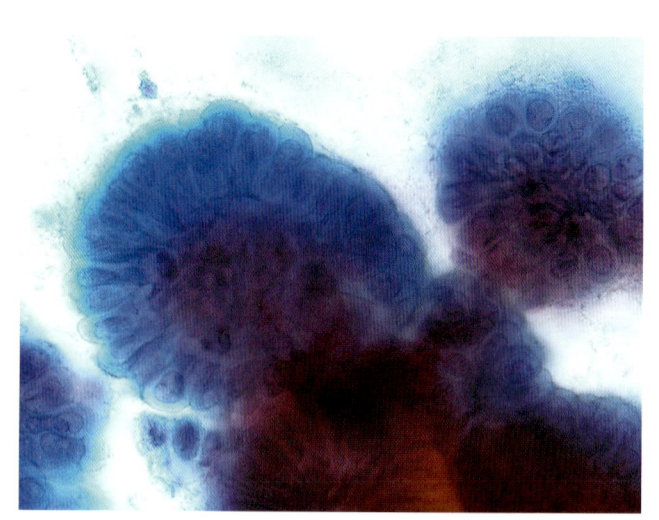

図 13-4

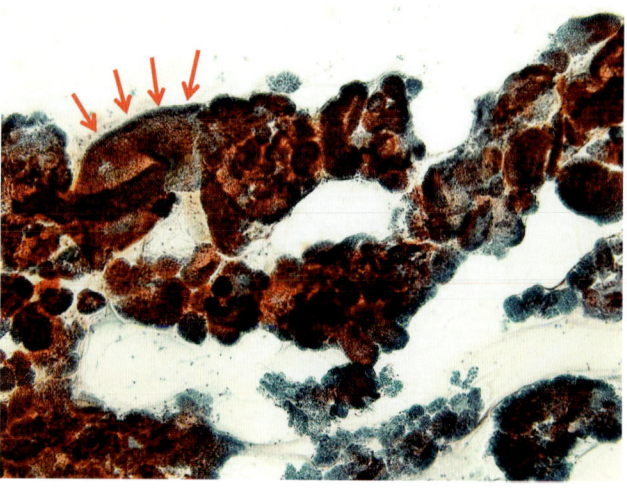

図 13-5

構成細胞には，個々の細胞異型は観察されない（図13-6～8）が，小乳頭状の内腔側にドーム状の空隙がみられることが特徴的である（図13-7矢印）。疑陽性判定（内膜増殖症疑い）としたが，経腟超音波で体内膜の肥厚はみられず年齢相応の厚さであった。内膜キュレテージによる組織生検標本には滲出物中に断片化した上皮細胞片を認めるのみで，診断に適さない標本と評価された（図13-9）。しかしながら，細胞像に類似した腺細胞集団がみられた（図13-10）。内腔側に空隙が観察されることは内膜増殖症との鑑別に有用と思われるが，表層被覆上皮との関連性が最も重要な所見である。本症例は経過観察を続けているが異型細胞集塊の出現はみられない。

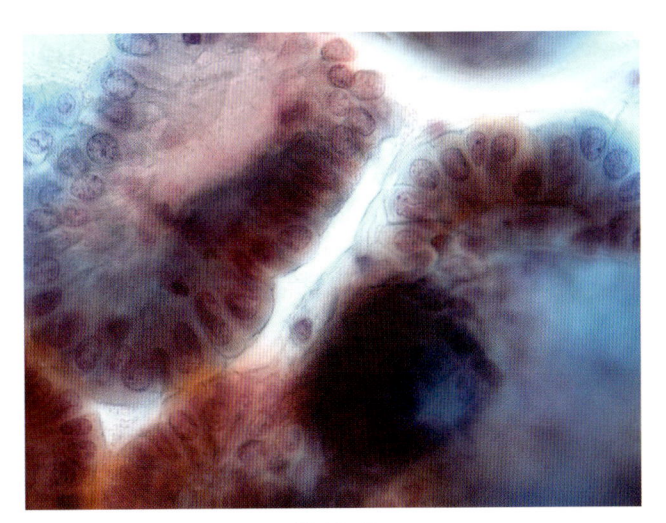

図13-8

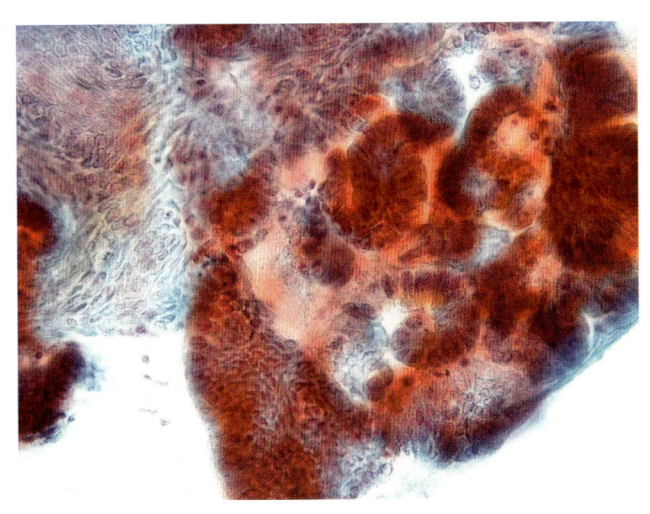

図13-6

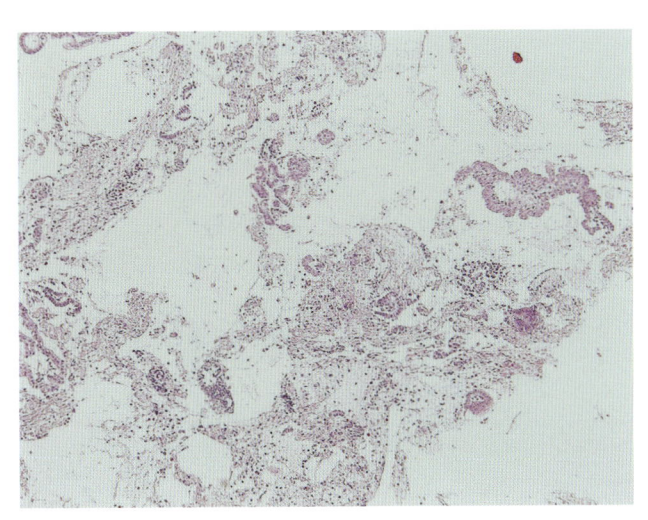

図13-9

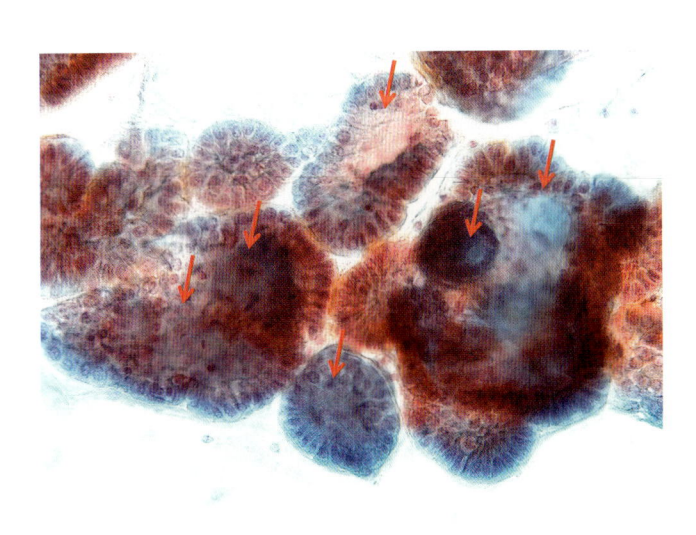

図13-7

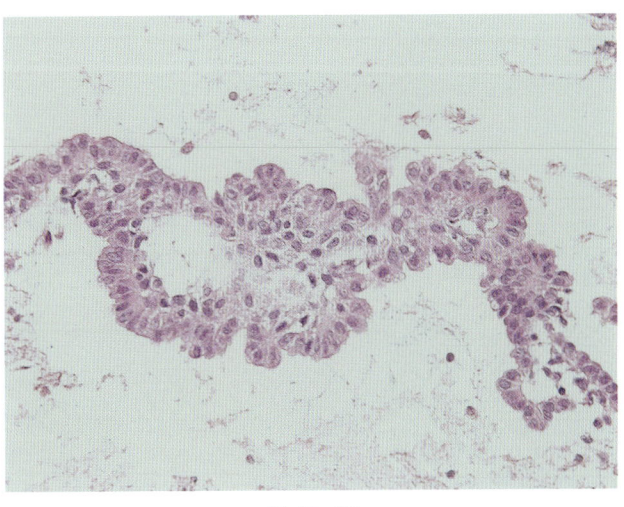

図13-10

症例 14　細胞質変化（化生）を伴う内膜炎
Endometritis with cytoplasmic (metaplastic) changes

40歳代　エンドサーチ直接塗抹

　背景に好中球を主体とする炎症細胞浸潤を伴って，大型の不整形突出集塊が出現している（図14-1～3）。このような大型集塊では重積により個々の細胞所見を十分に観察できないことが多く，判定に苦慮する。細胞間の結合性が強いことから悪性の可能性は低いが，組織生検施行あるいは厳重な経過観察が必要となる症例である。また，類内膜腺癌症例において，背景の好中球浸潤が高頻度に観察されることも，本症例において慎重な対応が必要となる理由の1つである。

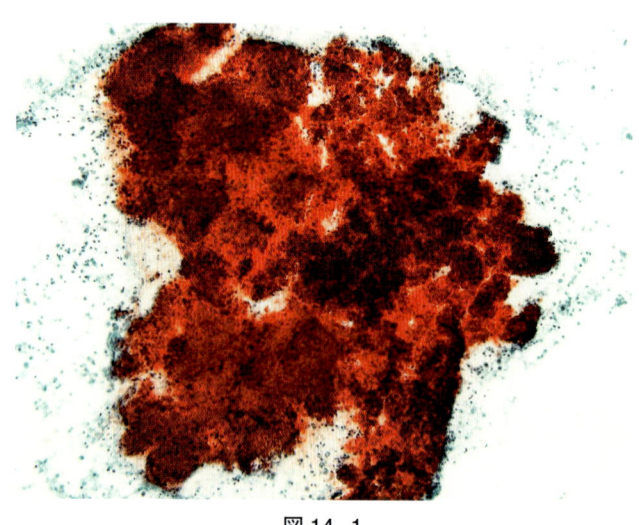

図14-1

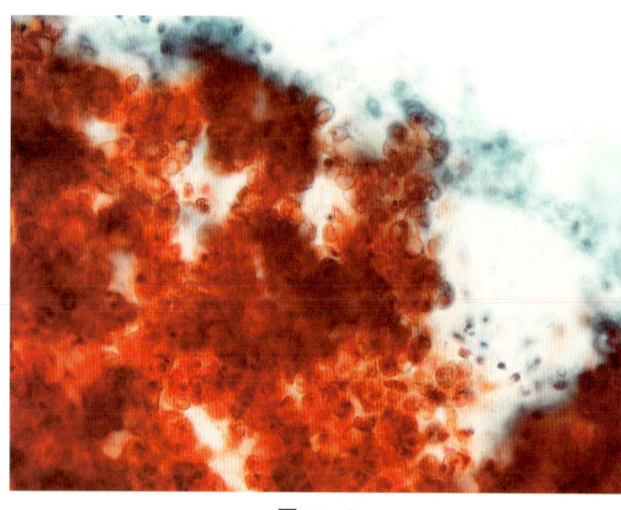

図14-2

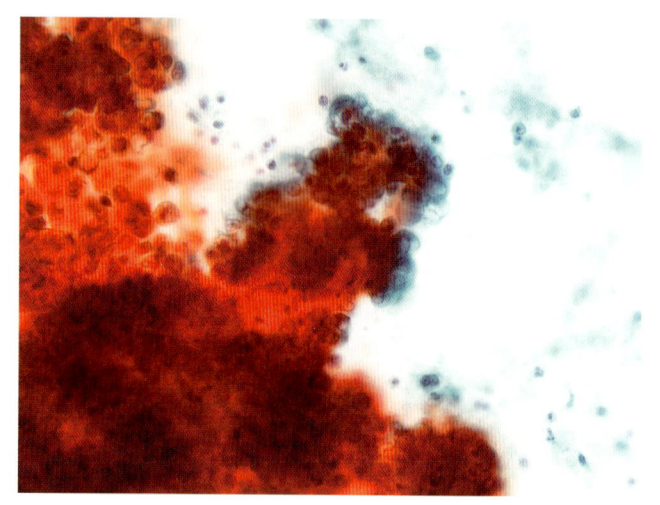

図14-3

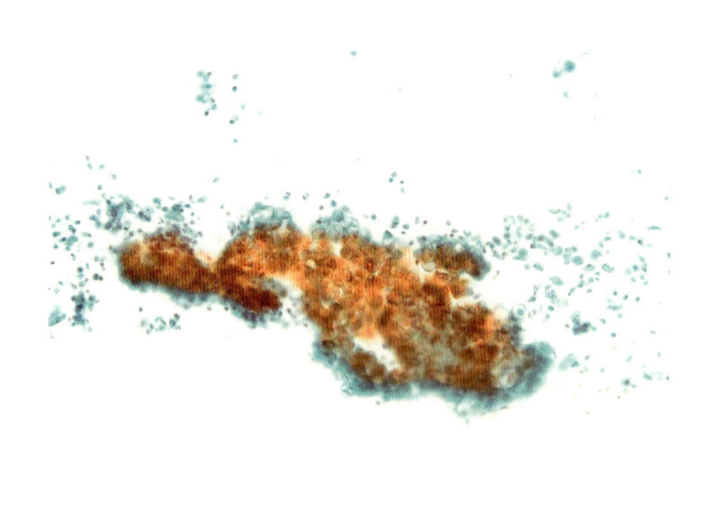

図14-4

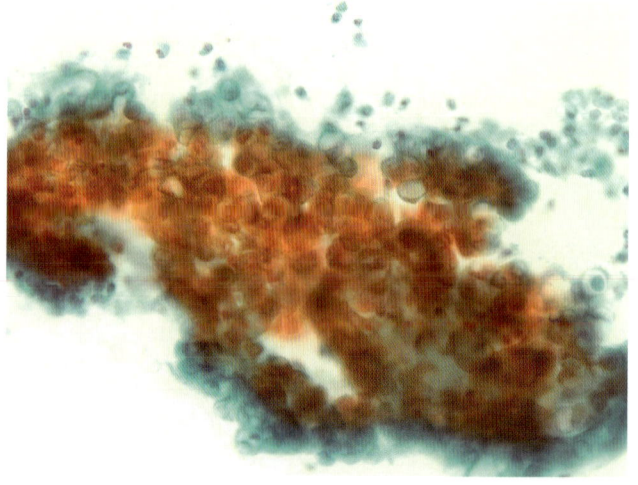

図14-5

個々の細胞所見が観察可能な集塊（**図 14-4～10**）では，集塊を形成している細胞が細胞質変化（化生）を示していることが確認可能である．その主体は好酸性変化（化生）で，細胞質が厚く，N/C 比は小さく，細胞間の結合性が強いことも悪性細胞との鑑別に役立つ所見である（**図 14-6, 7, 9, 10**）．本症例は経過観察により異常細胞集塊の消失が確認されたため，臨床症状と併せて急性内膜炎との臨床診断がなされた．内膜炎においても，出血を伴う際には表層被覆上皮に生じる細胞質変化（化生）が生じやすいことを念頭に置くことが過剰判定を防ぐ上で大切である．

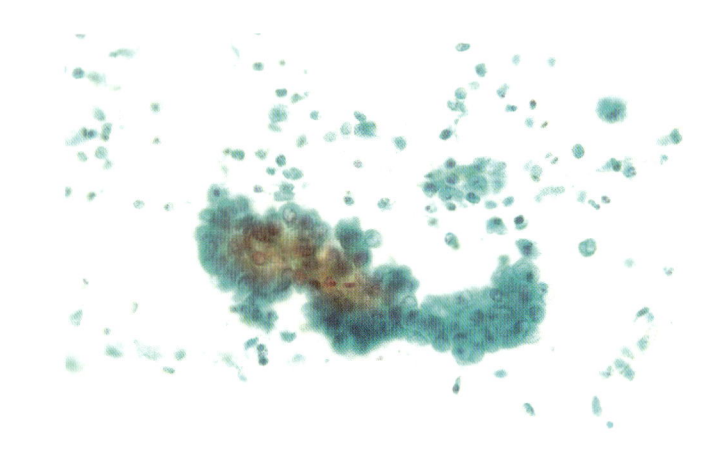

図 14-8

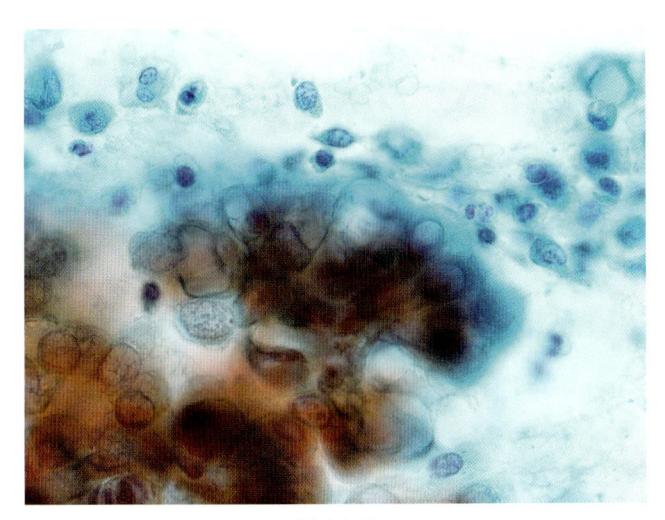

図 14-6

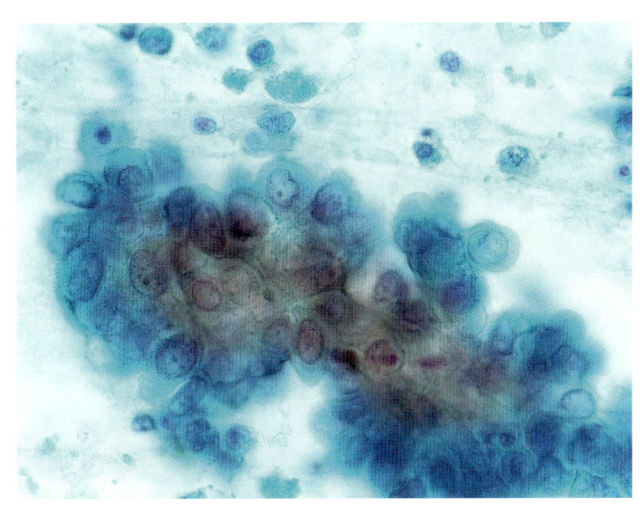

図 14-9

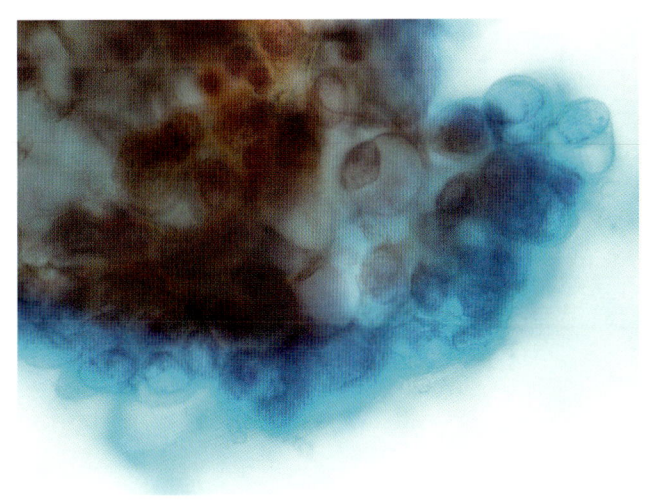

図 14-7

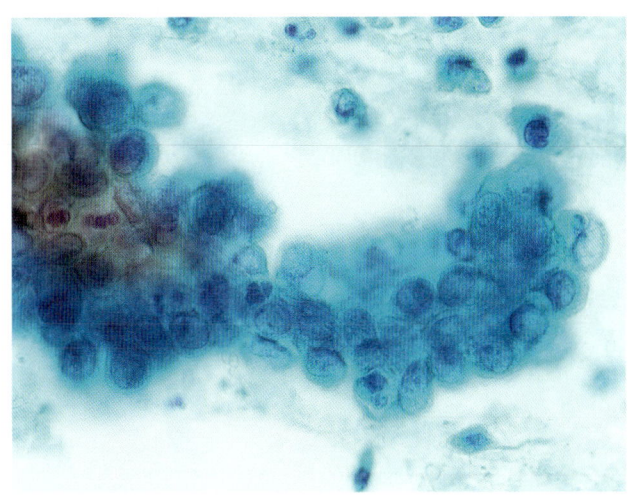

図 14-10

症例 15 細胞質変化（化生）を伴う内膜炎
Endometritis with cytoplasmic (metaplastic) changes

60歳代　エンドサーチ直接塗抹

　背景に好中球を主体とする炎症細胞浸潤を伴って，大型の不整形突出集塊が出現している（図15-1, 2）。重積性が非常に強く，個々の細胞所見を十分に観察できない集塊である。集塊の辺縁部では細胞間の結合性が比較的緩く（図15-3〜5），悪性との鑑別のために組織生検施行が必要となる症例である。個々の細胞所見が観察可能な集塊では，集塊を形成している細胞が細胞質変化（化生）を示していることが確認される。その主体は好酸性変化（化生）であるが扁平上皮性変化（化生）もみられる（図15-6〜10）。

図15-1

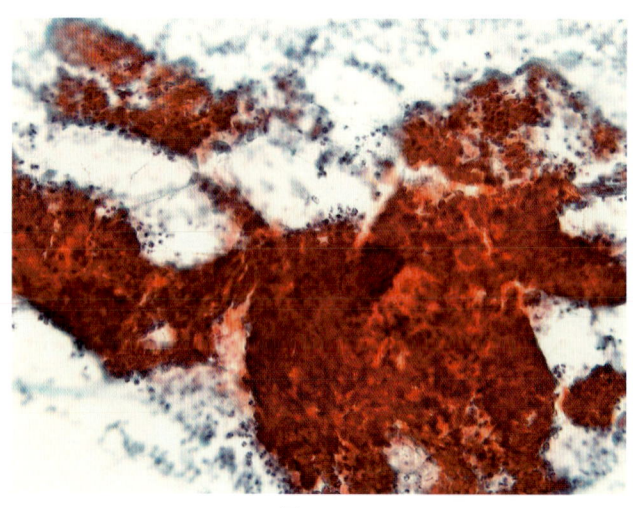

図15-2

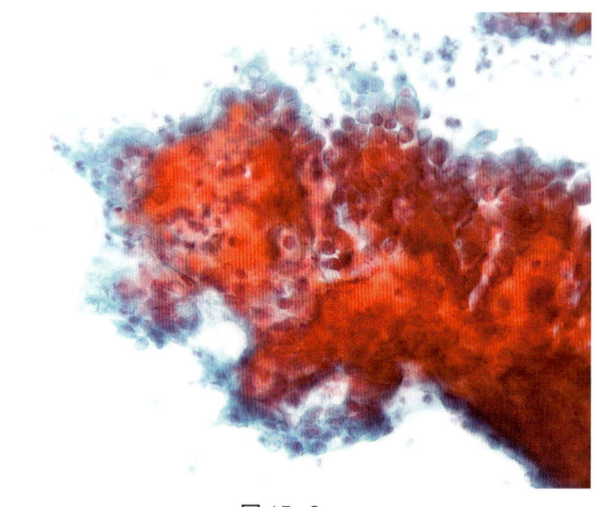

図15-3

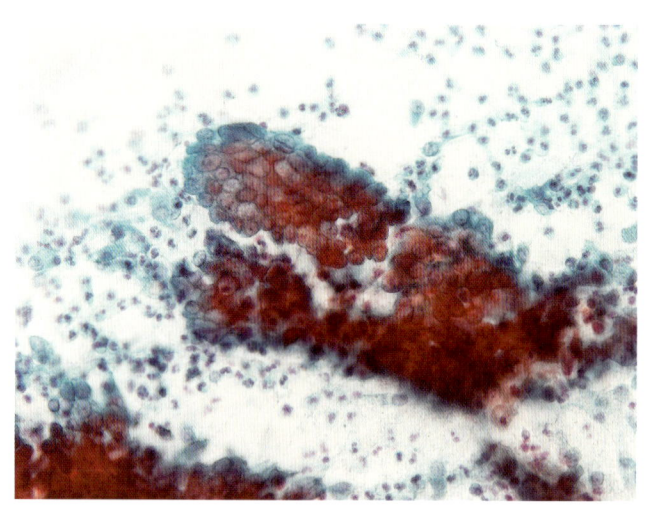

図15-4

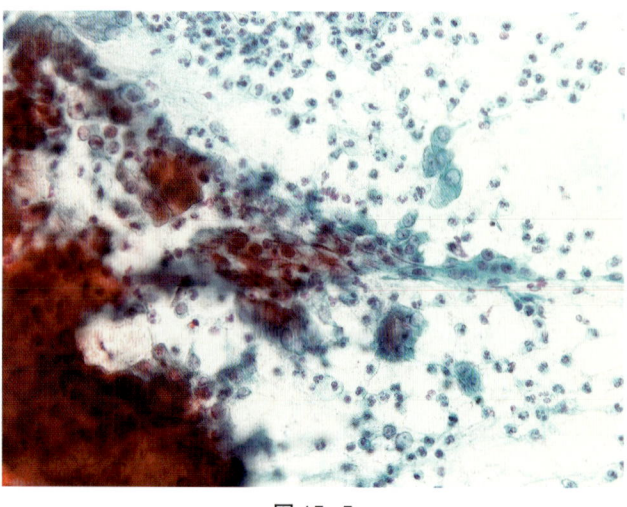

図15-5

症例アトラス

　個々の細胞は，大型化し，核小体が目立つが，細胞質が厚く，N/C比は小さく，細胞間の結合性も強く，悪性を示唆する所見は少ない（図15-8～10）。扁平上皮性変化（化生）は内膜炎や子宮留膿腫などの刺激性変化においても観察されるが，子宮内膜異型増殖症以上の症例に出現する頻度が高く，組織診による鑑別が必要となる。内膜キュレテージによる組織生検標本には断片化した上皮細胞片を認めるのみであった。本症例は，経過観察により異常細胞集塊の消失が確認され内膜肥厚もみられないため，臨床症状と併せて急性内膜炎との臨床診断がなされたが，今後も十分な期間の経過観察が必要な症例である。

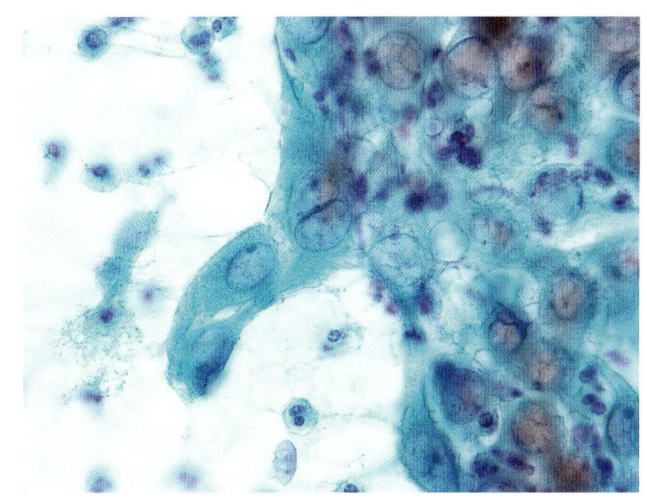

図15-8

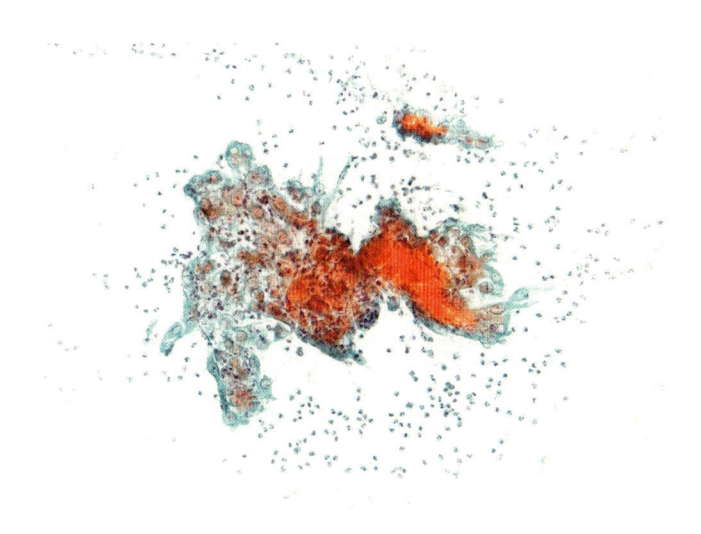

図15-6

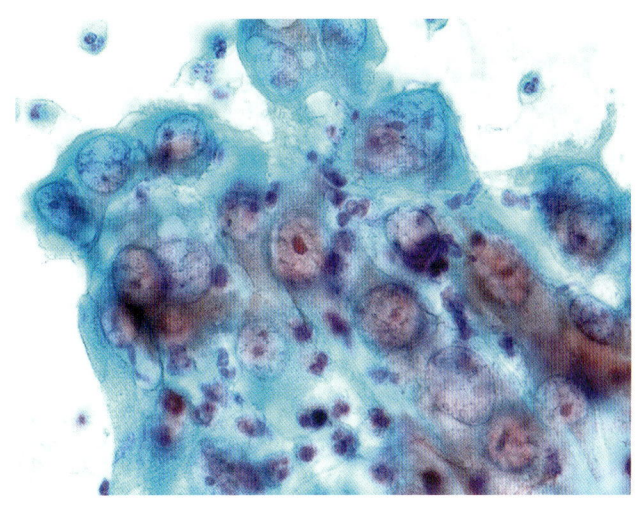

図15-9

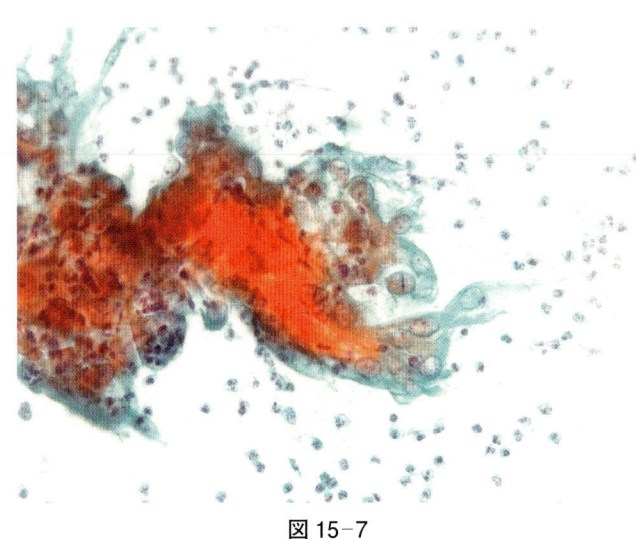

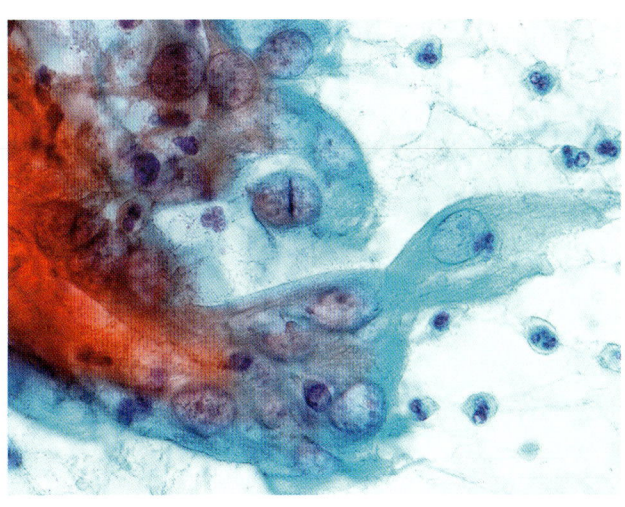

図15-7

図15-10

症例 16　IUD 挿入による内膜炎
Endometritis associated with IUD

60 歳代　IUD 器具直接塗抹

　避妊器具である IUD 挿入により，内膜には反応性変化として炎症が生じる。背景に好中球と大食細胞を主体とする炎症細胞浸潤が観察され（図 16-1），大食細胞は多核化し異物型巨細胞（図 16-2）の形態を示す。細菌塊（図 16-3）もみられることが多く，これらを壊死物質と誤認しないようにすることが大切である。上皮性細胞集塊は概ねシート状で，しばしば細胞質変化（化生）示しており，その主体は好酸性変化（化生）であることが多い（図 16-4, 5）。

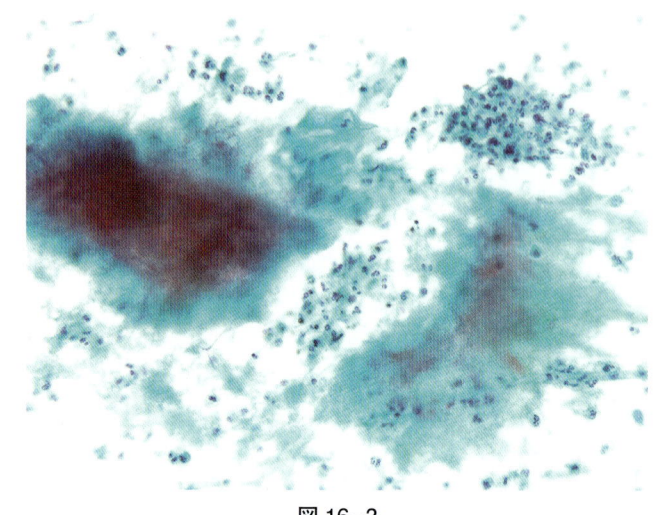

図 16-3

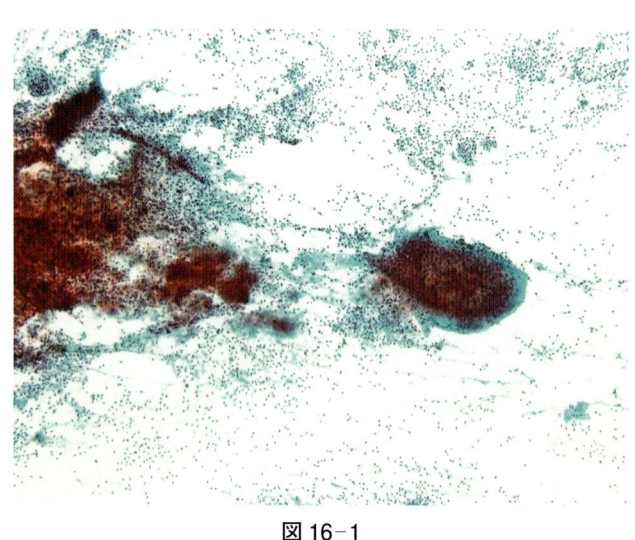

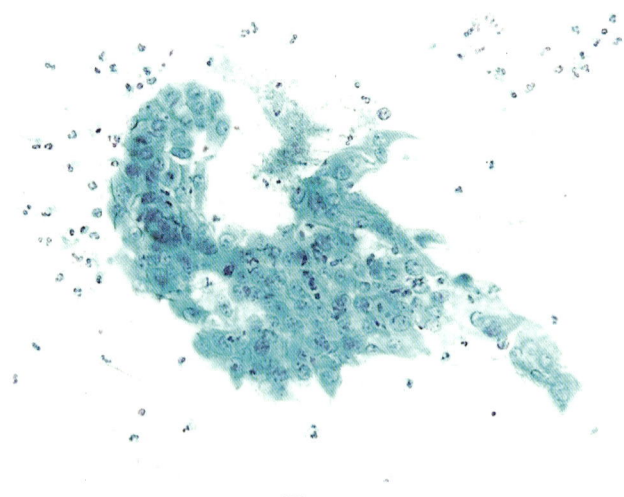

図 16-1

図 16-4

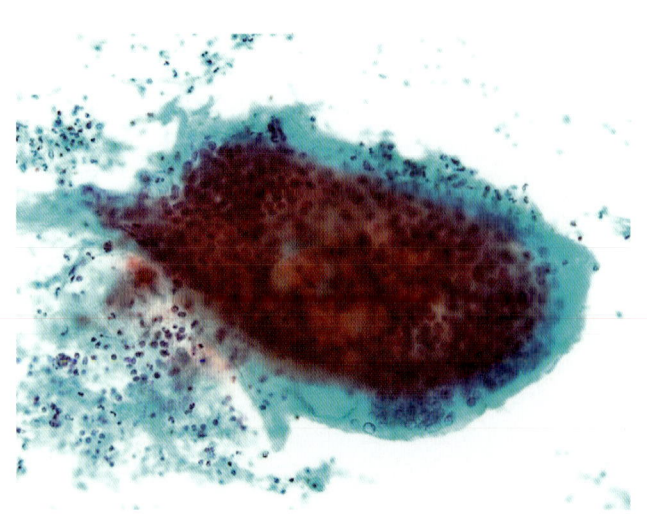

図 16-2

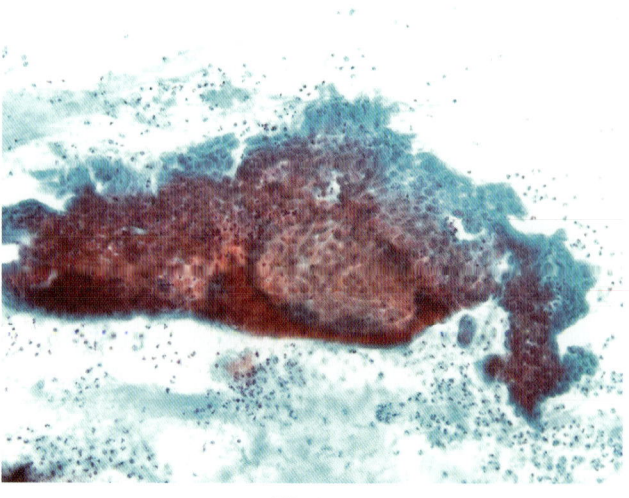

図 16-5

症例 17　内膜腺間質破綻
Endometrial glandular and stromal breakdown：EGBD

50歳代　エンドサーチ直接塗抹

　EGBDの細胞像の特徴は，①断片化集塊，②表層被覆上皮の細胞質変化（化生），③内膜間質細胞変性凝集像で，それぞれが過剰判定につながるので十分な理解が必要である。まず，断片化集塊（図17-1, 2）は，断片化した増殖期相当の腺管や変性した内膜間質細胞が出血で析出したフィブリンにより固められた集塊である。集塊内部の腺管構造に不整がみられないこと，腺の密度が低いことが腺癌例の細胞集塊との鑑別点である（図17-3, 4）。図17-5は，断片化集塊に相当する組織像を示しており，出血やフィブリンの析出がみられる中，内膜間質の脱落に起因する内膜腺の断片化（図17-5左）や，変性凝集を起こした内膜間質細胞（図17-5右）が観察される。

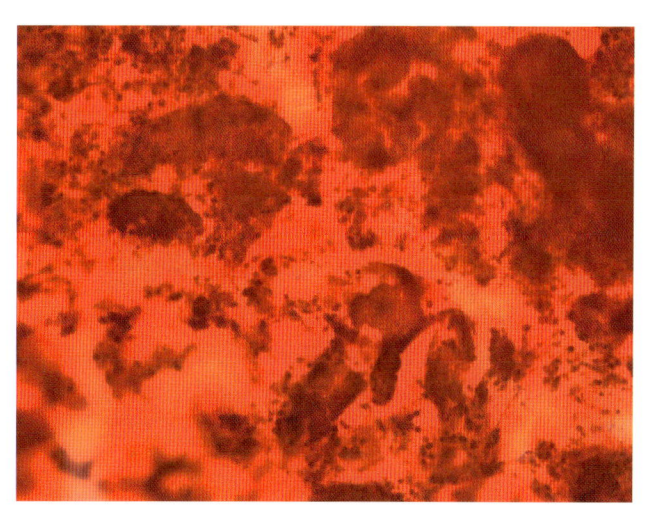

図17-3

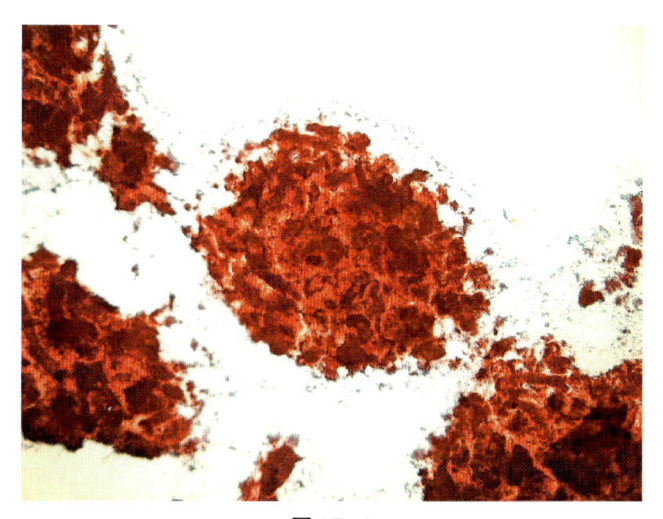

図17-1

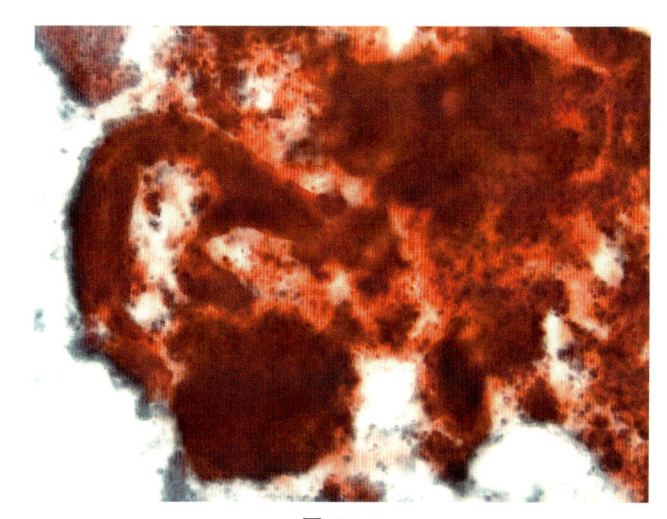

図17-4

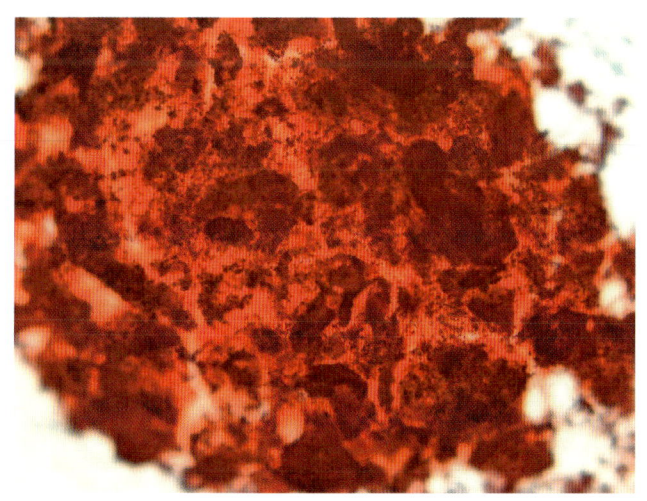

図17-2

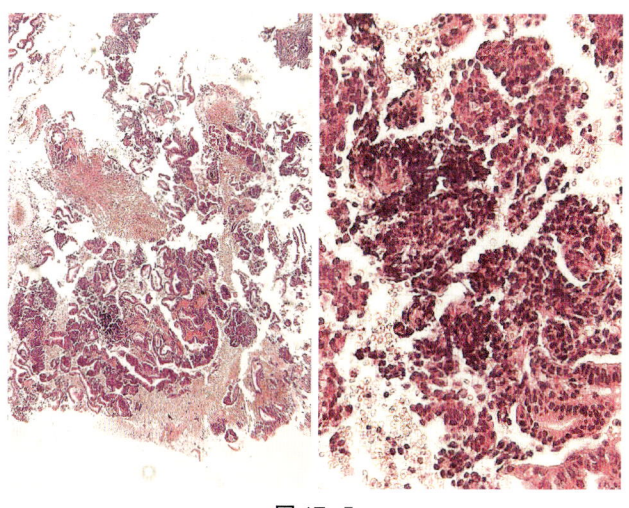

図17-5

症例 18　内膜腺間質破綻
Endometrial glandular and stromal breakdown：EGBD

50歳代　エンドサーチ直接塗抹

　EGBDは，エストロゲン刺激状態による無排卵性の機能性子宮出血（DUB）時に高頻度に観察されるが，その変化の程度には症例により差異がある。標本上の集塊すべてが断片化集塊であることは稀であり，通常は増殖期としての形態が保たれた腺管が，様々な頻度で出現している（図18-1, 2）。また，腺と間質の比率も重要な所見で，間質成分優位であれば子宮内膜増殖症以上の疾患の可能性は低くなる（図18-3）。小型の拡張・分岐集塊（図18-4）もしばしば出現するが，標本全体の出現頻度は低いことが多い。図18-5の組織像においても，間質成分優位で，断片化した増殖期相当の腺管や表層被覆上皮細胞が観察される。

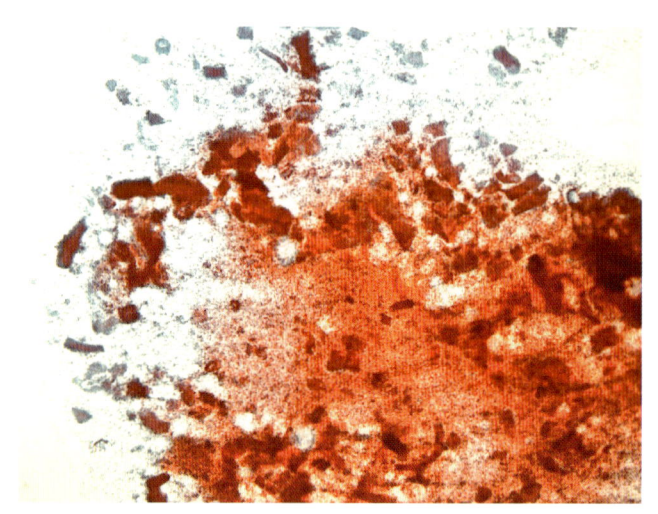

図 18-3

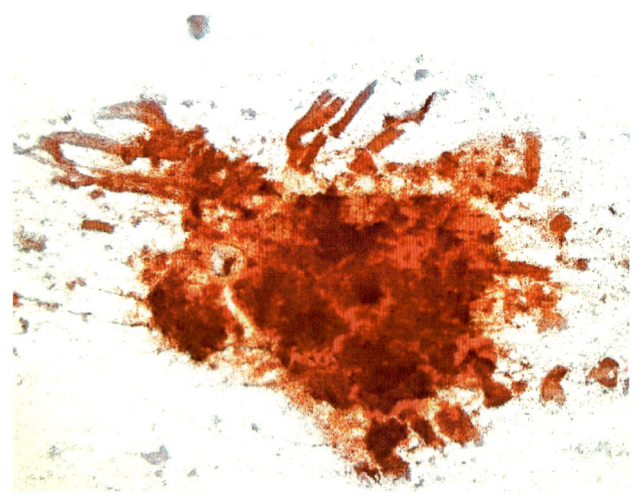

図 18-1

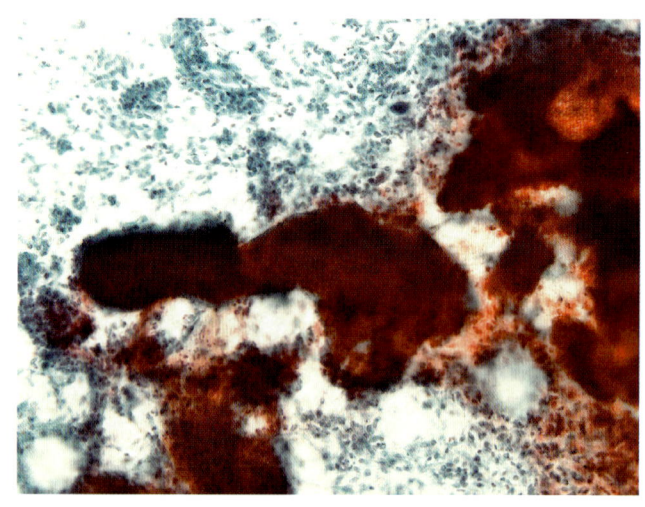

図 18-4

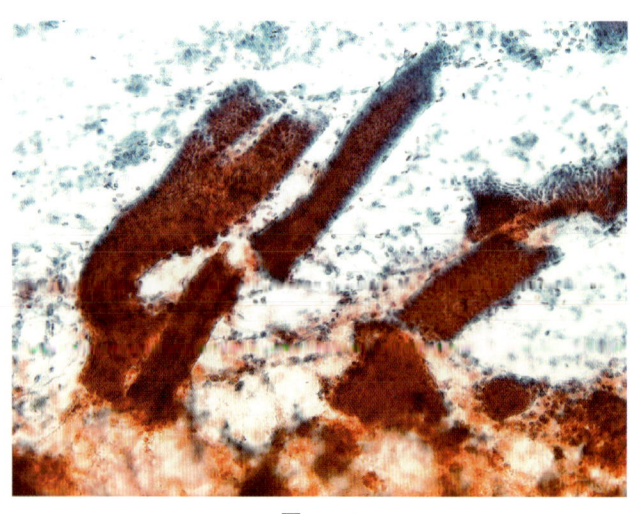

図 18-2

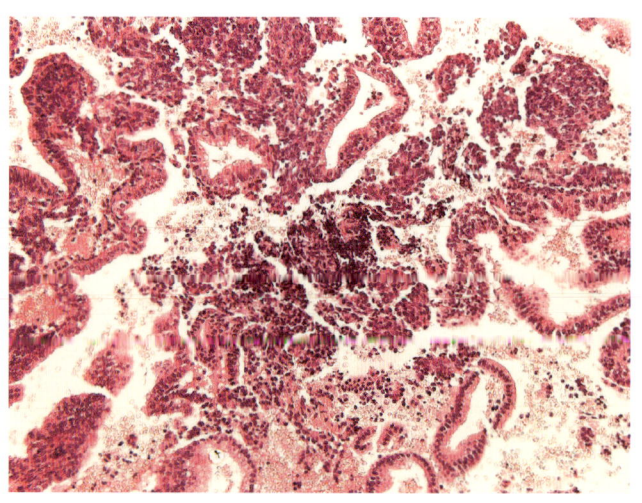

図 18-5

症例アトラス

　表層被覆上皮に生じる好酸性を中心とする細胞質変化（化生）は，EGBD症例において比較的高頻度に観察され，しばしば不整形突出集塊を形成して出現するために過剰判定を引き起こしている。図18-6は，右が増殖期としての形態を保った管状・シート状集塊（図18-7），左が表層被覆上皮由来と思われる細胞質変化（化生）を示す不整形突出集塊である（図18-8, 9）。細胞質変化（化生）を示す細胞では，核腫大がみられることも過剰判定の要因となっているが，細胞間の結合性が強く，集塊辺縁の"ほつれ像"もみられないことに着目して良性と判定する（図18-9）。図18-10の組織像では，左側に好酸性変化（化生）を示す表層被覆上皮細胞が観察される。

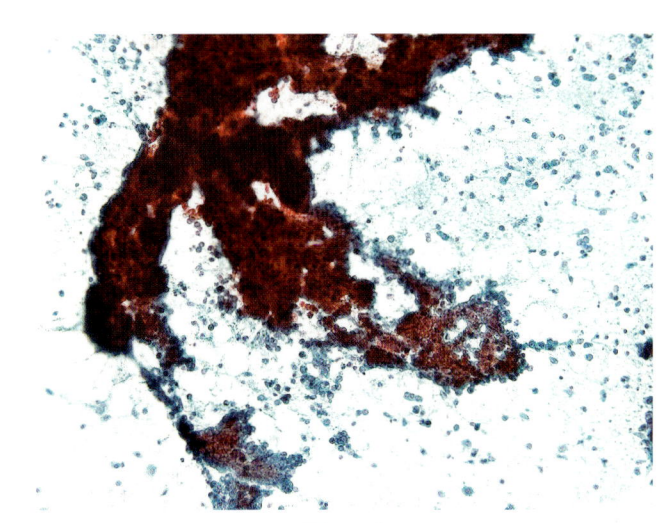

図 18-8

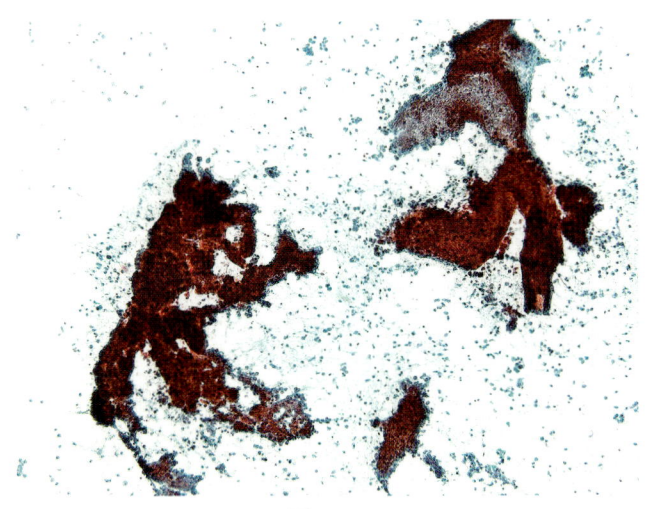

図 18-6

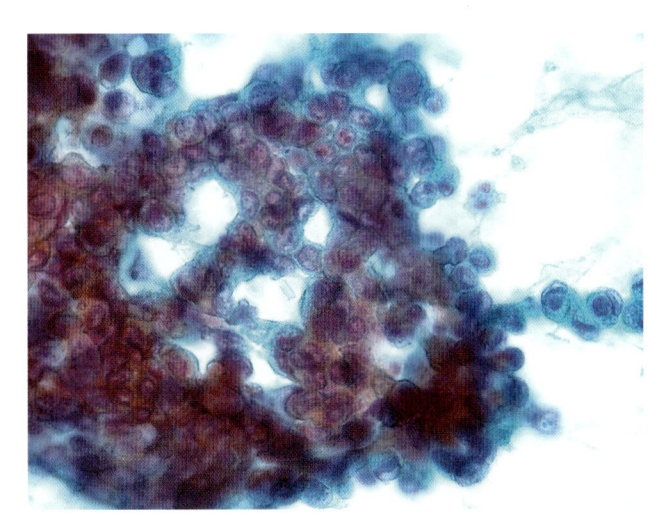

図 18-9

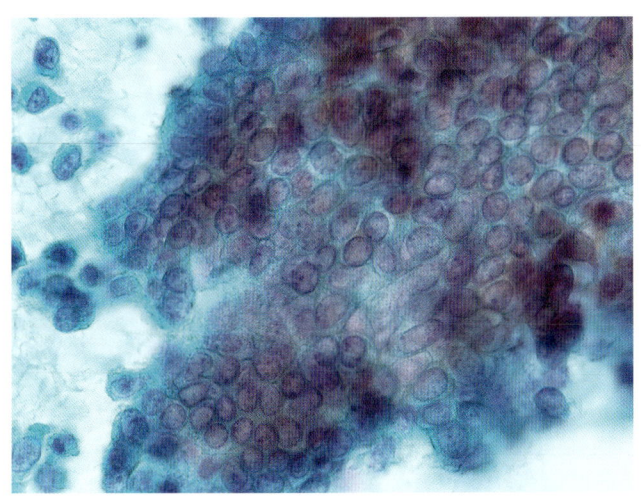

図 18-7

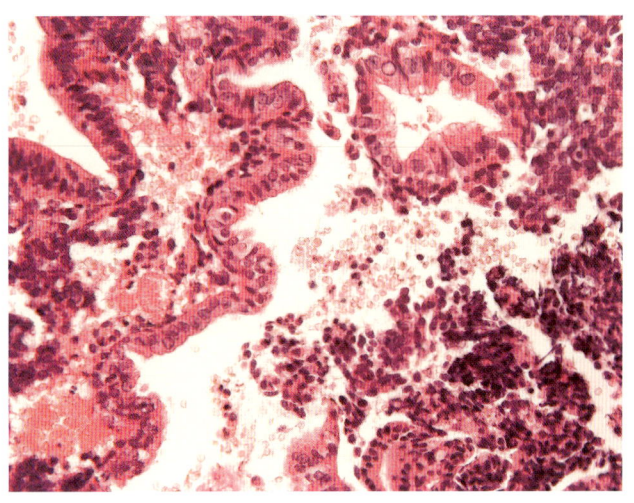

図 18-10

95

症例 19　内膜腺間質破綻
Endometrial glandular and stromal breakdown：EGBD

40歳代　ソフトサイト直接塗抹法，
LBC：Sure Path™法

　EGBD症例においては，直接塗抹法ではしばしば多量の血液にマスキングされ，集塊形状や構成成分を正確に把握することが困難となる（図19-1）。SurePath™法では血液成分が除去され，背景が清明化するため，腺の断片化や内膜間質細胞の変性凝集を弱拡大で容易に捉えることができる（図19-2）。変性凝集した内膜間質細胞は粗造なクロマチンパターンを呈し（図19-3），しばしば表層被覆上皮細胞とともに不整形突出集塊を形成する（図19-4）。また，図19-5のような好酸性細胞質変化（化生）を示す表層被覆上皮細胞の不整形突出集塊もみられるが，いずれも直接塗抹法の所見とほぼ同様である。

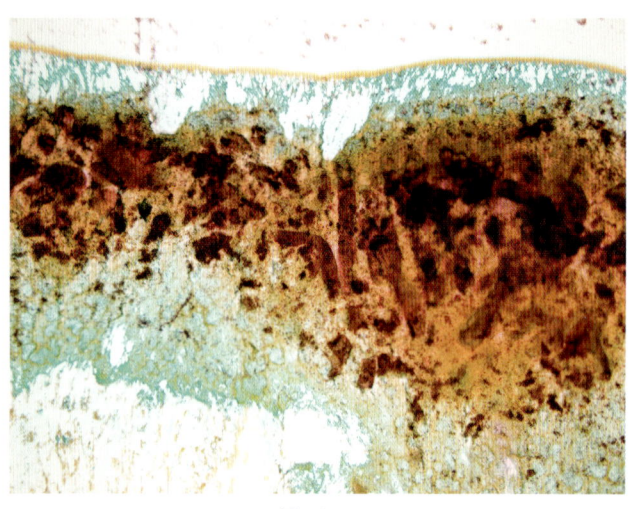

図19-1

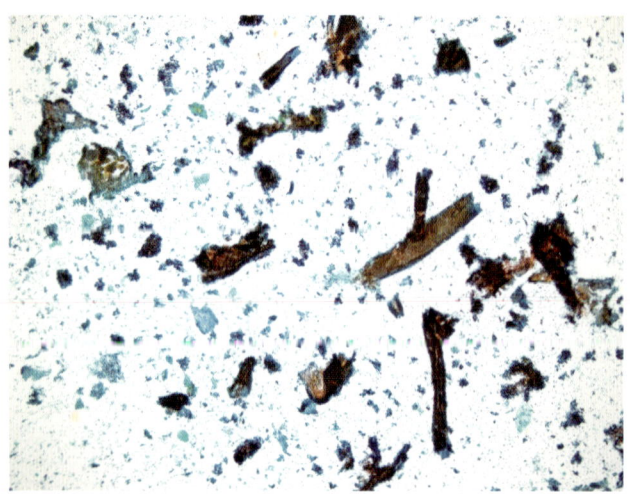

図19-2

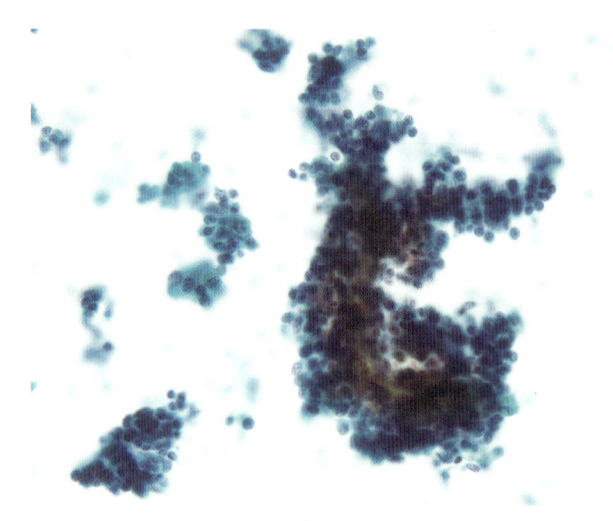

図19-3

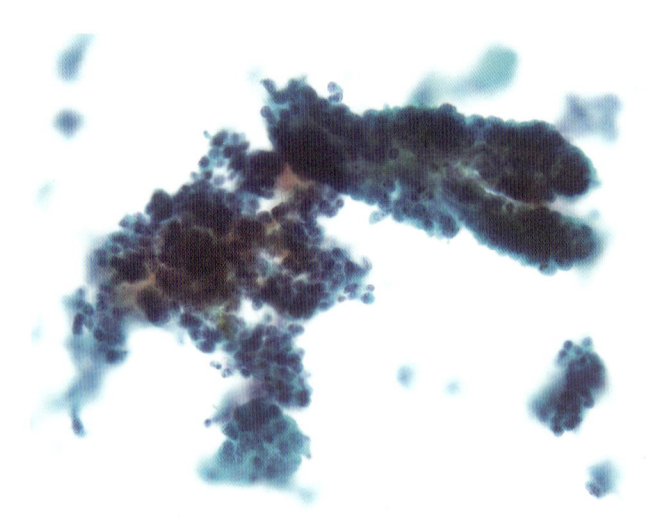

図19-4

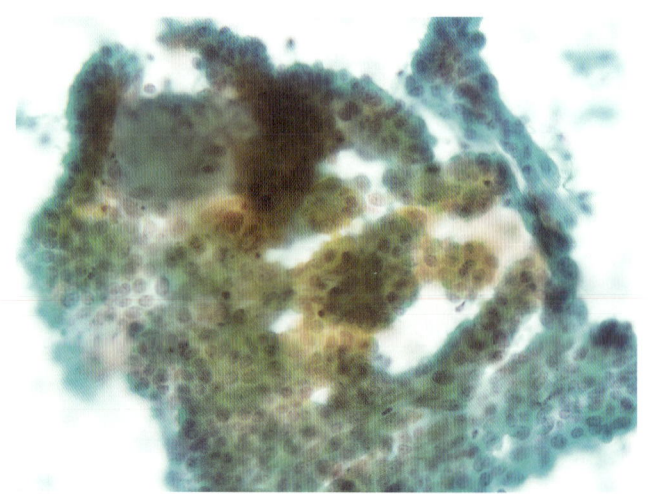

図19-5

症例アトラス

症例 20 　内膜腺間質破綻
Endometrial glandular and stromal breakdown：EGBD

40歳代　ソフトサイト直接塗抹法，LBC：Thin Prep®法
（サイトライト液前処理，尿用フィルター）

　直接塗抹法では，血液成分とともに一部断片化した腺管と，内膜間質細胞の変性凝集像がみられる（図20-1）。サイトライト液前処理 ThinPrep®法においても，背景が清明化するため，特徴を捉えやすくなる（図20-2）。変性凝集した内膜間質細胞はサイトライト液前処理により，細胞質に変性が加わっているものの，粗造なクロマチンパターンは直接塗抹法や沈降法と同様である（図20-3）。また，表層被覆上皮細胞と内膜間質細胞から構成される不整形突出集塊や，好酸性細胞質変化（化生）を示す表層被覆上皮細胞集塊といった，EGBDで比較的遭遇しやすい所見も同法で観察可能である（図20-4, 5）。

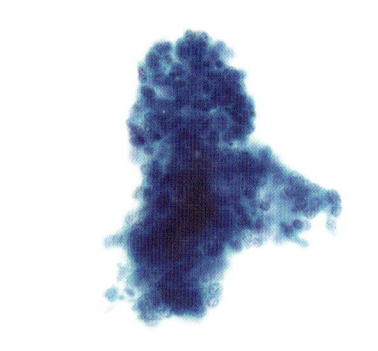

図20-3

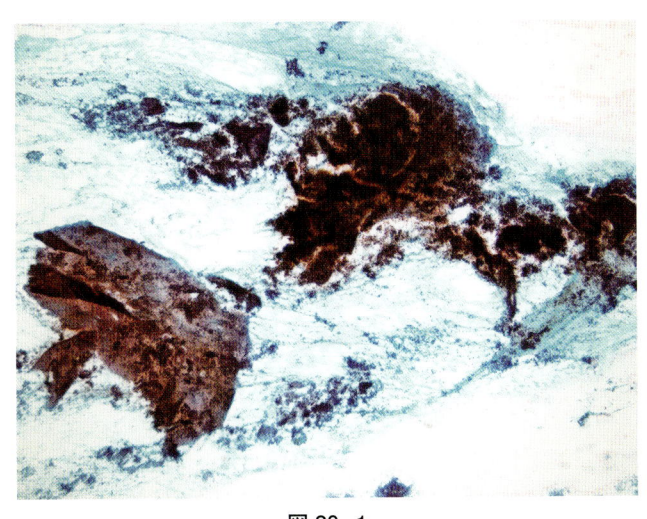

図20-1

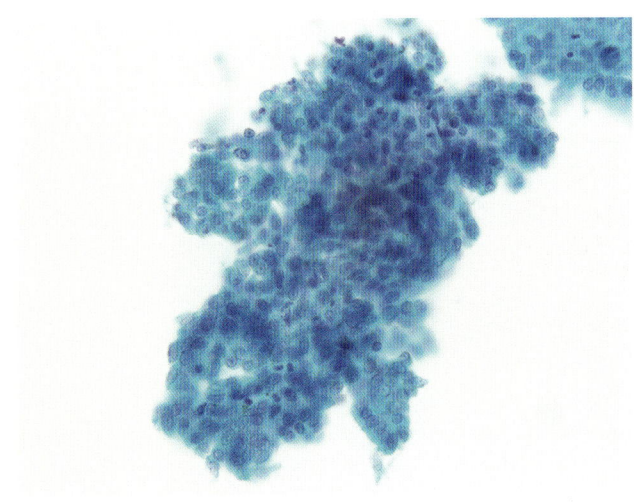

図20-4

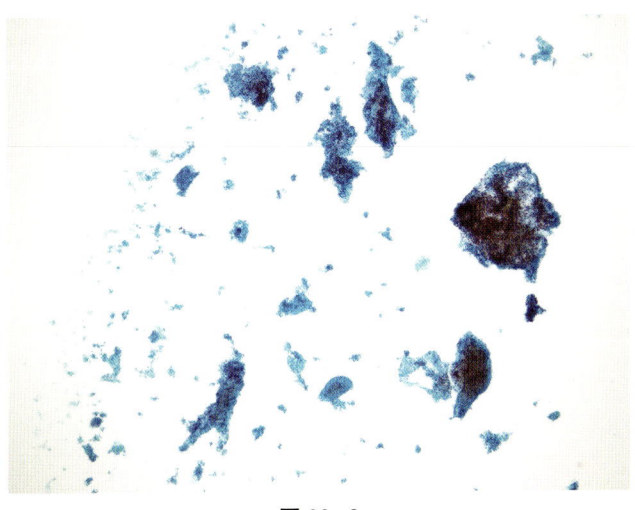

図20-2

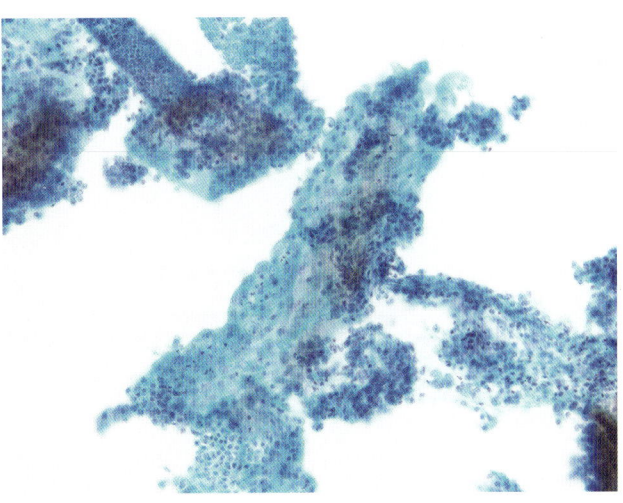

図20-5

97

症例 21 内膜腺間質破綻
Endometrial glandular and stromal breakdown：EGBD

40歳代　エンドサーチ直接塗抹

　EGBDの特徴として挙げられる内膜間質細胞変性凝集像は，容易に認識できるため非常に有用な細胞所見であるが，上皮性集塊と誤認した場合には過剰判定を引き起こすことがある．図21-1は，右が内膜間質細胞集塊，左が好酸性細胞質変化（化生）を伴う腺細胞集塊である．右の内膜間質細胞集塊は，内部構造がやや不鮮明であるが，核の極性から内膜間質細胞の変性凝集像と判定可能である（図21-2）．別視野では，集塊辺縁がほつれ，個々の細胞所見が観察可能な内膜間質細胞集塊がみられる（図21-3）．過染性核を有し，細胞質の乏しい内膜間質細胞が凝集・圧縮された緻密な集塊を形成している（図21-4, 5）．

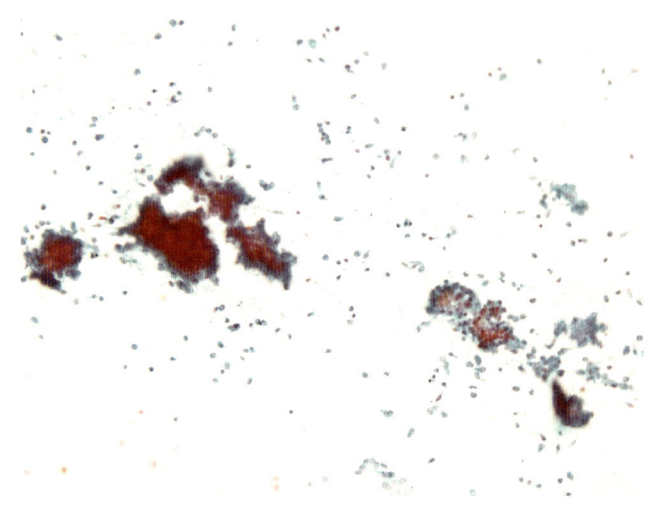

図 21-3

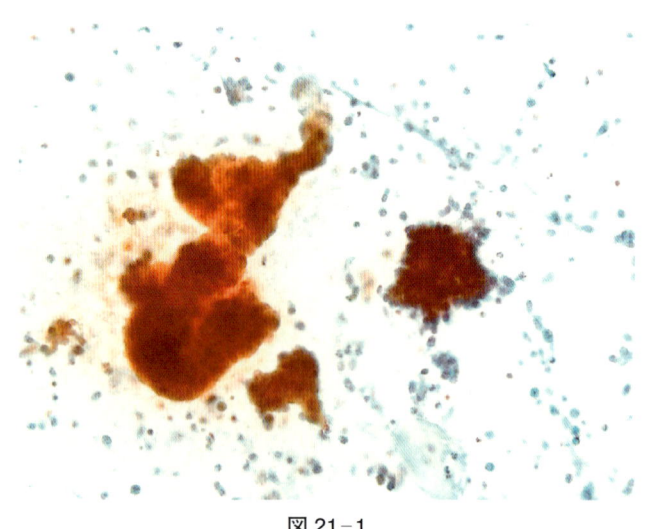

図 21-1

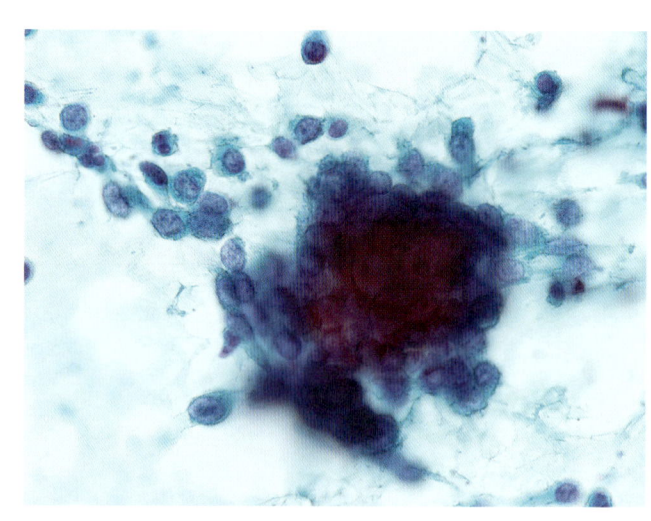

図 21-4

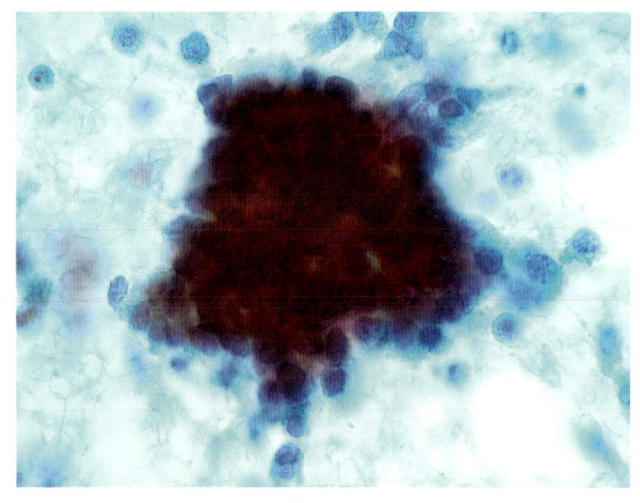

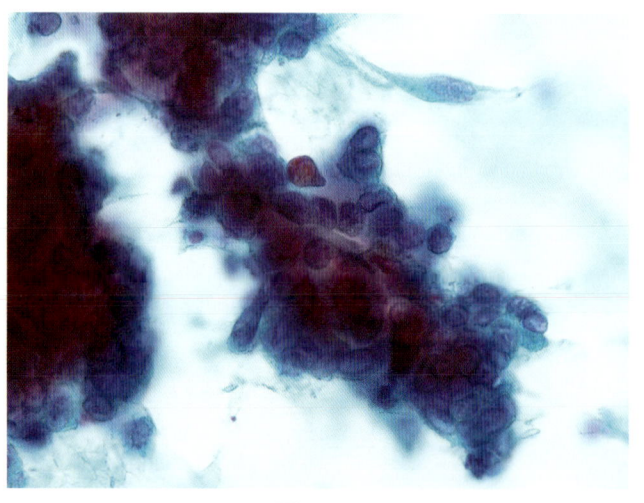

図 21-2

図 21-5

症例アトラス

症例 22	不調増殖期内膜
	Disordered proliferative phase：DPP

50歳代　エンドサーチ直接塗抹

　DPP症例では，子宮内膜増殖症例と同様の形態を示す拡張・分岐集塊が出現し，出現数，出現頻度も子宮内膜増殖症例と明らかな違いを認めないこともある．本症例においては，出現した拡張・分岐集塊（図22-1〜4）は分岐が複雑であった．出現数，出現頻度も疑陽性の基準を満たしたため，組織生検が施行された．組織像（図22-5）においては，部分的な腺管の集簇や不規則な拡張が観察され，DPPに合致する像であったが，このような症例ではより慎重な経過観察が必要である．

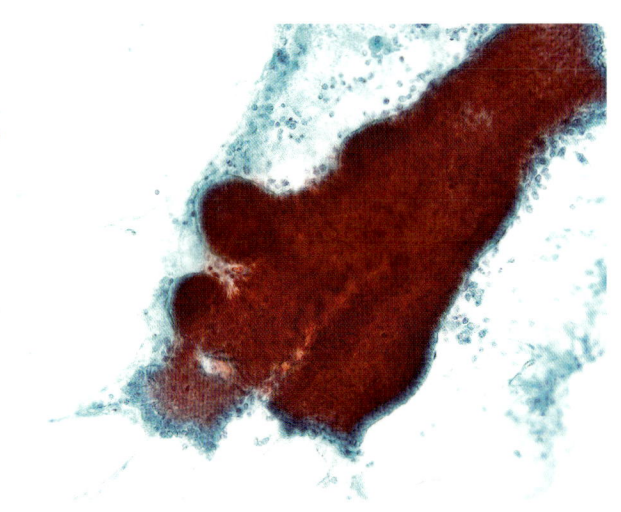

図22-3

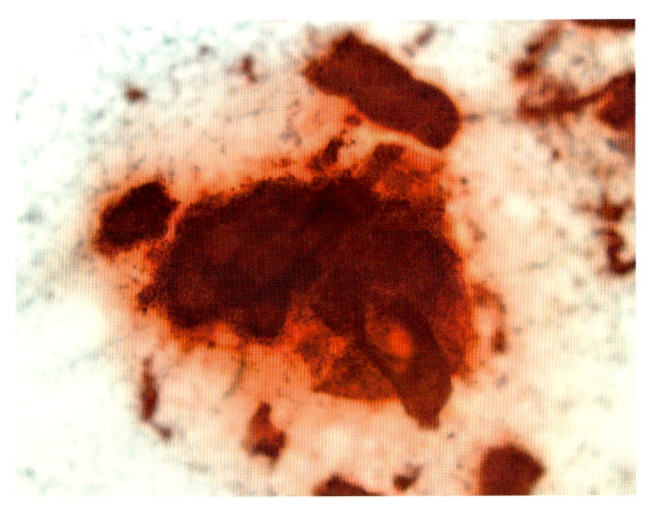

図22-1

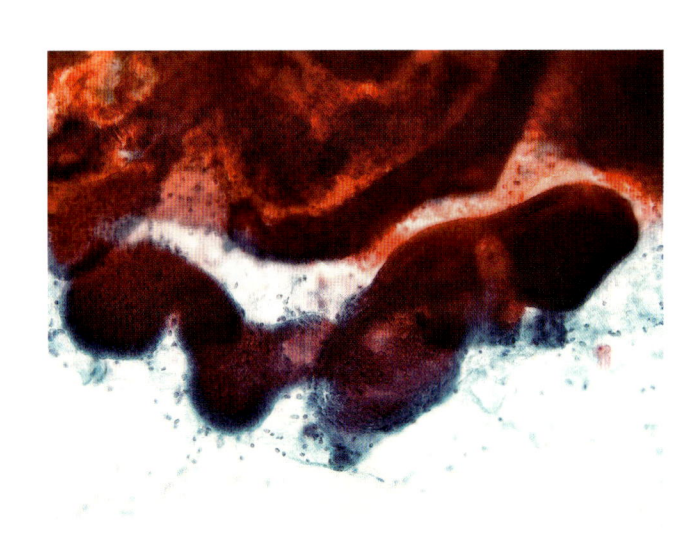

図22-4

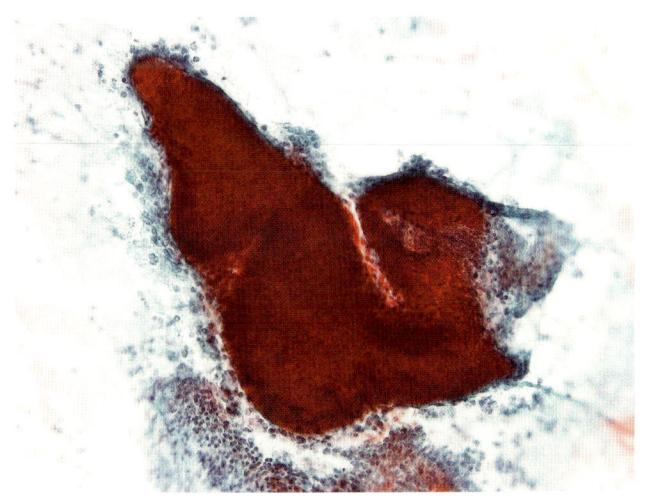

図22-2

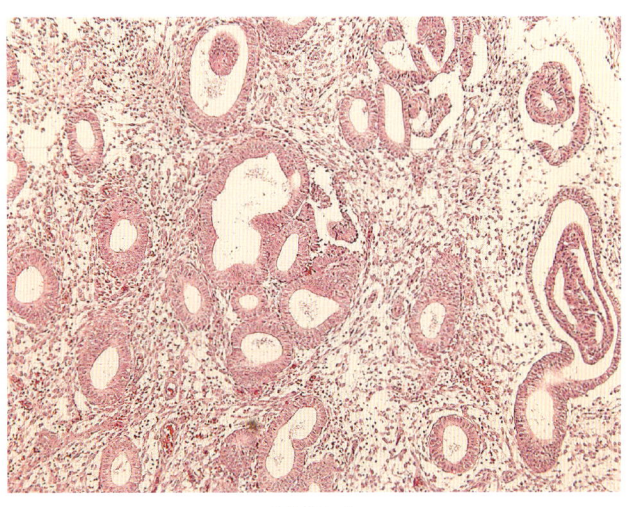

図22-5

99

症例 23 異型ポリープ状腺筋腫
Atypical polypoid adenomyoma：APAM

〔写真提供：滋賀医科大学医学部附属病院（図 23-1〜10）〕

30 歳代　エンドサイト直接塗抹

　異型ポリープ状腺筋腫（APAM）は，上皮性・間葉性混合腫瘍の一型であり，複雑な構造を示す類内膜型腺成分と平滑筋成分の混在を特徴としている。発生の平均年齢は40歳前後であるが，若年者にも比較的多くみられる。上皮性成分の構造の複雑性が過剰判定につながることがある。腺腔内の桑実様変化（化生）（morules）が特徴で，細胞診標本においても morules の出現をみることが多い。図23-1 では，左に morules 由来の細胞集塊，右にシート状の腺細胞集塊が観察される。図23-2, 3 では，morules の細胞像の特徴である集塊中心部の強い重積性が観察される。個々の細胞異型や集塊辺縁部の"ほつれ像"は観察されない。図23-4, 5 も前述の特徴的な所見を呈しており，

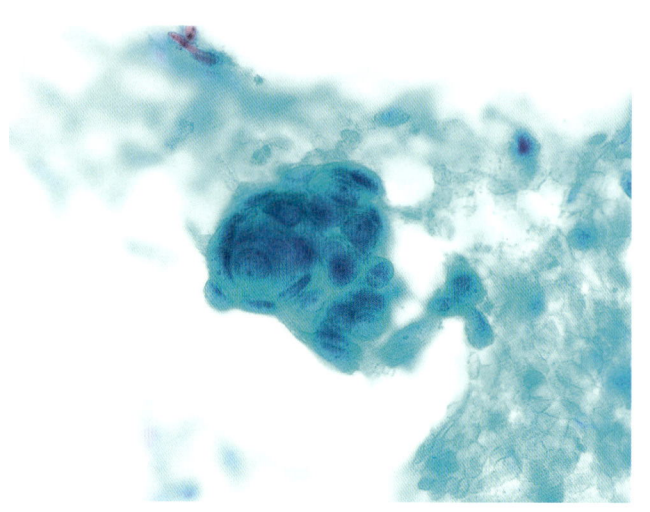

図 23-3

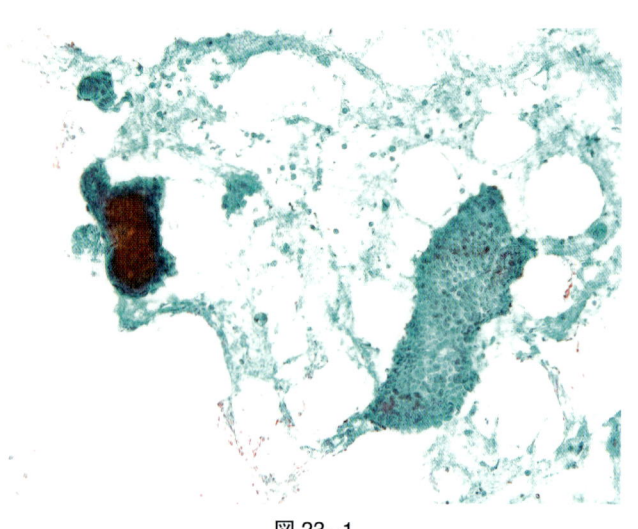

図 23-1

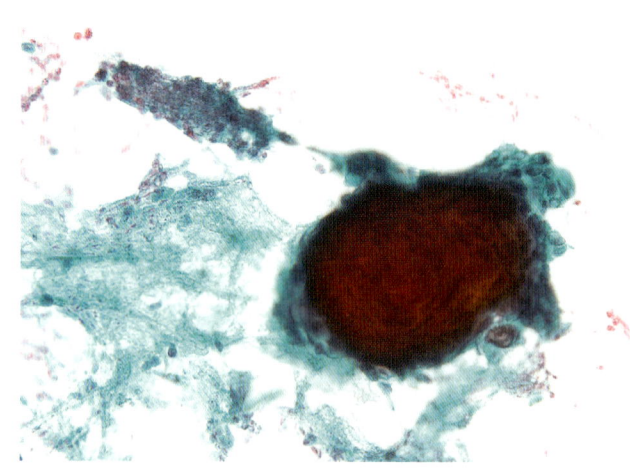

図 23-4

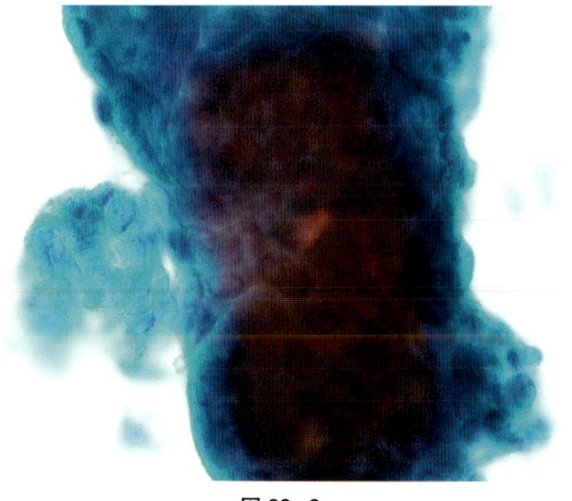

図 23-2

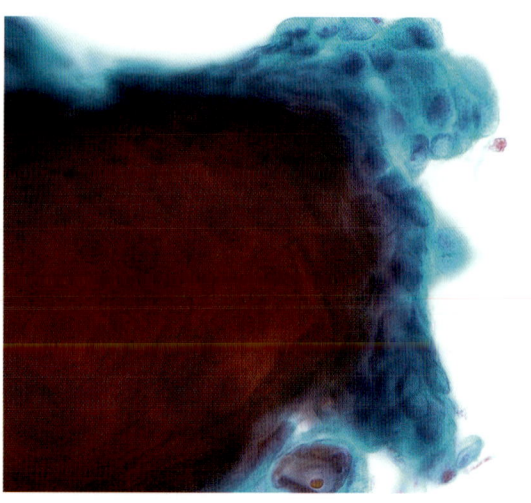

図 23-5

morules 由来の細胞集塊と思われる。

　図23-6は図23-1の左の腺上皮細胞の強拡大像で，重積性や核異型は観察されない。図23-7, 8は，不整形突出集塊の辺縁にmorulesが付着している像が観察される。Morulesは，扁平上皮性変化（化生）の特殊な形と考えられており，細胞質境界が不明瞭化した多角形細胞が，腺腔内に突出，腺管周囲間質に存在，複数の腺管間に介在する間質内に出現など，様々な形で観察される。細胞診標本でも出現形態が多彩となるので注意を要する。図23-9, 10の組織像では，増殖した内膜腺管の間に平滑筋性間質が介在し，腺上皮にはmorules形成がみられる。APAMは基本的に良性疾患であり，妊孕性温存のためにも保存的治療が選択される。特にmorulesの存在を細胞診で指摘することは意義深い。

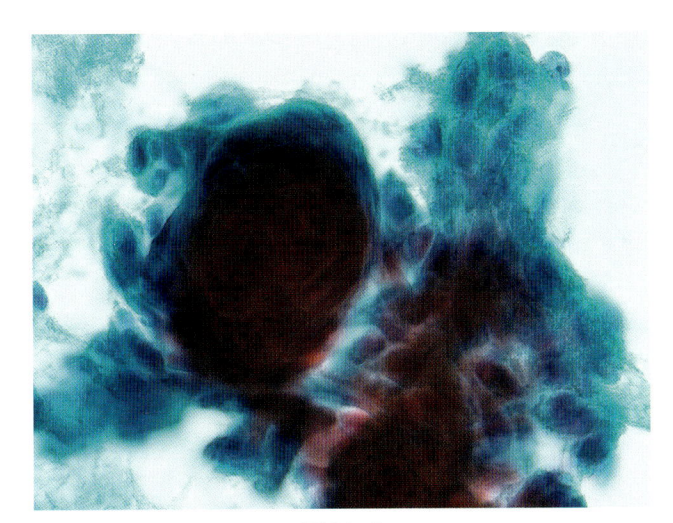

図 23-8

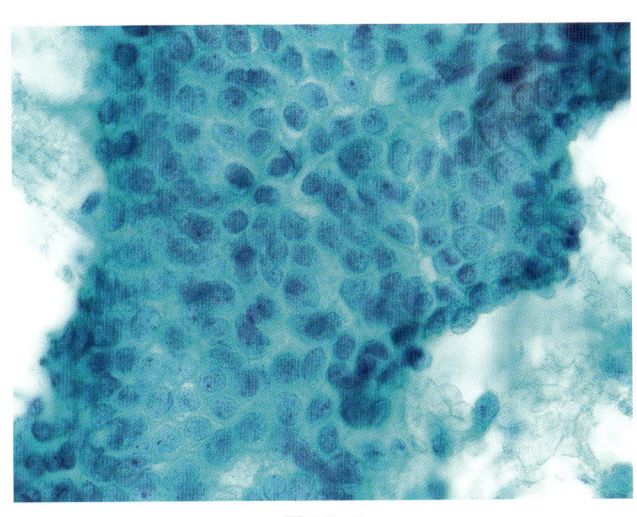

図 23-6

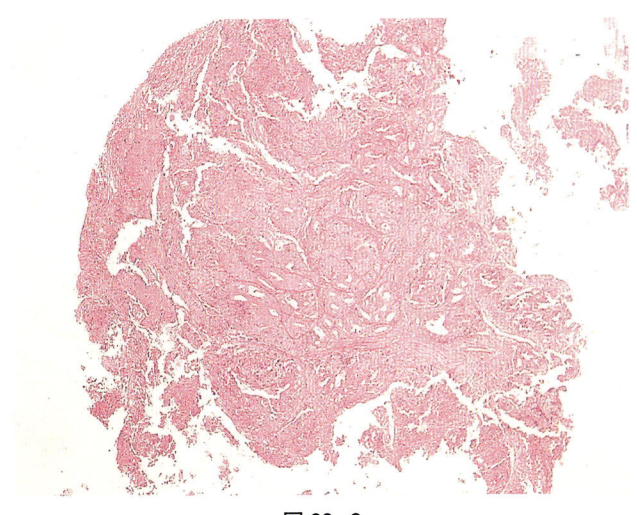

図 23-9

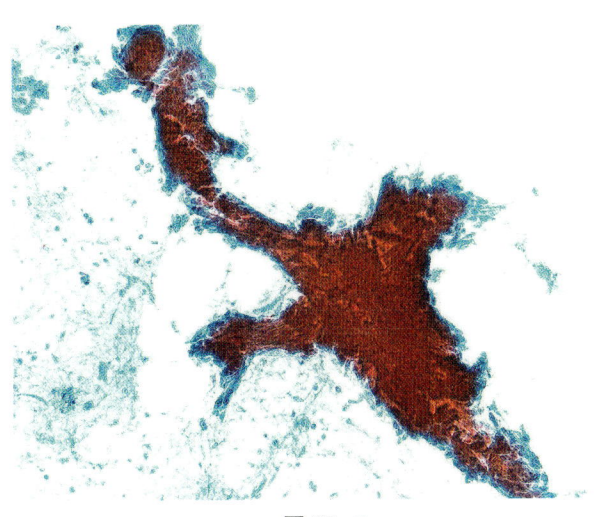

図 23-7

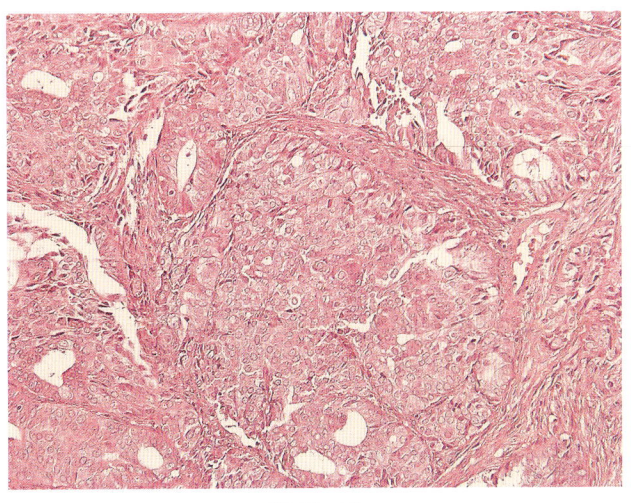

図 23-10

症例 24　子宮内膜増殖症
Endometrial hyperplasia without atypia

40 歳代　子宮内膜直接塗抹（圧挫標本）

　子宮内膜増殖症は，エストロゲン刺激による内膜腺と内膜間質の過剰増殖であり，核異型の有無により二型に分類されている。細胞診では，腺管構造異常の程度とその出現頻度より，組織生検による精査が必要性か否かを指摘することが大切である。本症例は，異型を伴わない子宮内膜増殖症の手術材料より内膜の圧挫標本を作製し，腺管の変化をみたものであるが，1本の腺管に複雑な分岐や拡張が起こっていることが理解できる。腺管の周囲には内膜間質細胞の付着がみられ，腺管の中側が腔状であることが間接的に確認可能である（図24-1～7）。図24-1, 2の左下には内膜間質細胞の集塊がみられる。

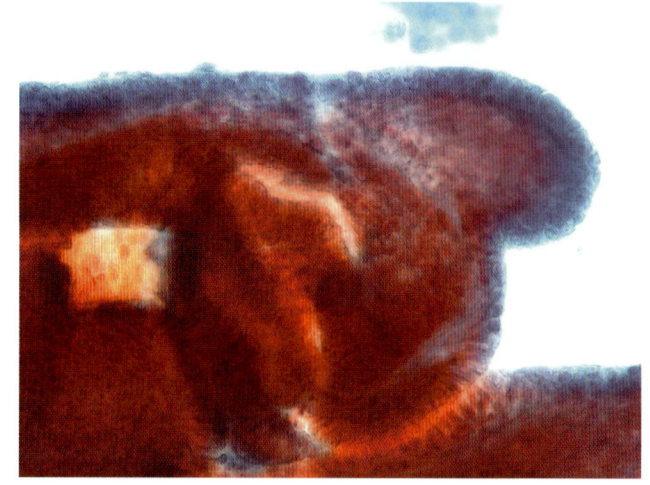

図 24-3

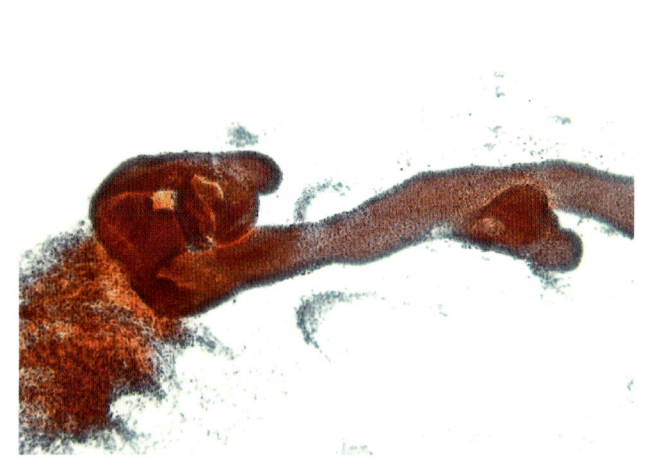

図 24-1

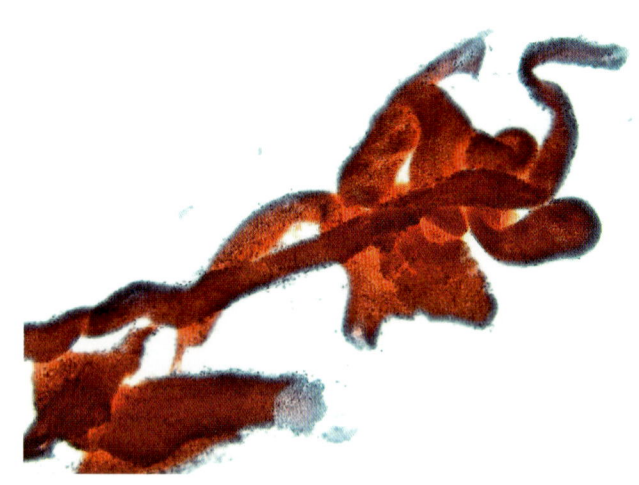

図 24-4

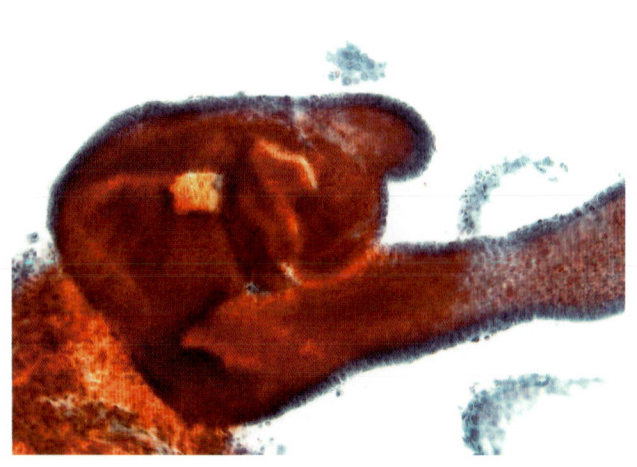

図 24-2

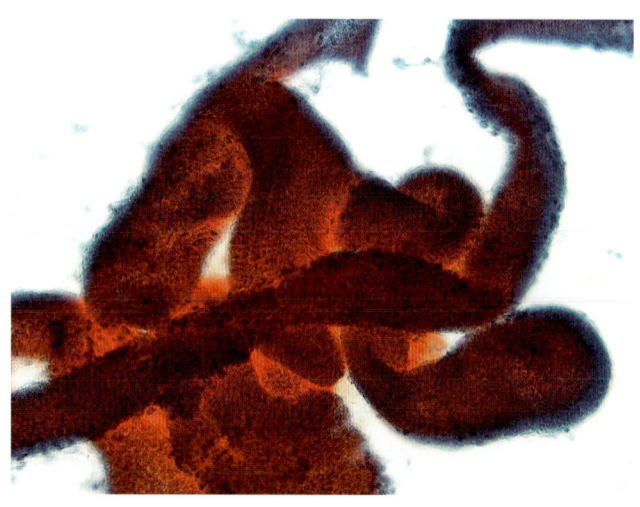

図 24-5

症例アトラス

　図24-8, 9では，分岐がさらに高度となり，ループ状の形態を示している。このような腺管の変化は，組織標本上で二次元構造として観察されると，不整の著しい腺管として認識される。子宮内膜増殖症は，エストロゲン影響下の病変であるため，基本的には腺管，内膜間質ともに増殖期の形態を示している。強拡大で観察すると，個々の腺細胞は，細胞質狭小，N/C比は高く，クロマチンは顆粒状で均等分布を示し，核分裂像（図24-10矢印）もしばしば観察される（図24-10）。手術材料からの圧挫標本では，生じている変化を修飾なく観察可能であるが，細胞診標本上に出現する細胞集塊には，採取時や塗抹時の人工的な変化が加わる。

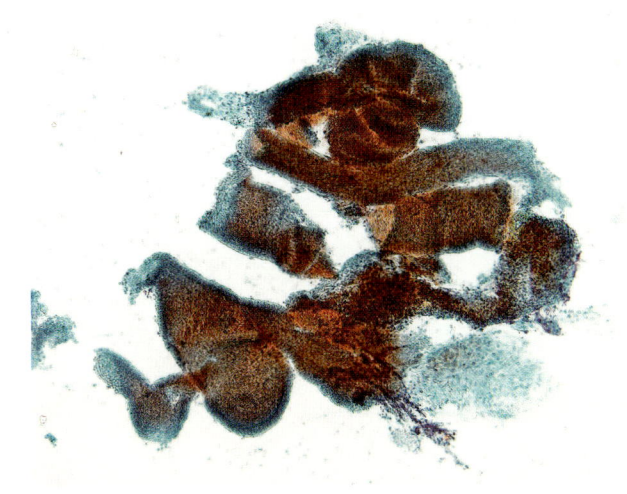

図24-8

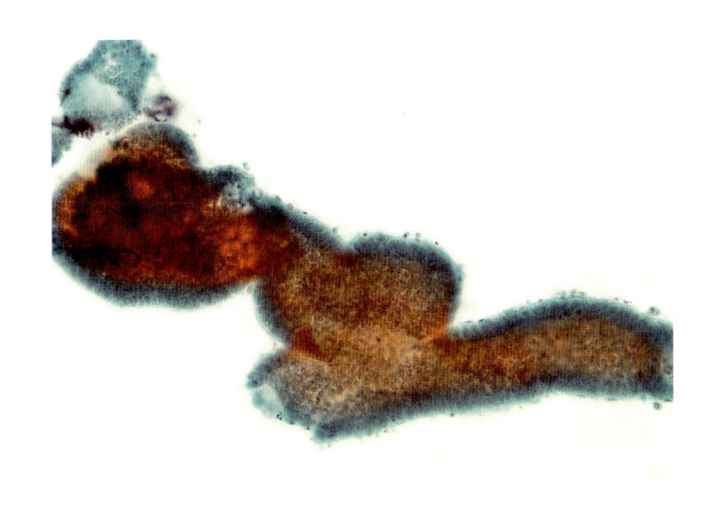

図24-6

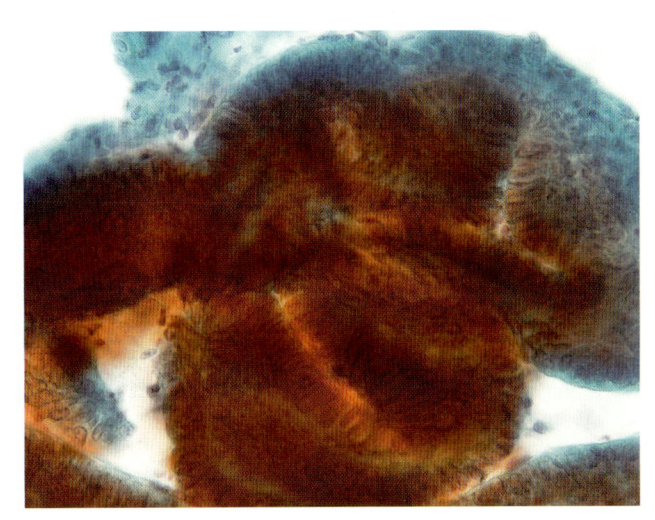

図24-9

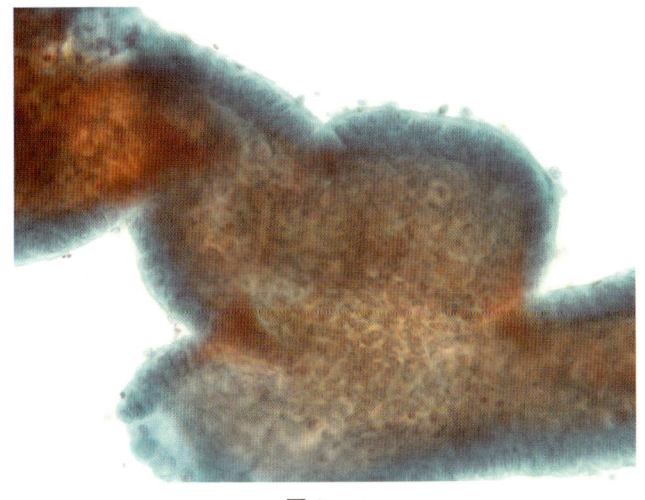

図24-7

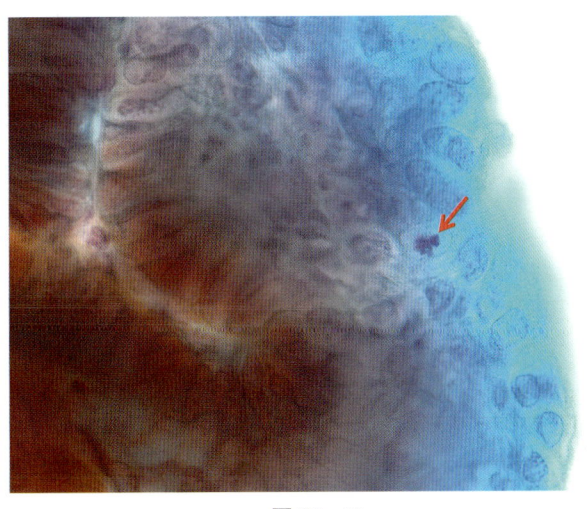

図24-10

103

症例 25　子宮内膜増殖症
Endometrial hyperplasia without atypia

40歳代　エンドサーチ直接塗抹

　本症例は，異型を伴わない子宮内膜増殖症と診断された症例で，管状集塊とともに拡張・分岐を示す細胞集塊が出現している（図25-1〜4）。集塊の周囲には，内膜間質細胞の付着が確認可能である（図25-2, 4）。組織像では，増殖期類似の内膜腺と内膜間質が増殖し，腺管に不規則な拡張や分岐がみられる。腺管の形状は，概ね円〜類円形であるため，子宮内膜増殖症とされた（図25-5）。本症例のように，不調増殖期内膜（DPP）の細胞像と鑑別不能な子宮内膜増殖症例は少なからず存在する。

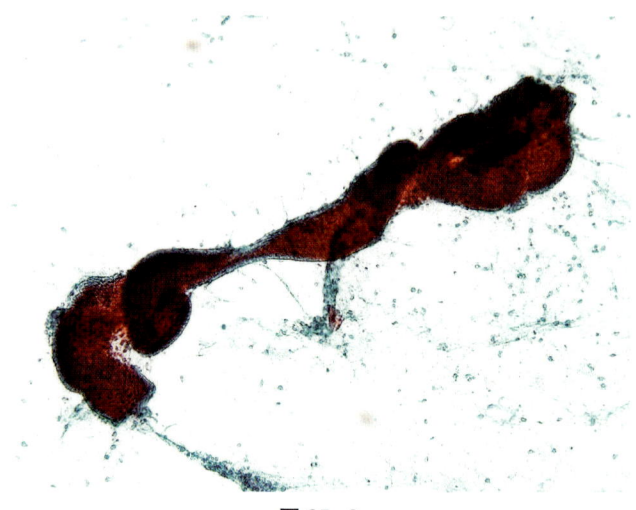

図 25-3

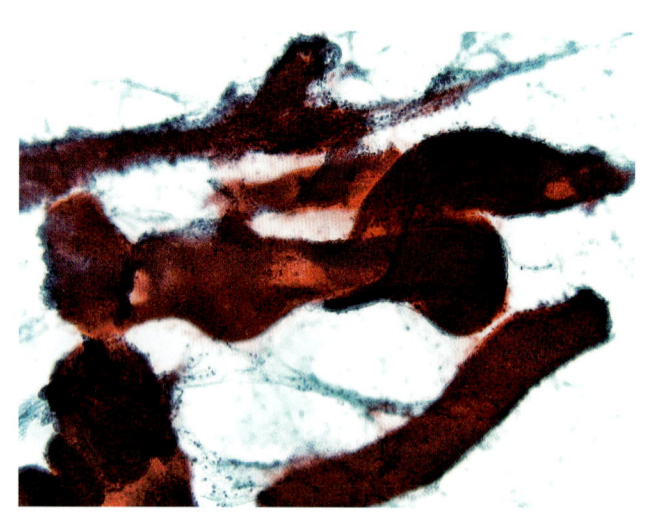

図 25-1

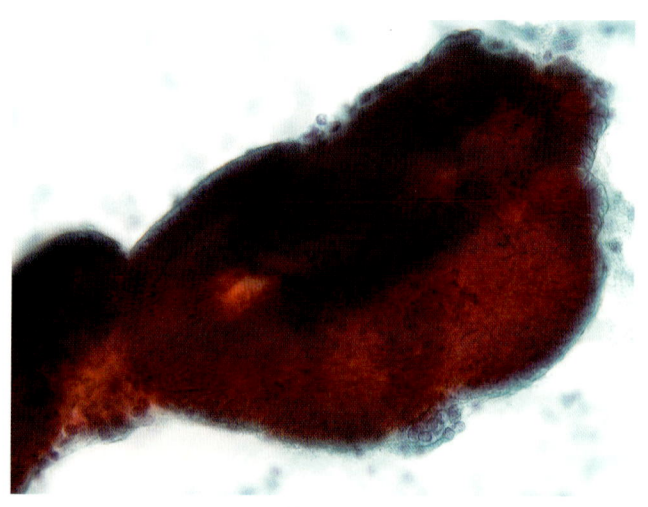

図 25-4

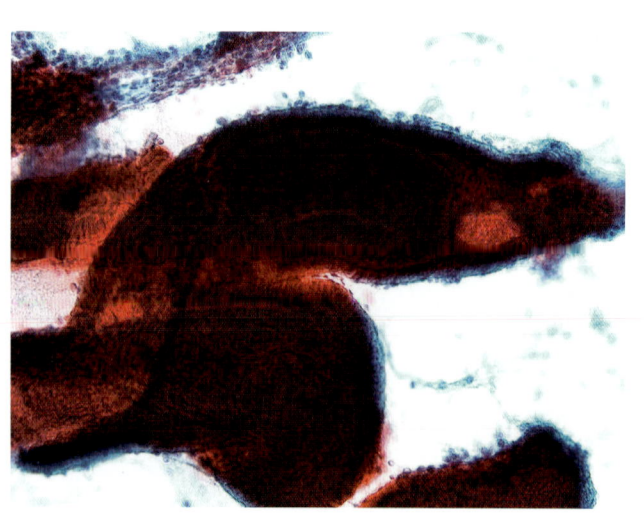

図 25-2

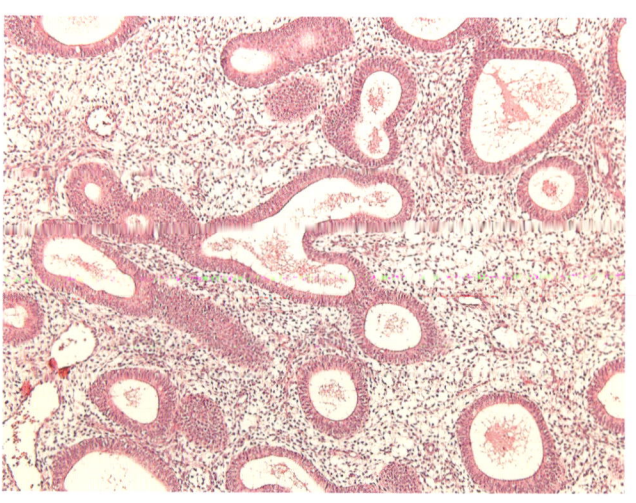

図 25-5

症例アトラス

症例 26	子宮内膜増殖症
	Endometrial hyperplasia without atypia

40歳代　エンドサイト直接塗抹

　異型を伴わない子宮内膜増殖症の症例には，腺管の分岐が目立たず，拡張性の変化が主体のものも存在する。図26-1のような組織様大型集塊が細胞診標本上に出現した場合，対物4倍での観察が非常に有効となる。内膜間質成分に支持されたボール状の拡張・分岐集塊が組織様大型集塊内にみられ，1本の腺管が複雑に変化している様子も確認される（図26-2, 3）。採取時，塗抹時に組織様大型集塊より外れ，単独の集塊として出現した拡張・分岐集塊の周囲には内膜間質細胞の付着が確認可能である（図26-4）。組織像では，内膜腺と内膜間質の増殖がみられ，腺管には拡張性の変化が目立つ。腺管の形状は円～類円形が主体で，子宮内膜増殖症とされた（図26-5）。

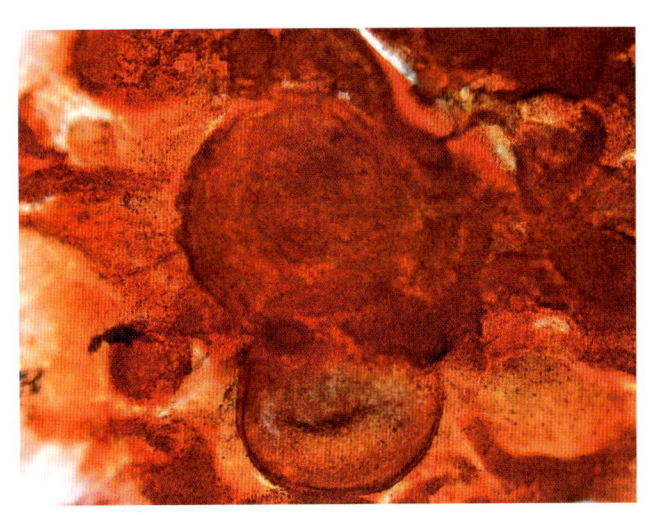

図26-3

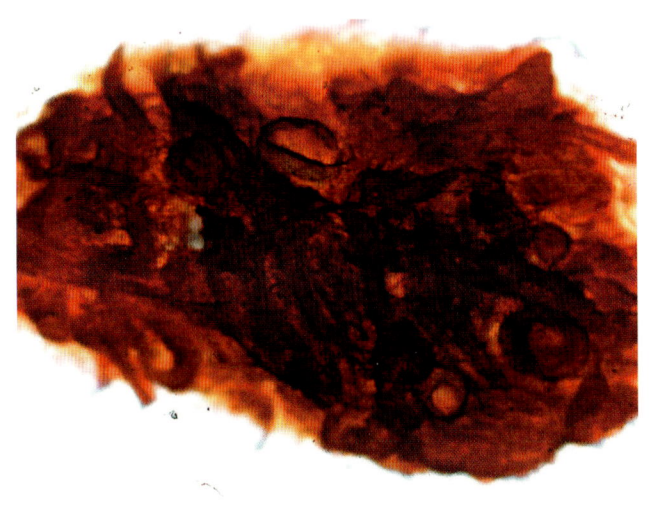

図26-1

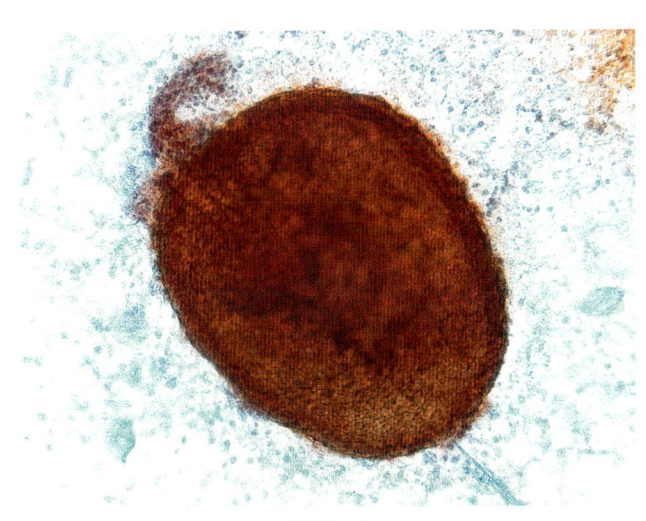

図26-4

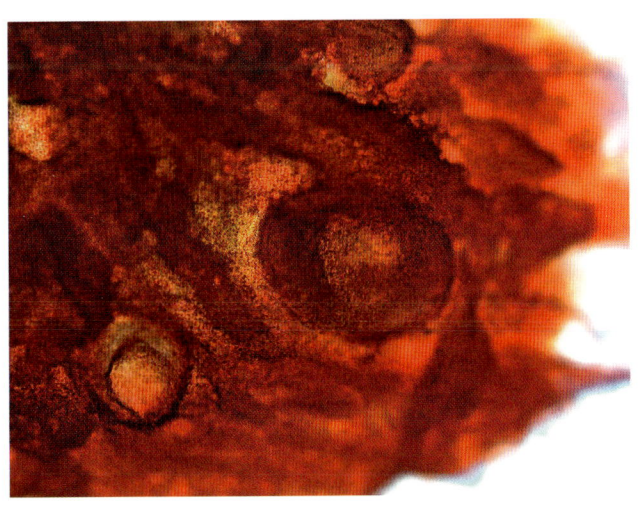

図26-2

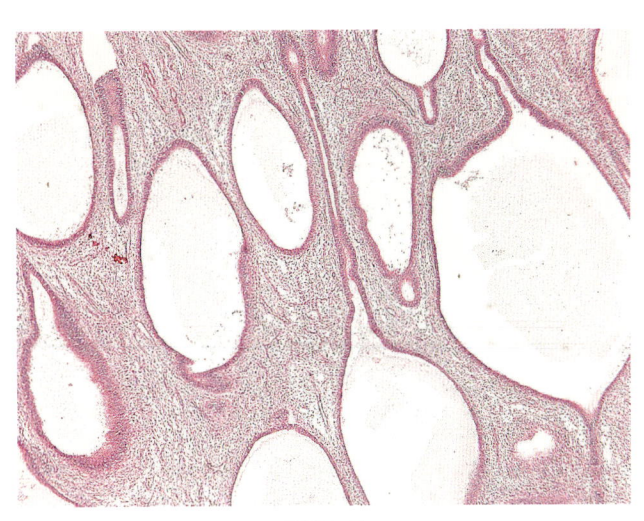

図26-5

105

症例27　子宮内膜異型増殖症
Atypical endometrial hyperplasia

40歳代　子宮内膜直接塗抹（圧挫標本）

　子宮内膜異型増殖症では，構成細胞に細胞異型を伴うとされているが，細胞診標本では重積により，しばしば観察が困難となる。図27-1〜8は，手術材料から作製した圧挫標本中に出現した細胞集塊である。複雑な拡張・分岐を示す組織様大型集塊（図27-1〜3）や不整形突出集塊（図27-4, 5）が観察される。図27-3では，細胞集塊辺縁に規則正しく配列する増殖期類似の細胞が観察される。図27-4, 5においては，不規則な重積や突出がみられ，強拡大での観察では核の腫大やクロマチンの増量も確認可能である。

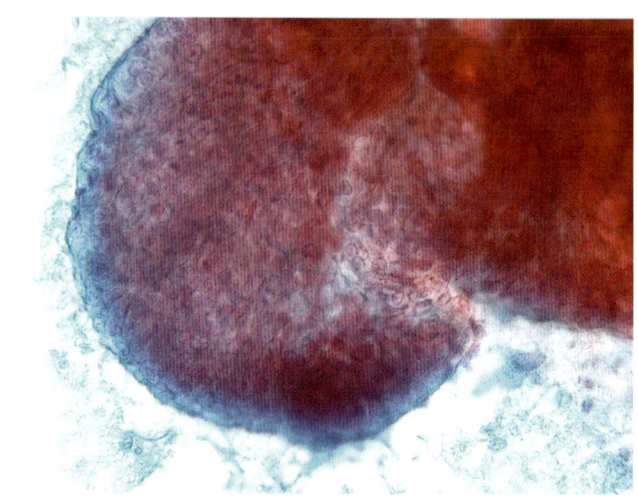

図 27-3

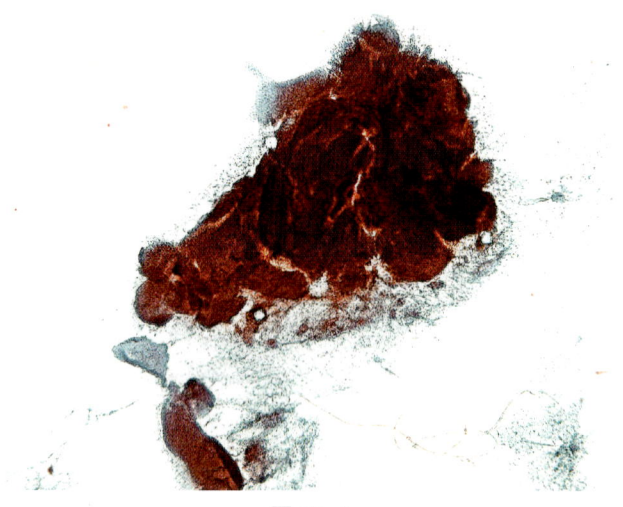

図 27-1

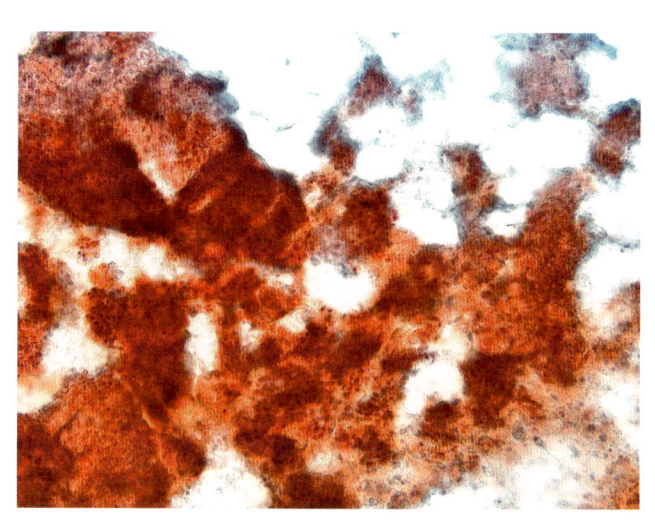

図 27-4

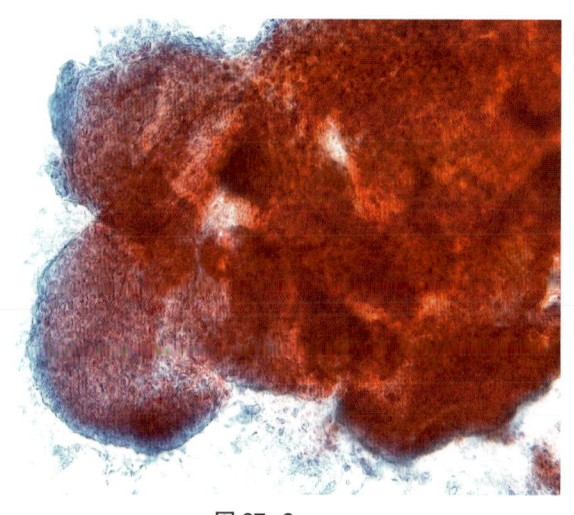

図 27-2

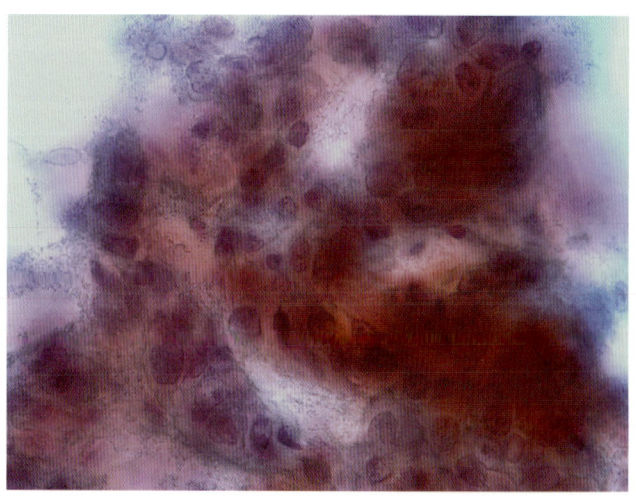

図 27-5

図27-6では，拡張・分岐集塊と不整形突出集塊が観察される。不整形突出集塊を構成する細胞は大型で核腫大を伴っているが，核形不整は観察されない（図27-7, 8）。これらは，細胞質が厚く，好酸性変化（化生）を示す細胞と考えられ，図27-8矢印では線毛性変化（化生）も観察される。好酸性および線毛性変化（化生）は高エストロゲン状態と関連することが多いので，子宮内膜増殖症例の細胞診標本上でしばしば観察される。組織標本では密度が増した不整な形状の腺管の増殖がみられた（図27-9）。浸潤を示す所見は観察されず，子宮内膜異型増殖症と診断された。また，一部の腺管に好酸性変化（化生）がみられた（図27-10）。

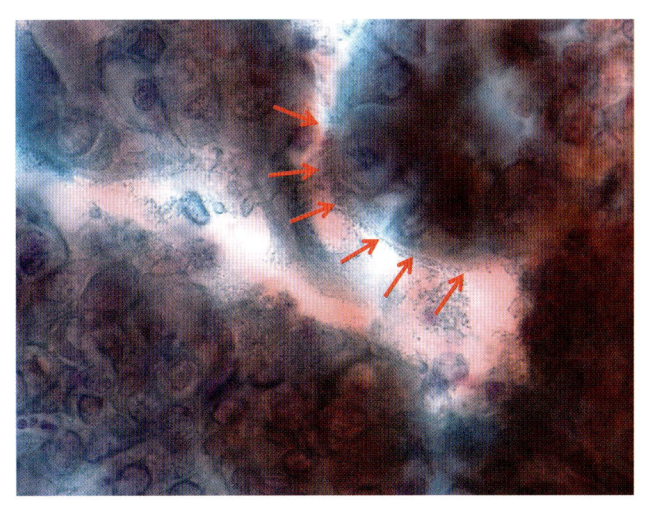

図27-8

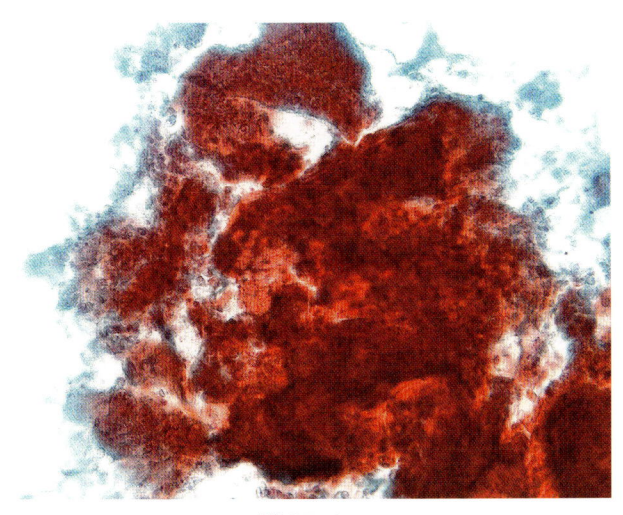

図27-6

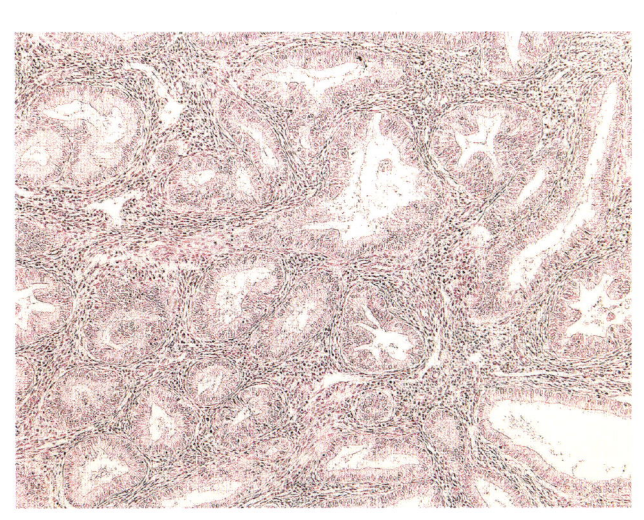

図27-9

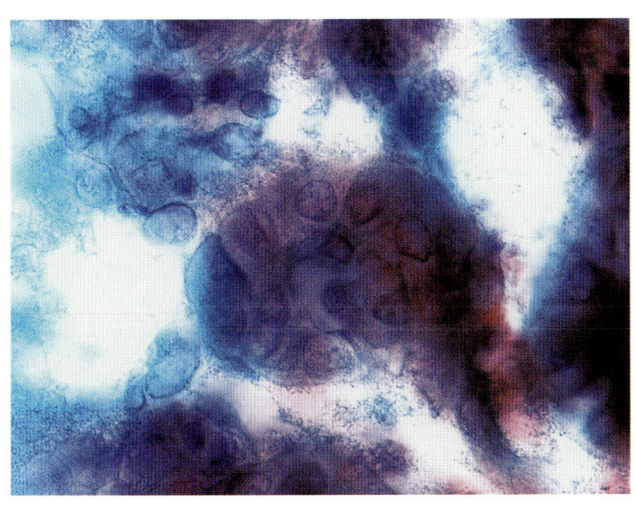

図27-7

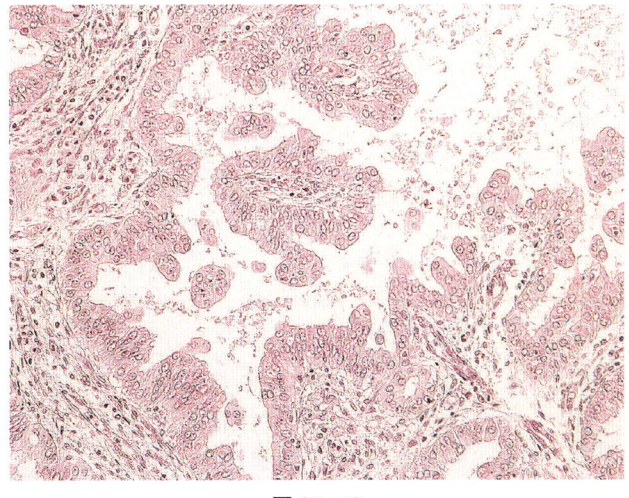

図27-10

症例 28　類内膜癌，G1
Endometrioid carcinoma, grade 1

70歳代　エンドサイト直接塗抹

　高分化類内膜癌の細胞像は，篩状主体，乳頭状主体，両者の混合に大別される．症例28と29では，篩状主体の細胞像を示す．図28-1～3は，集塊内に大小様々な腺腔を含有する乳頭・管状集塊である．本症例のように，細胞間の結合性が保たれている場合，集塊形状の判定が重要となる．集塊内に不規則で奥行きのある腺腔が含まれていることを，見逃さないように観察する必要がある（図28-2, 3）．図28-4では，乳頭状に突出した集塊辺縁部に内膜間質細胞の付着がないことが確認可能である（図28-5）．集塊の構成細胞は，結合性が保たれているものの，軽度の核形不整を伴っている（図28-5）．

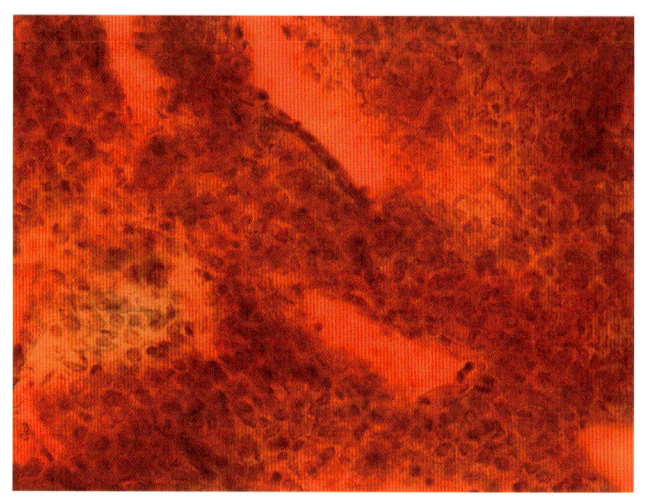

図 28-3

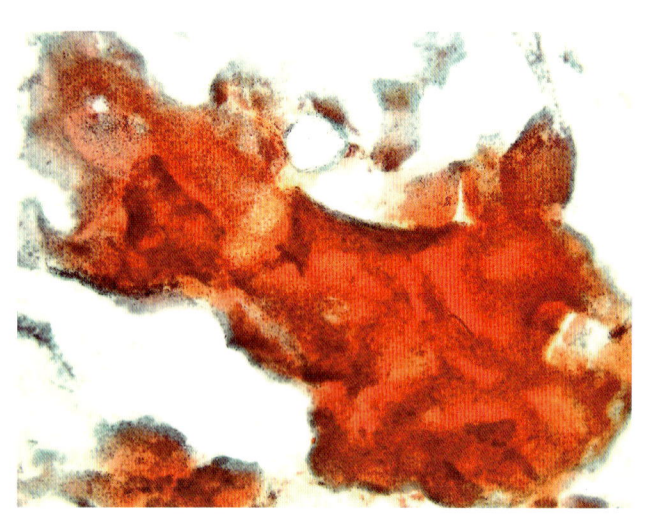

図 28-1

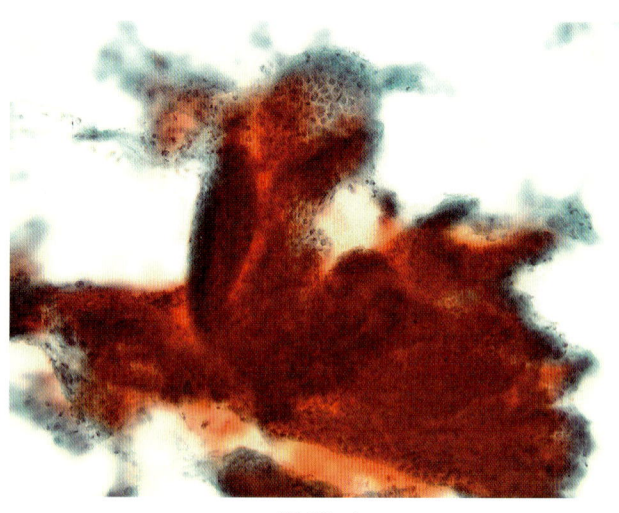

図 28-4

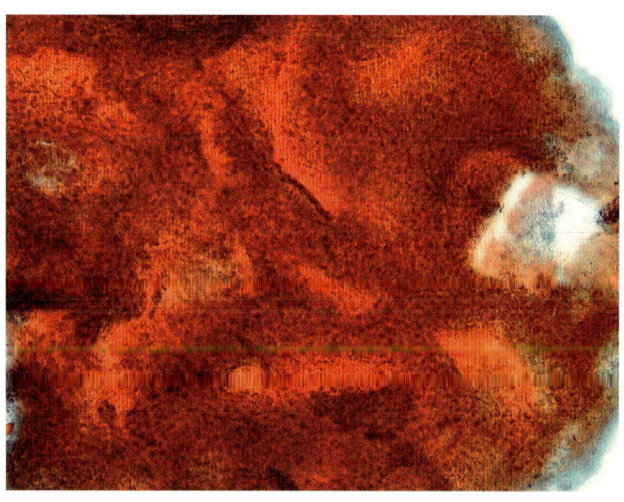

図 28-2

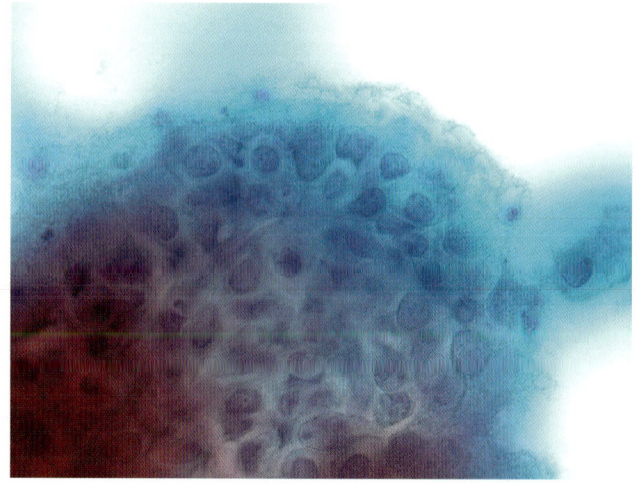

図 28-5

症例アトラス

　図28-6～8では，大型組織様集塊の中に篩状構造を示す腺管が観察される．このような集塊では，個々の細胞所見の観察が困難で，過小判定となる傾向がある．内膜異型増殖症においても，このような細胞集塊の出現をみることがあるが，臨床的に類内膜癌と内膜異型増殖症の鑑別を細胞診で求められているわけではない．対物4倍視野での観察時に構造異型を認識し，組織生検が必要な細胞所見であることを臨床に伝えることこそが細胞診に求められている．組織標本では，異型核を持つ腫瘍細胞が単層あるいは偽重層を示しながら，不整な形状の腺管を構成し癒合性に増殖している．充実性増殖部分はほとんどみられず，類内膜癌G1とされた（図28-9, 10）．

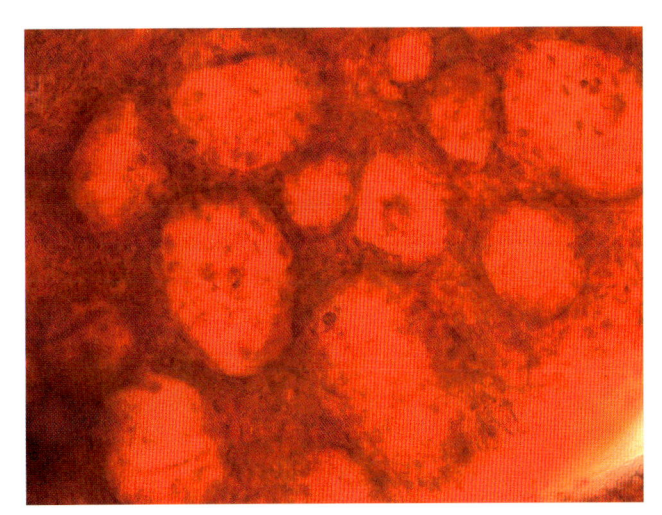

図28-8

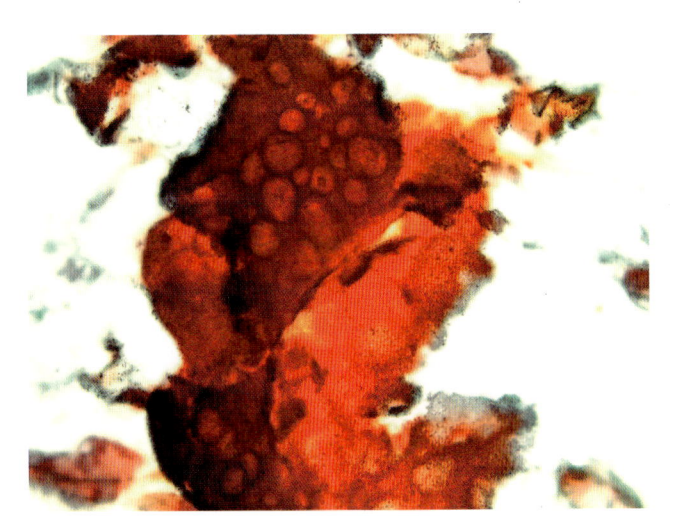

図28-6

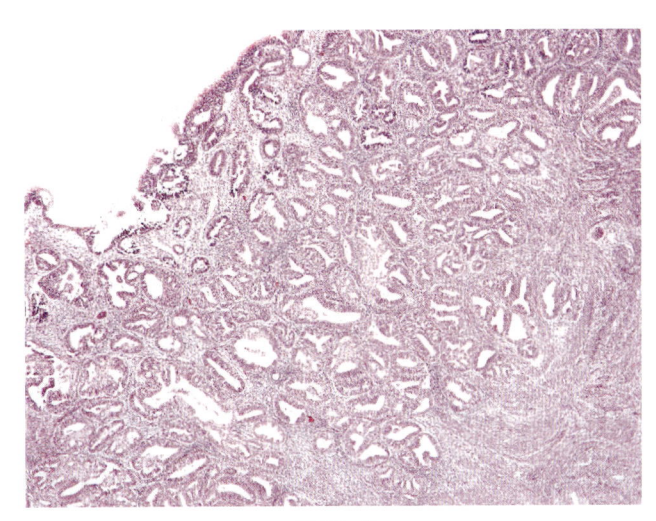

図28-9

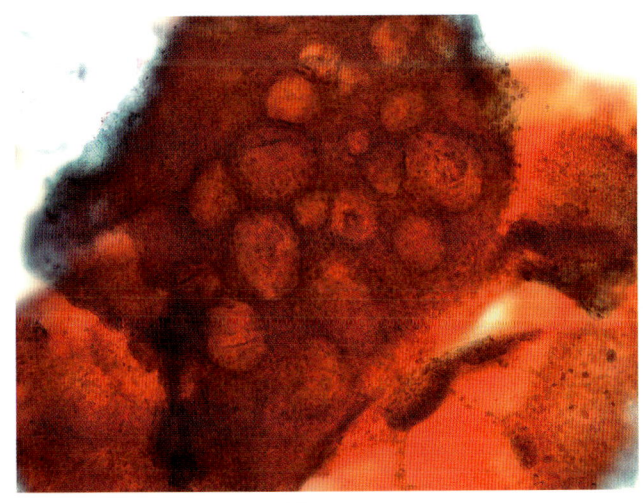

図28-7

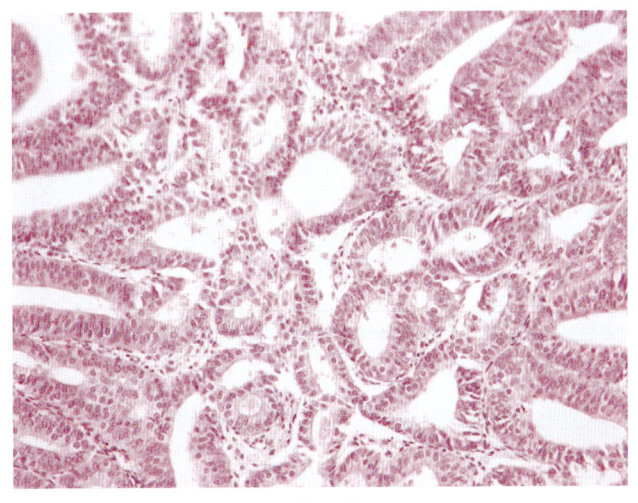

図28-10

症例 29　類内膜癌, G1
Endometrioid carcinoma, grade 1

40歳代　エンドサイト直接塗抹

　本症例も症例28と同じく，篩状主体に増殖する類内膜癌例である．腫瘍細胞は，腫瘍性背景の中に不整形腺管が集塊内に含有する乳頭・管状集塊として観察される（図29-1～3）．拡大を上げると，やや小型の不整形腺管が様々な深度で観察され，構造の複雑さの表れと思われる（図29-3）．主に内膜腺間質破綻（EGBD）で出現する表層被覆上皮に生じる細胞質変化（化生）では，規則性がある奥行きの浅い構造異型が観察されたが，両者を鑑別することは非常に重要である．重積が比較的軽度な部位では，個々の細胞異型は比較的軽微であり，高分化類内膜癌の正確な診断には，構造異型を加味することが欠かせないことが改めて理解できる（図29-4, 5）．

図29-3

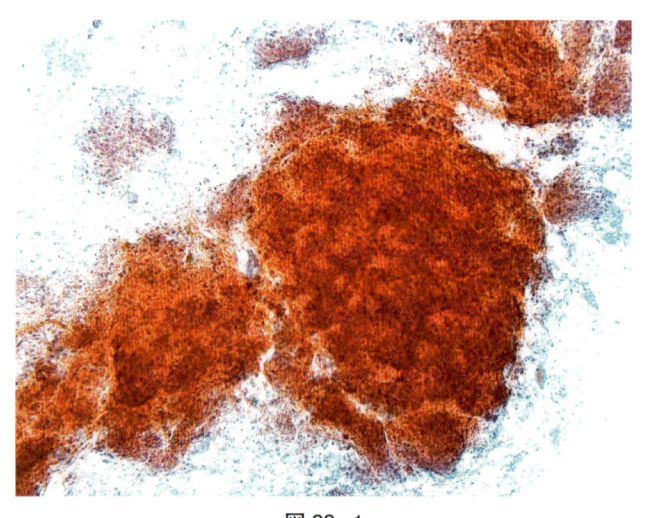

図29-1

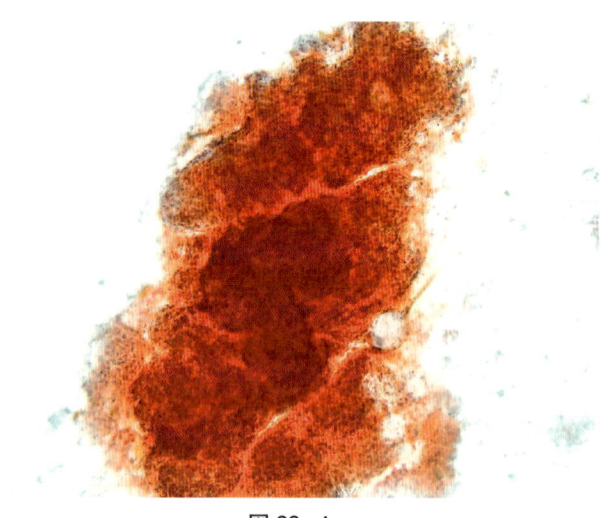

図29-4

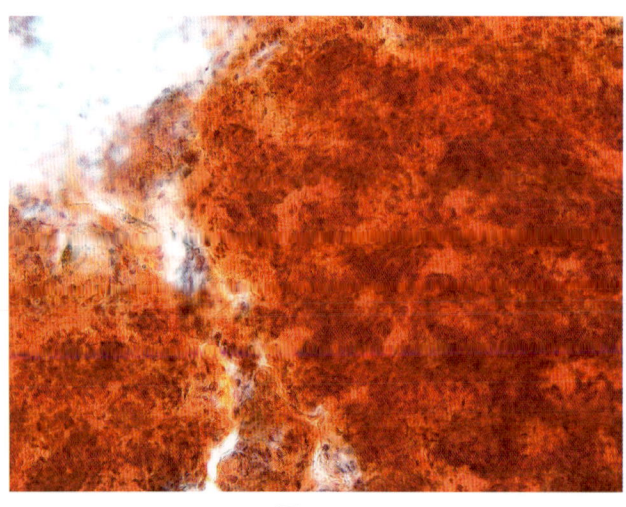

図29-2

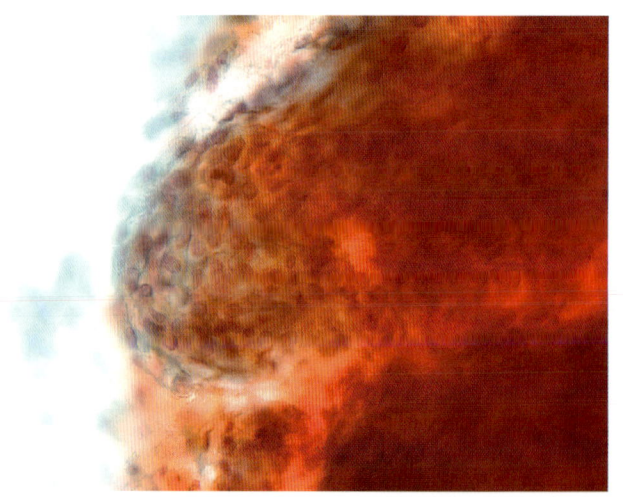

図29-5

症例アトラス

　標本内には，不整形突出集塊で出現する腫瘍細胞も観察された（図29-6〜8）。背景には変性壊死に陥った腫瘍細胞や炎症細胞がみられるとともに，集塊辺縁の"ほつれ像"も観察され，浸潤癌であることが細胞像から指摘可能である（図29-7, 8）。腫瘍細胞が単層で出現する部位では，N/C比の増大は軽微であるが，核間距離の不整や，核形不整が観察される。細胞質がやや厚く，好酸性変化（化生）が加わった腫瘍細胞と思われる（図29-8）。組織標本では，不整な形状の腺管がback to backに増殖し，充実性増殖部分はほとんどみられず，類内膜癌G1とされた（図29-9, 10）。

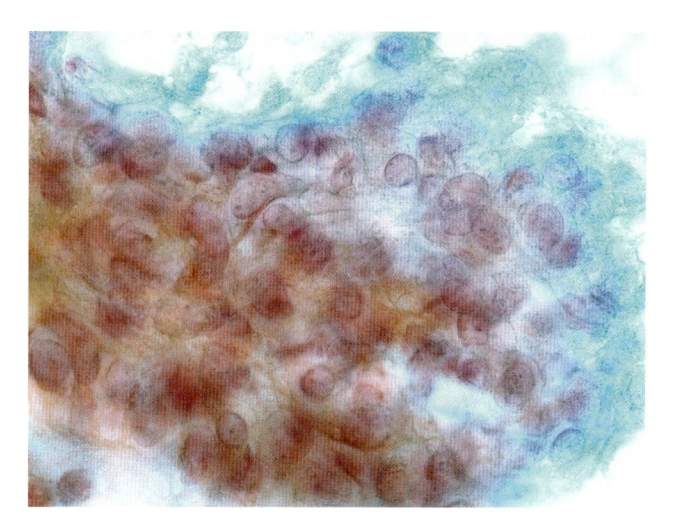

図29-8

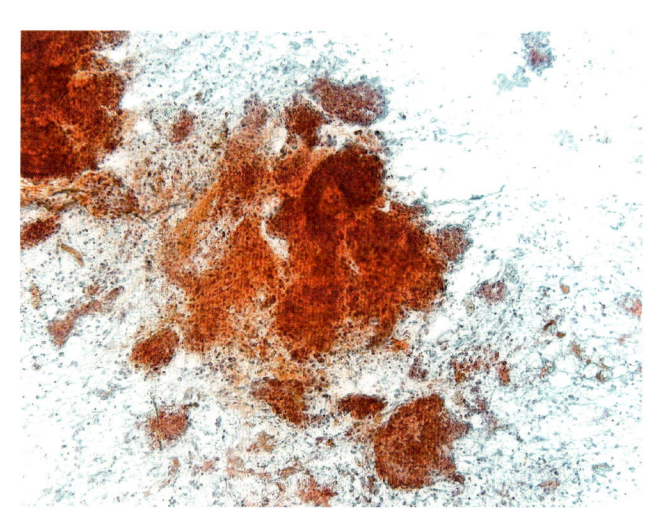

図29-6

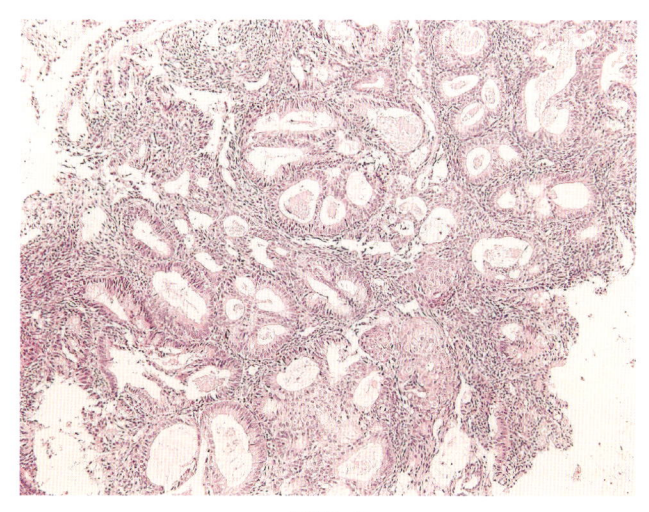

図29-9

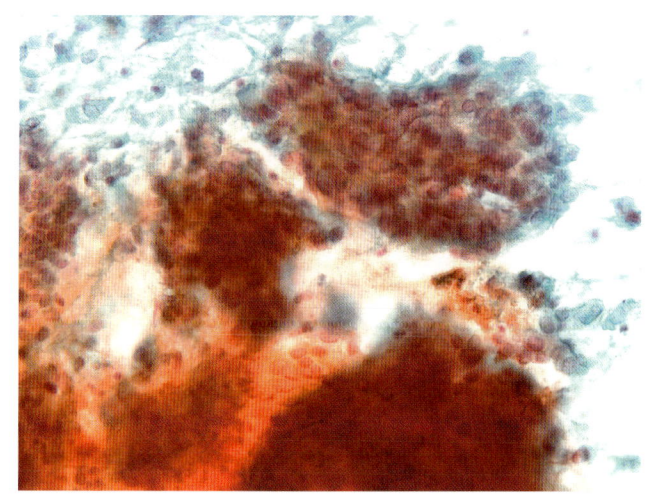

図29-7

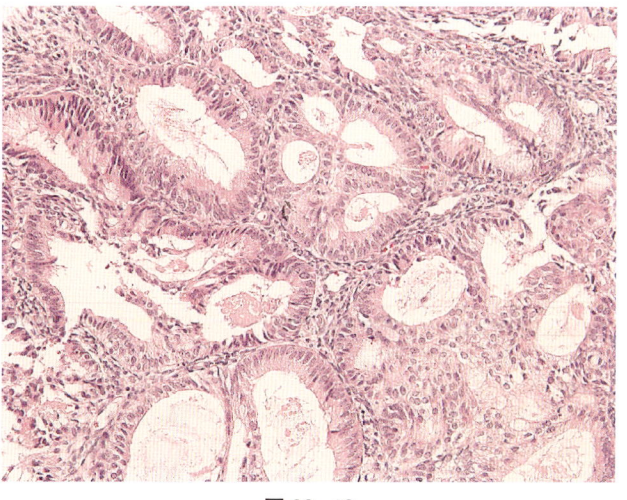

図29-10

111

症例 30 類内膜癌, G1
Endometrioid carcinoma, grade 1

50 歳代　エンドサイト直接塗抹

　症例 30～32 では，乳頭状増殖が主体の高分化な類内膜腺癌の細胞像を示す．症例 30 では，腫瘍細胞は出血性背景の中に不規則な乳頭状構造を示しながら乳頭・管状集塊として出現している（図 30-1～5）．このような細胞診標本では，個々の細胞所見の観察がほとんどできないことが多く，構造異型の観察が必須となる．特に本症例のように細胞間の結合性が保たれている場合は，集塊周囲の内膜間質細胞付着の有無を確認することが非常に重要となる．また，乳頭状構造に規則性がなく，立体的であることも類内膜癌を示唆する所見である．

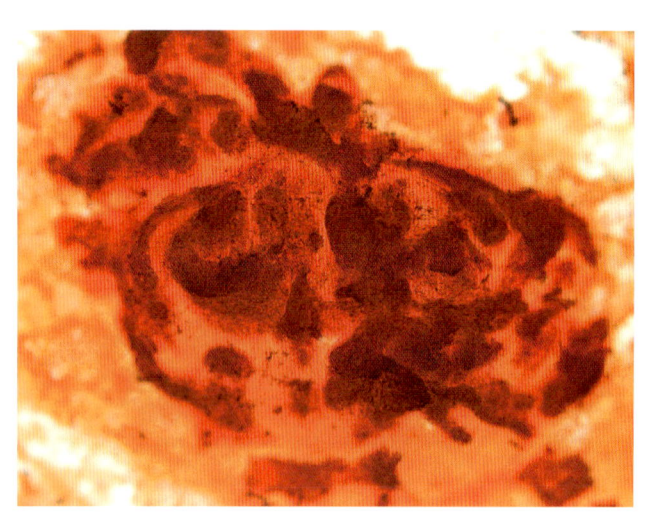

図 30-1

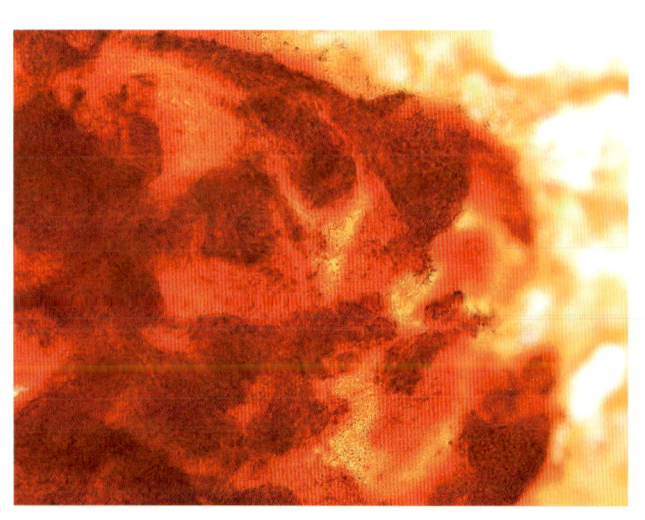

図 30-2

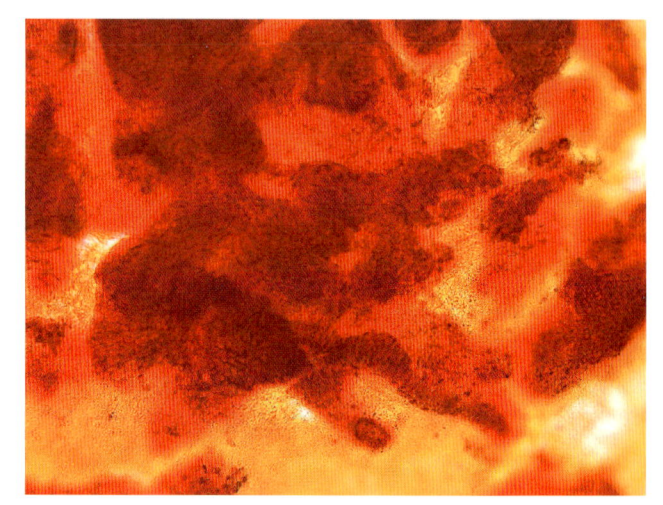

図 30-3

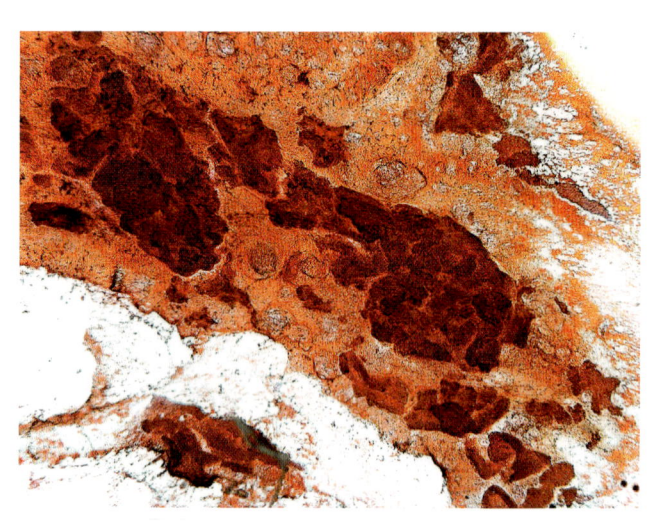

図 30-4

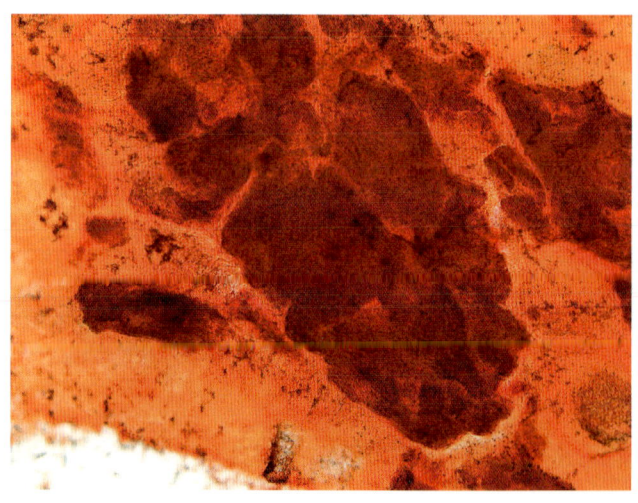

図 30-5

症例アトラス

　図30-6〜8は，RPMI液による採取器具洗浄標本中の細胞像である。背景は清明化し，乳頭・管状集塊辺縁に内膜間質細胞付着がないことが容易に確認される（図30-7）。強拡大では，不整形腺管や集塊内部の小乳頭状構造が確認される（図30-8）。出血時には，本症例のように器具洗浄標本作製が有用であることが多い。組織標本では，腫瘍細胞が血管結合織を芯とする不規則な乳頭状形態を示しながら増殖している。充実性増殖部分はほとんどみられず，類内膜癌G1とされた（図30-9, 10）。乳頭状構造の中側に腺腔を形成しながら腫瘍細胞が増殖する像も観察され，このような所見が細胞集塊内の構造に反映されたものと思われる（図30-10）。

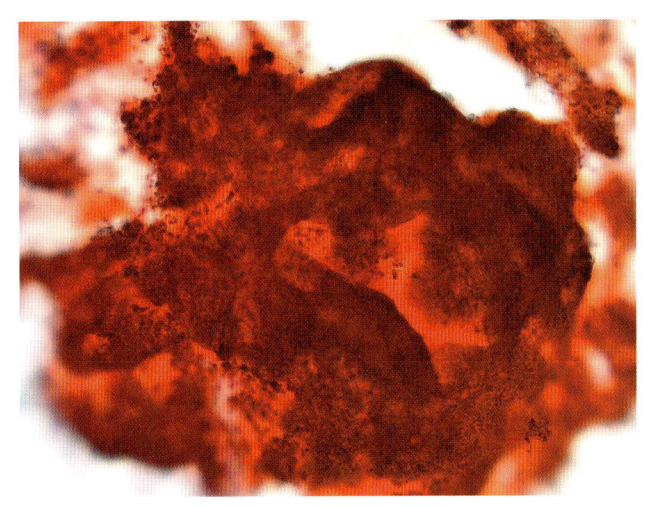

図30-8

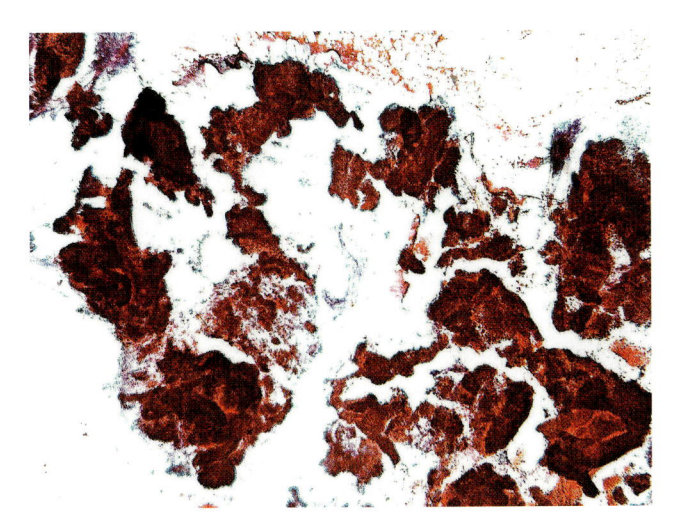

図30-6

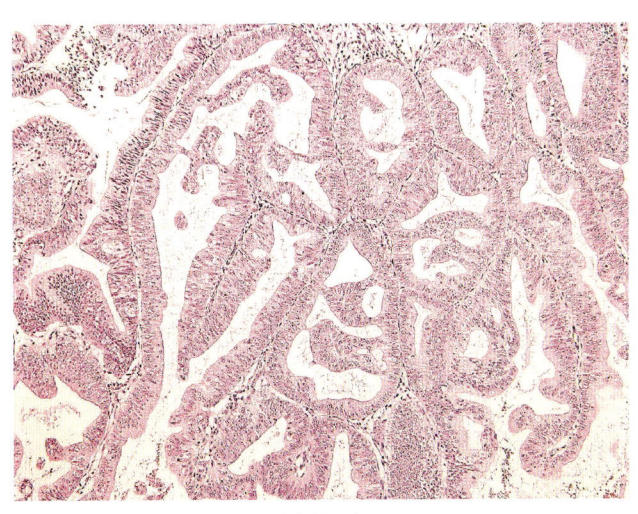

図30-9

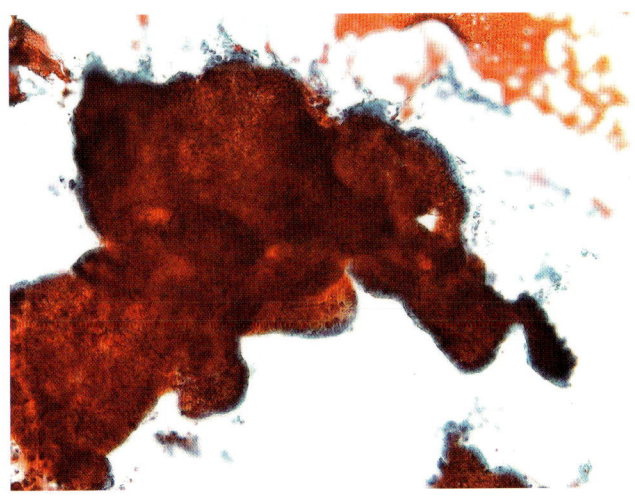

図30-7

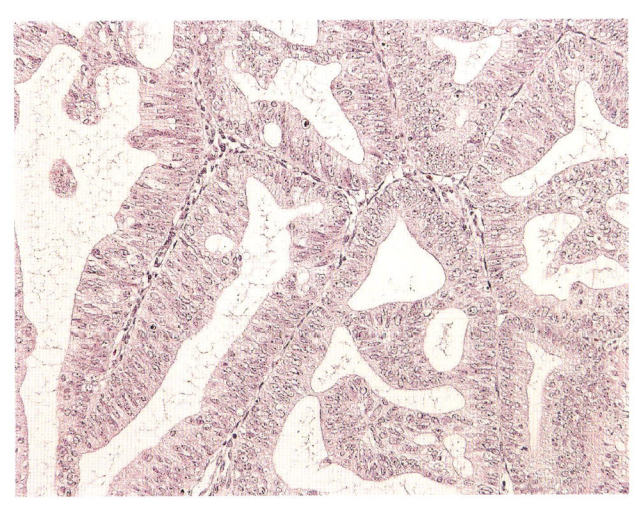

図30-10

113

症例 31　類内膜癌，G1
Endometrioid carcinoma, grade 1

40歳代　エンドサイト直接塗抹

　著しい乳頭状増殖が主体の症例では，細胞診標本中にも血管結合織を含む組織様大型集塊の出現をみることがある（図31-1～5）。血管結合織を構成する間質細胞は結合性が強く，内膜間質細胞との鑑別は容易である（図31-3矢印）。また，図31-5のように，血管結合織に垂直に接する腫瘍細胞を確認することが重要で，正常の血管構造を異常所見と過大評価しないためにも確認を怠るべきではない。また，血管結合織は圧挫処理を加えることにより，出現頻度が増すことも念頭に置く必要がある。

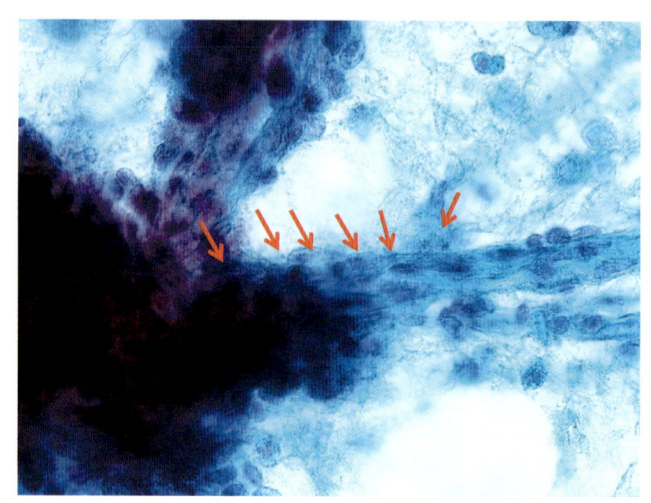

図 31-3

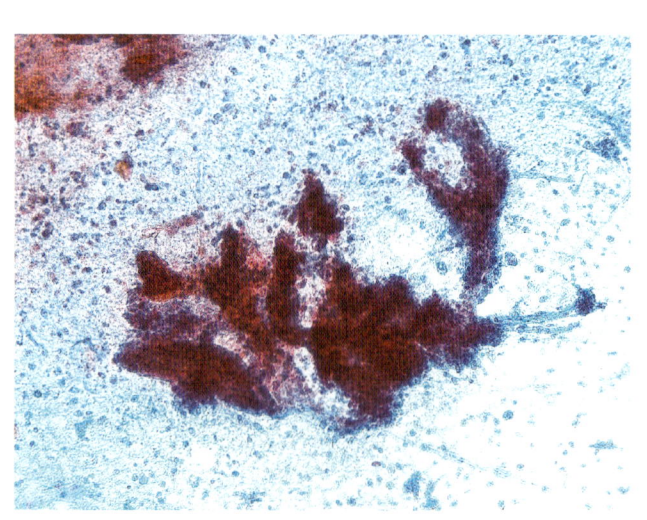

図 31-1

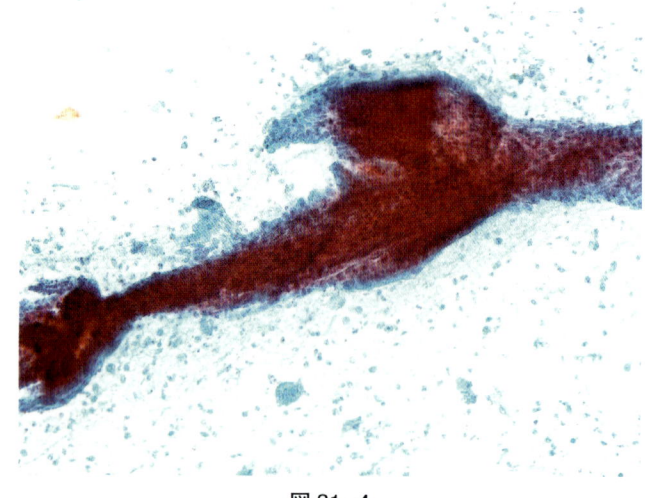

図 31-4

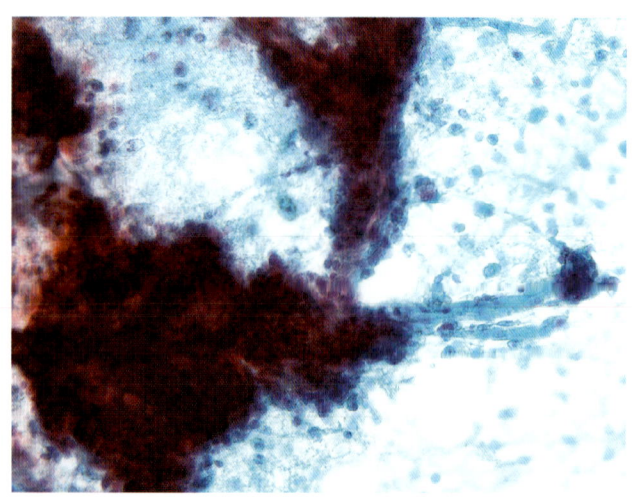

図 31-2

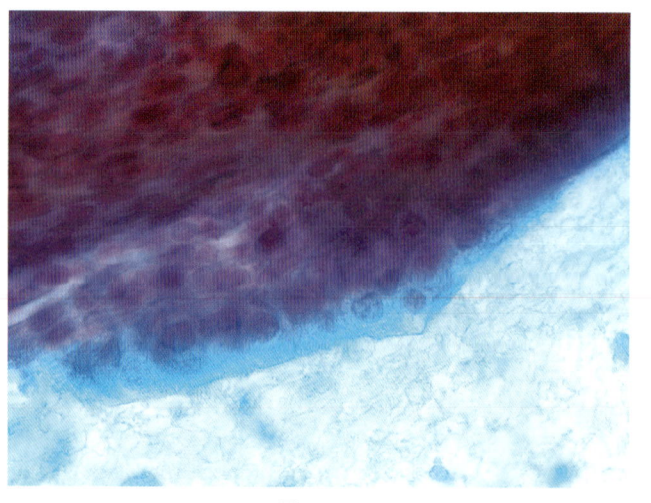

図 31-5

症例アトラス

強拡大では，小型の腫瘍細胞が密に増殖する像が観察されるが，個々の細胞異型は比較的軽微である（図31-6）。別視野には，集塊内に密な腺腔の増殖が確認される乳頭・管状集塊がみられる（図31-7, 8）。組織標本では，腫瘍細胞が太い血管結合織を芯とする大型乳頭状構造をとりながら癒合性に増殖している。充実性増殖部分はほとんどみられず，類内膜癌 G1 とされた（図31-9, 10）。拡大を上げると腫瘍細胞は血管結合織に垂直に接し，不規則な腺腔を形成しながら外方性に増殖する像が観察される（図31-10）。このような増殖形態を示す部位から採取された細胞集塊が，図31-7, 8 にみられるような像を呈すると思われる。

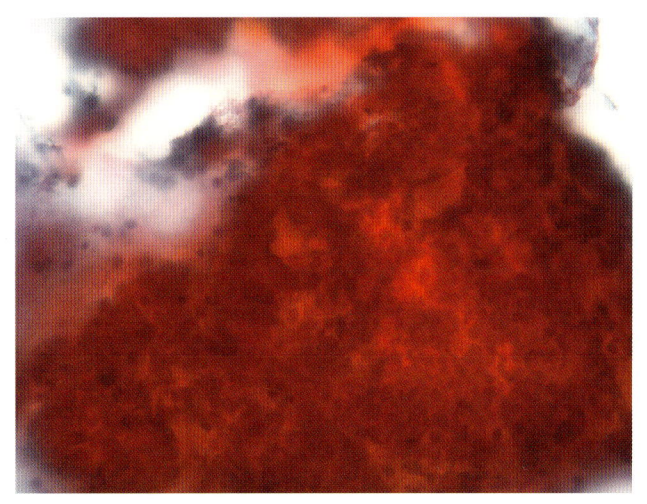

図 31-8

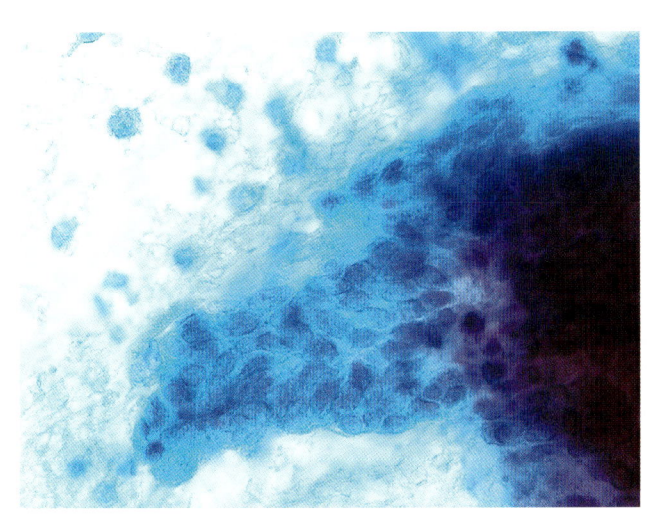

図 31-6

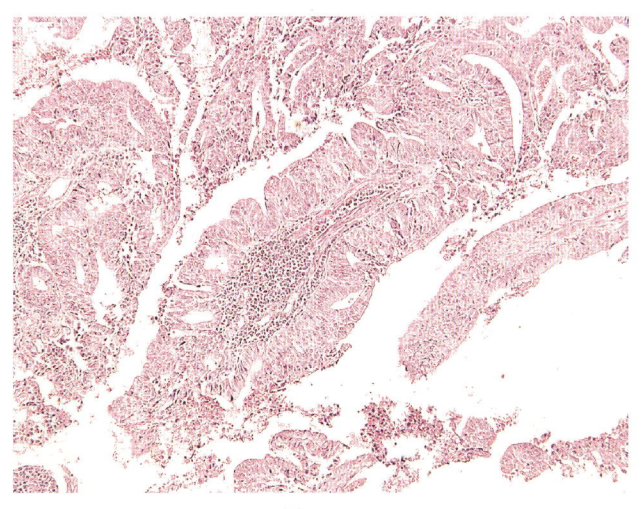

図 31-9

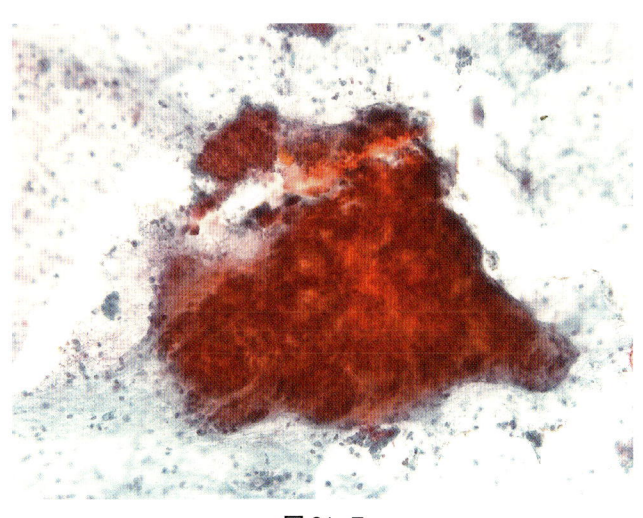

図 31-7

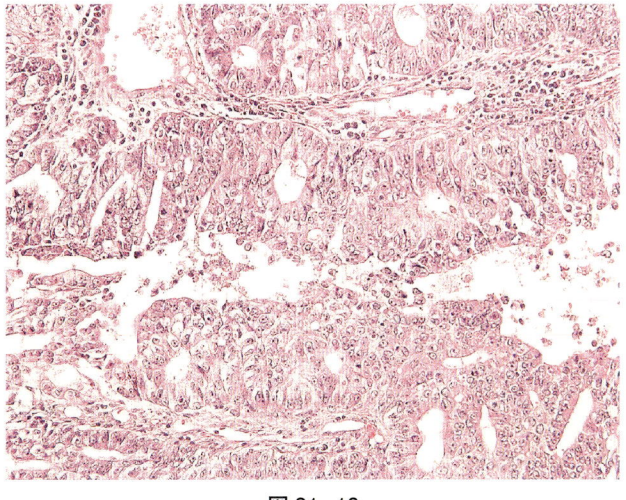

図 31-10

115

症例32 類内膜癌, G1
Endometrioid carcinoma, grade 1

50歳代　エンドサイト直接塗抹

本症例では，繊細な血管結合織を芯とする乳頭状増殖を反映した細胞像を示す（図32-1〜5）。腫瘍性背景の中に，不規則な乳頭状構造が連なった乳頭・管状集塊が出現している。厚みの少ない細胞集塊と認識すると，表層被覆上皮に生じた細胞質変化（化生）と誤認し，過小判定につながるので注意が必要である。構造異型は"加味する"のであって，細胞診の基本である背景の読みをおろそかにすることのないようにしたい。繊細な血管結合織を芯とする乳頭状構造であっても，腫瘍細胞が垂直に接する像が観察される（図32-5矢印）。個々の細胞異型は軽微であるが，集塊辺縁からの"ほつれ像"が観察される。また，細胞集塊周囲の内膜間質細胞付着もみられない。

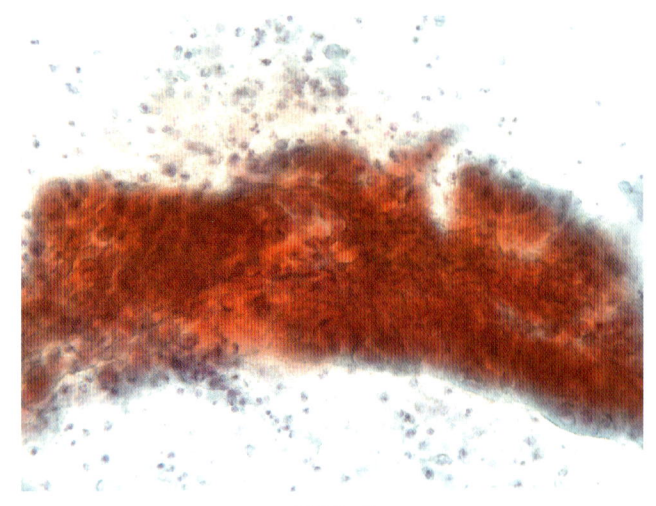

図32-3

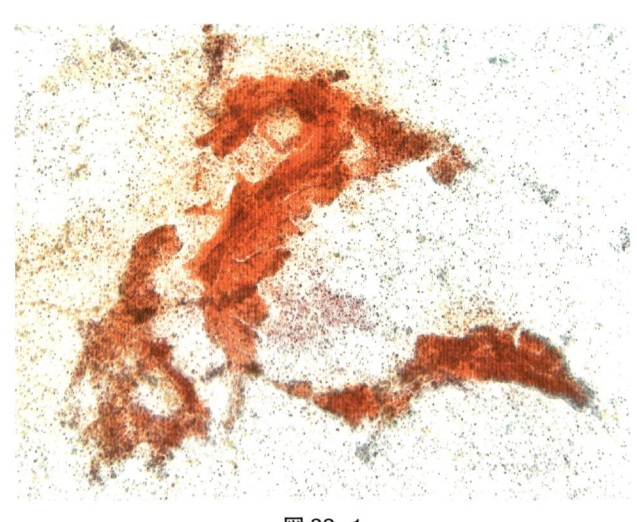

図32-1

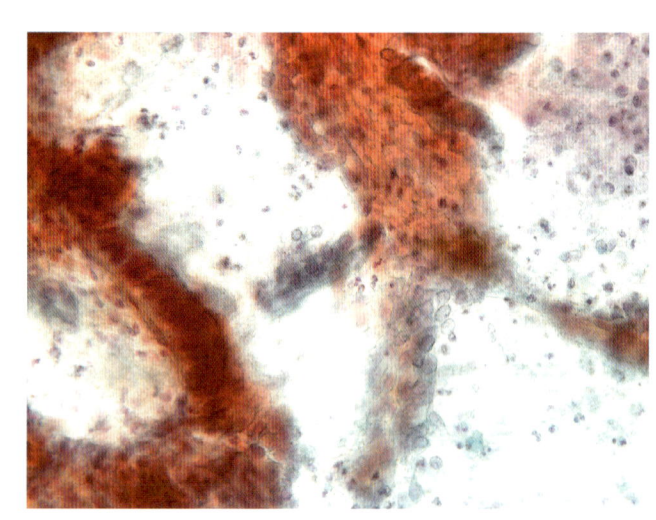

図32-4

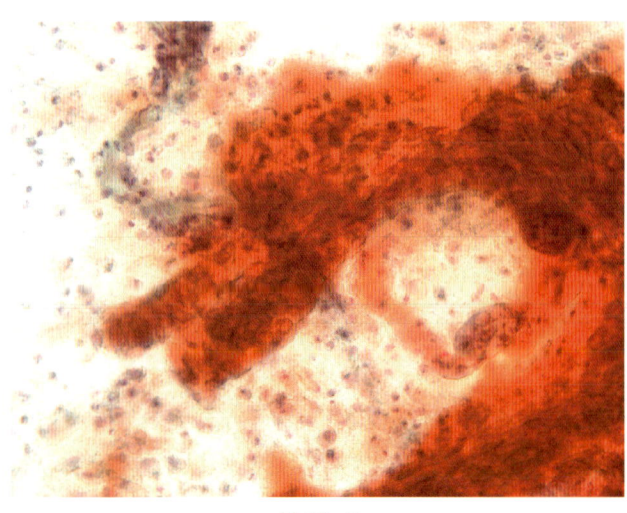

図32-2

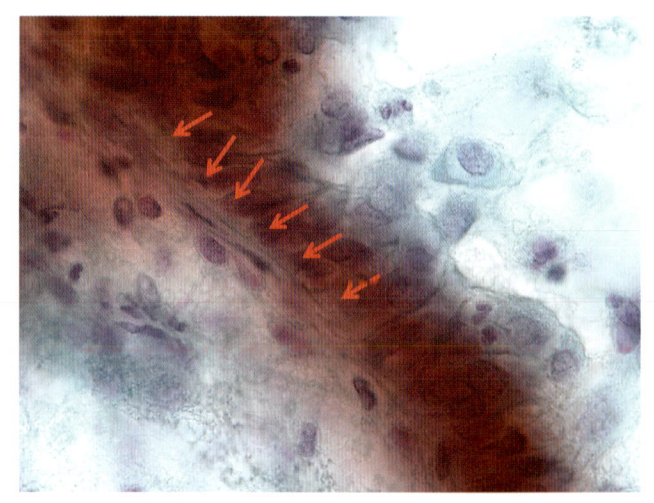

図32-5

116

別視野で観察された，やや大型の乳頭・管状集塊（図32-6）では，不規則な腺管の密集（図32-7）や繊細な血管結合織の突出（図32-8）がみられた．高分化な類内膜癌の多様な細胞像を理解するには，組織構築がどのように反映されているのかを認識する必要がある．本症例の組織標本では，腫瘍細胞が繊細な血管結合織を芯とする乳頭状構造をとりながら back to back に増殖しており，充実性増殖部分はほとんどみられず，類内膜腺癌 G1 とされた（図32-9, 10）．強拡大では，腫瘍細胞の偽重層が著しく，間質には間質浸潤を示唆する所見の1つである好中球の浸潤が観察された（図32-10）．

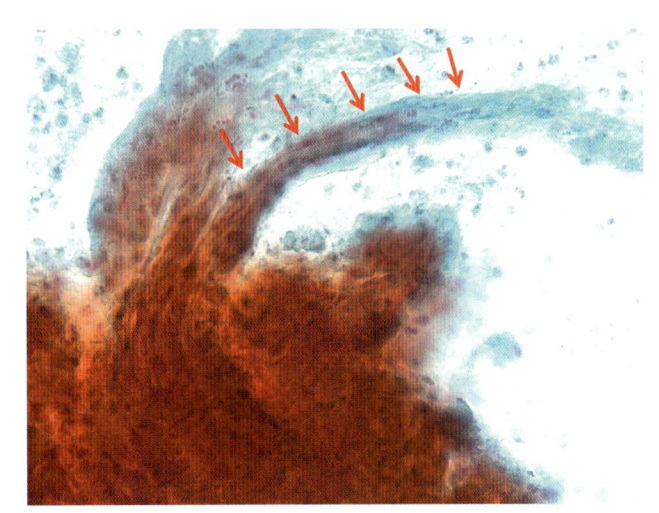

図 32-8

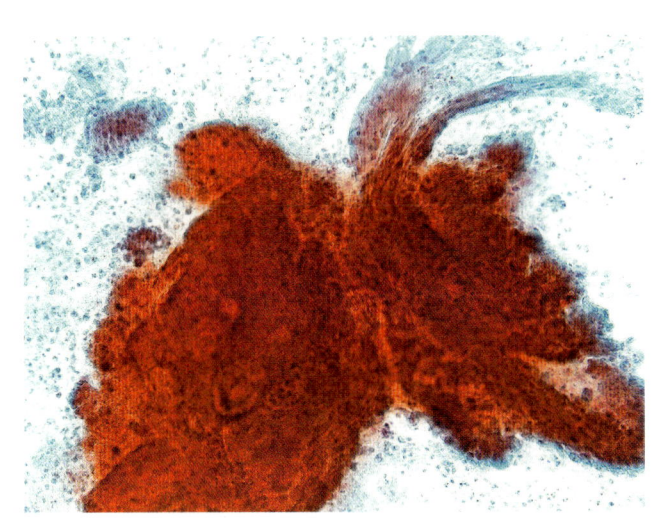

図 32-6

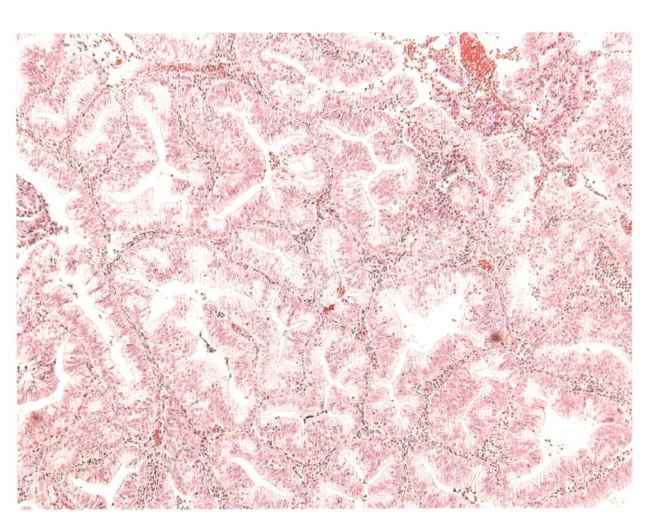

図 32-9

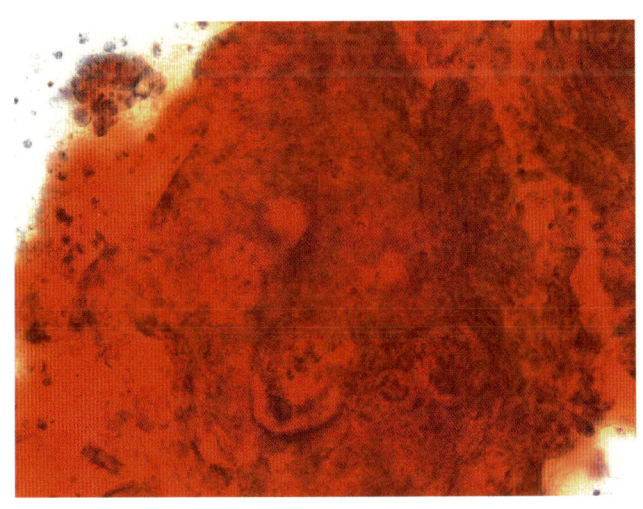

図 32-7

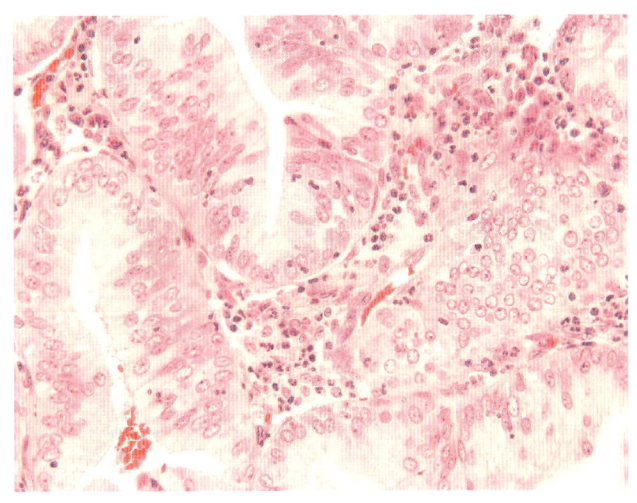

図 32-10

症例33　類内膜癌，G1
Endometrioid carcinoma, grade 1

60歳代　ソフトサイト直接塗抹法，
LBC：Sure Path™ 法

　直接塗抹法では，背景に血液成分と壊死物質の出現を伴いながら，乳頭・管状集塊，不整形突出集塊が観察される（図33-1）。SurePath™ 法では，背景の清明化により，複雑な異常集塊の検出が容易になる一方，血液成分，腫瘍性背景も概ね除去される（図33-2）。沈降法では，細胞集塊がより立体的に塗抹されるため，腺管の複雑さが強調された不整形突出集塊として観察される（図33-2, 3）。ピントを変えながら観察することにより，腺癌の判定基準となる癒合腺管を捉えられる（図33-3）。重積が軽度な集塊では，その辺縁部分で個々の細胞異型や，細胞質変化（化生）も観察可能である（図33-4, 5）。

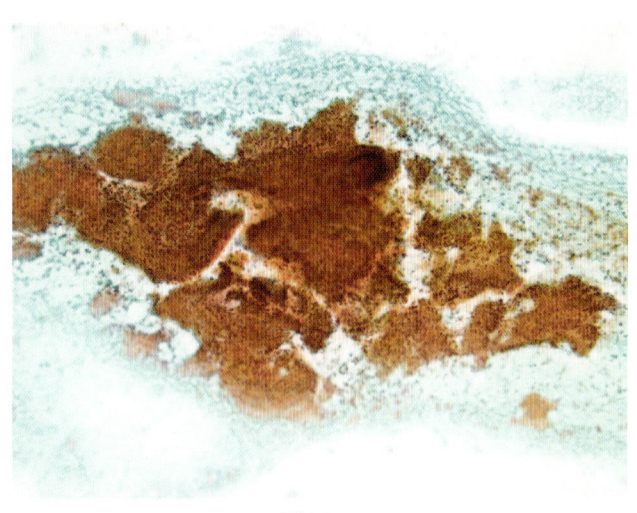

図33-1

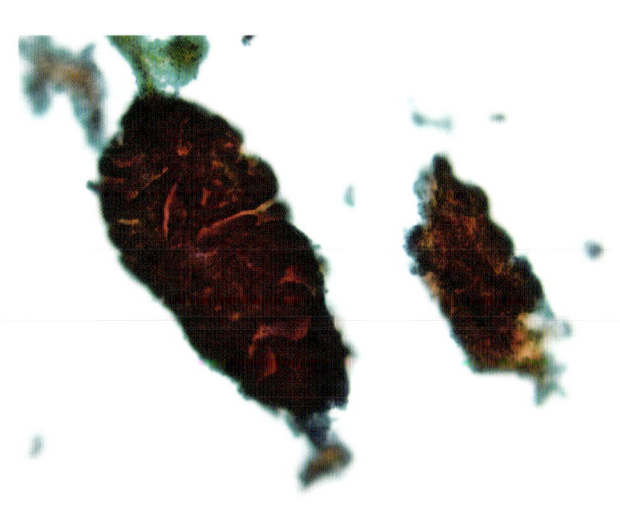

図33-2

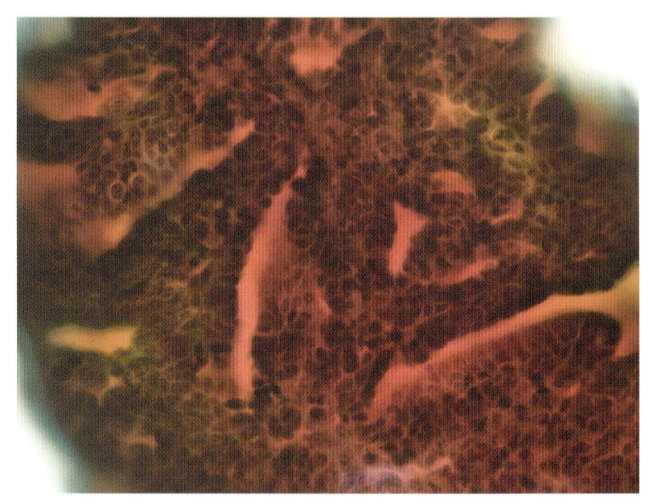

図33-3

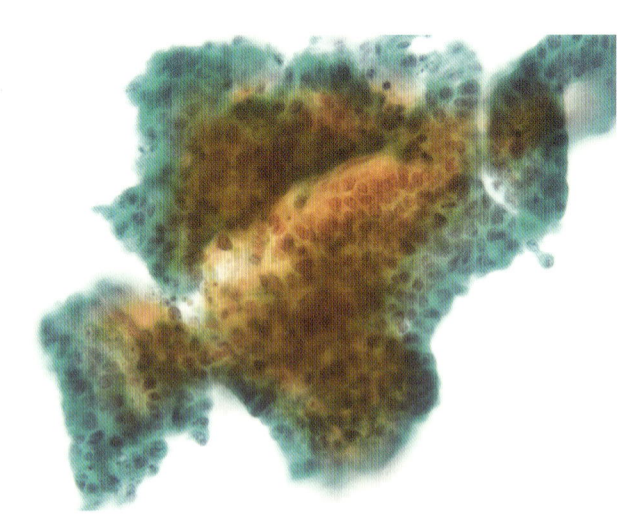

図33-4

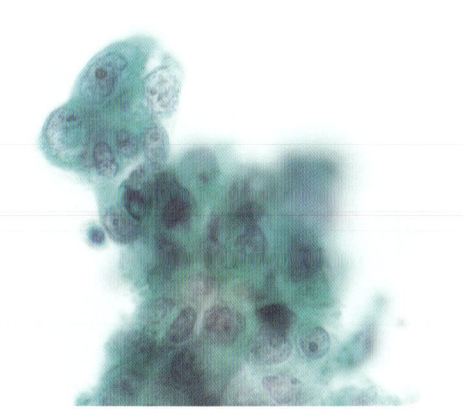

図33-5

| 症例 34 | 類内膜癌, G1
Endometrioid carcinoma, grade 1 |

40歳代　ソフトサイト直接塗抹法，
LBC：Thin Prep®法（サイトライト液前処理，尿用フィルター）

　直接塗抹法では，壊死物質や炎症細胞を背景に，一部乳頭状を示す不規則重積性集塊がみられる（図34-1）。サイトライト液前処理ThinPrep®法においても，沈降法と同様に背景の清明化によって，複雑な異常集塊の検出が容易になる（図34-2）。沈降法では重積の強調がみられやすい乳頭・管状集塊も，同法では直接塗抹法に近い所見を示し，個々の細胞の観察も比較的容易である（図34-3, 4）。サイトライト液前処理による核の収縮がみられるが，細胞異型を捉えること（図34-4），細胞質変化（化生）を観察することは十分に可能である（図34-5）。

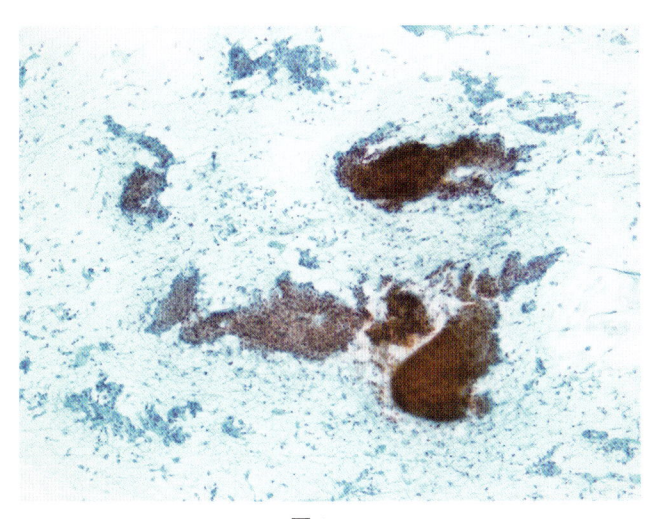

図34-1

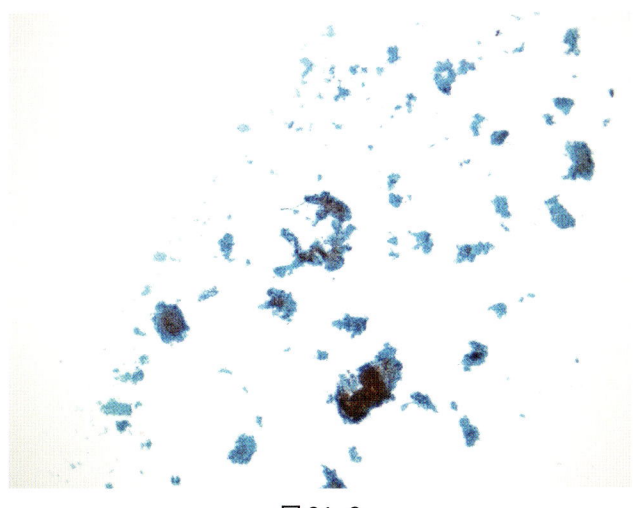

図34-2

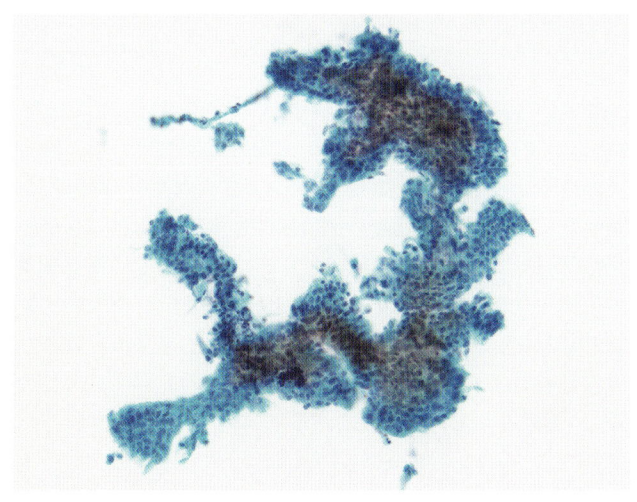

図34-3

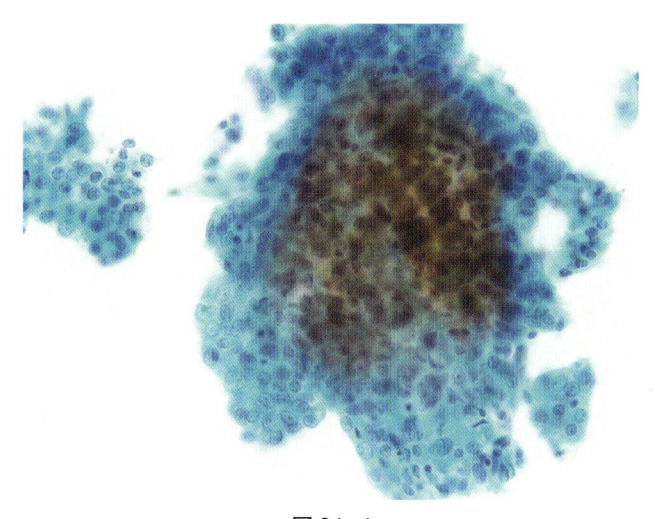

図34-4

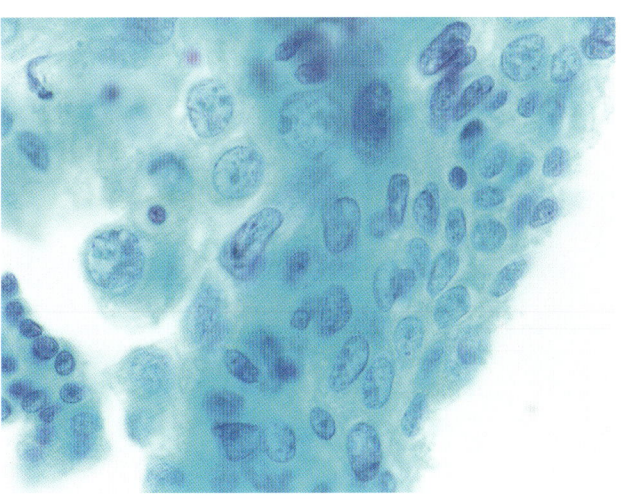

図34-5

症例35 細胞質変化（化生）を伴う類内膜癌, G1
Endometrioid carcinoma, grade 1, with cytoplasmic (metaplastic) changes

50歳代　エンドサイト直接塗抹

　高分化な類内膜癌には，しばしば細胞質変化（化生）を伴い，その種別は好酸性，扁平上皮性が中心である。特に好酸性の細胞質変化（化生）は高エストロゲン状態では，高頻度に観察される。本症例は好酸性変化（化生）を伴う腫瘍細胞が多く出現した症例である。細胞集塊は不整形突出集塊が主体となっている（図35-1〜5）。背景は腫瘍性で，腫瘍細胞の結合性の低下により，小集塊や孤在性で出現するものもみられ，良悪の鑑別は比較的容易である。ただし，図35-4, 5のように細胞質変化（化生）が著しい集塊では，細胞間の結合性が強固となり，良悪の判定に苦慮する。

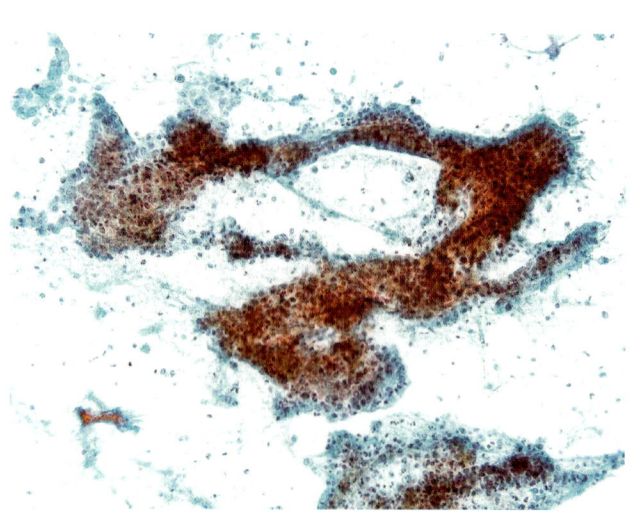

図35-1

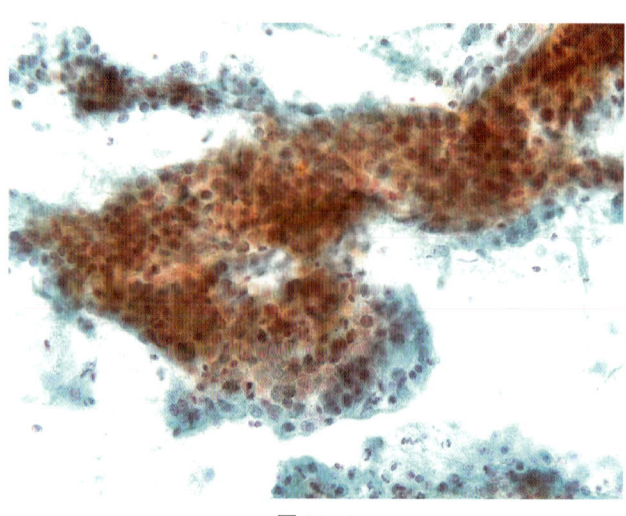

図35-2

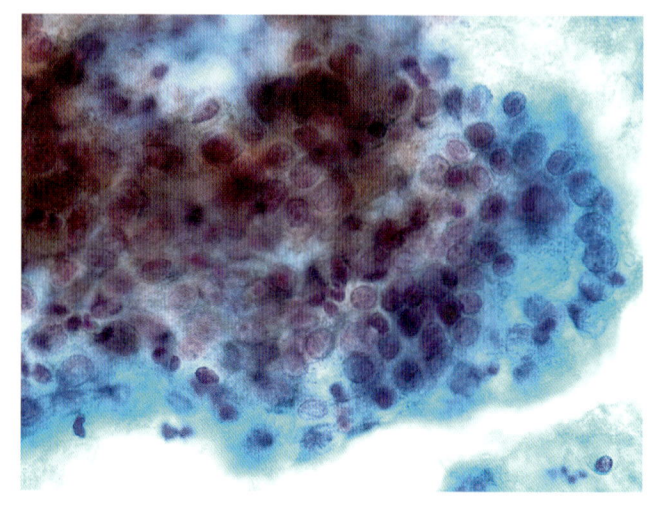

図35-3

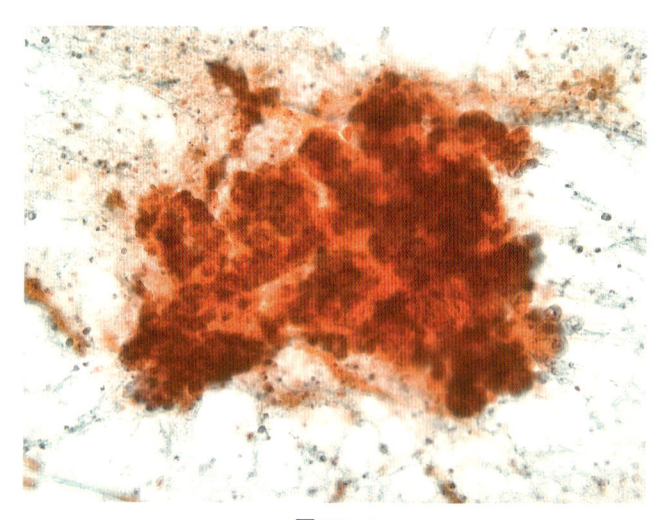

図35-4

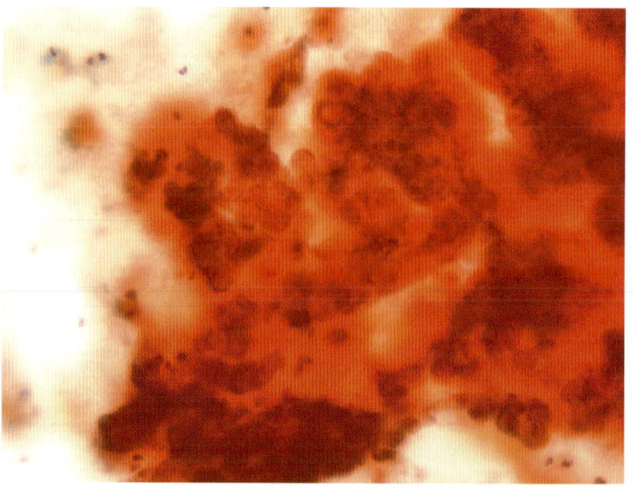

図35-5

症例アトラス

　図35-6〜8は，同様に著しい好酸性変化（化生）を伴う細胞からなる不整形突出集塊で，細胞間結合が強固で，個々の細胞は大型化しているがN/C比は保たれている。細胞質が厚く均質で，核形不整が軽微ながら観察される（図35-8）。細胞質変化（化生）を伴う細胞の核異型度は，その元となる組織を構成する細胞の核異型度に依存するため，高分化類内膜癌の腫瘍細胞に細胞質変化（化生）が生じた場合には，その核異型は軽微となる。組織標本では，一部に好酸性細胞質変化（化生）を伴う腫瘍細胞が，不整な形状の癒合腺管を構成しながら増殖している。充実性増殖部分はほとんどみられず，類内膜癌G1とされた（図35-9, 10）。

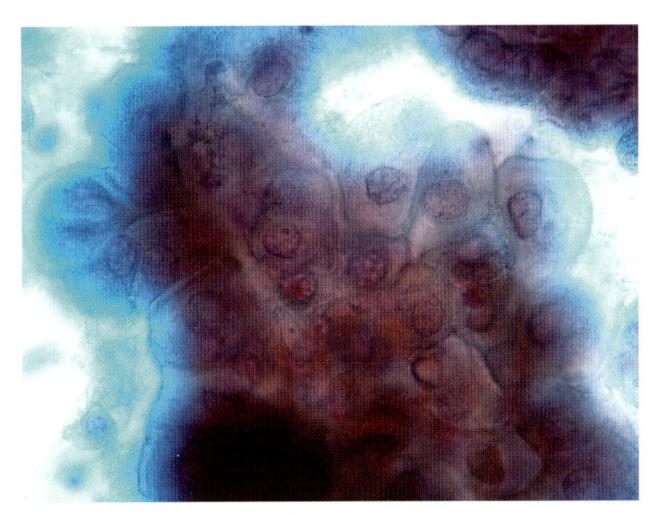

図35-8

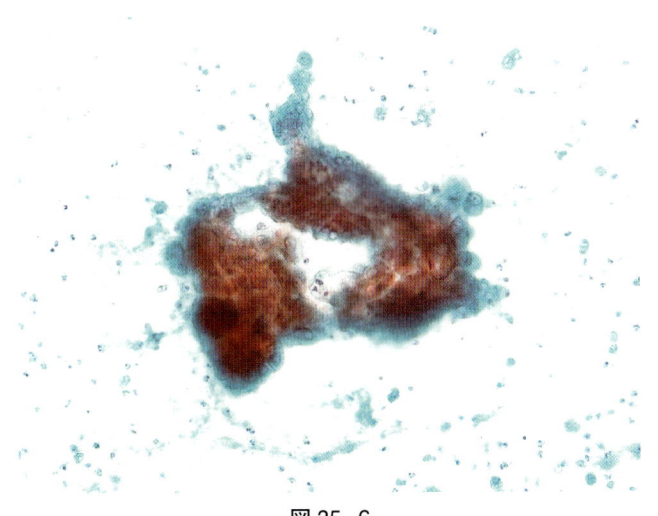

図35-6

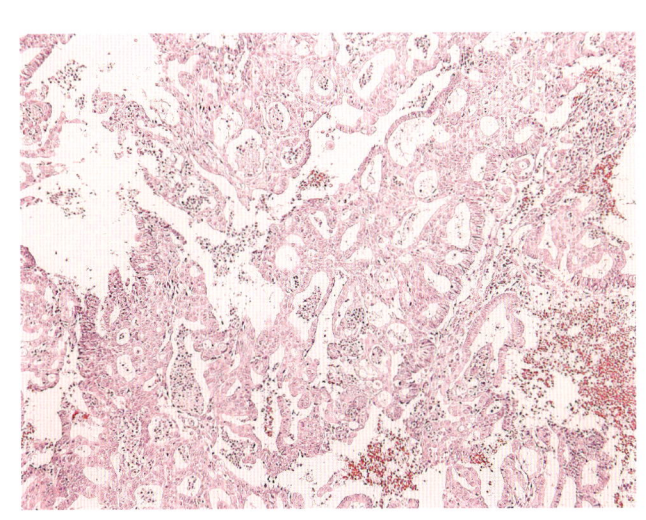

図35-9

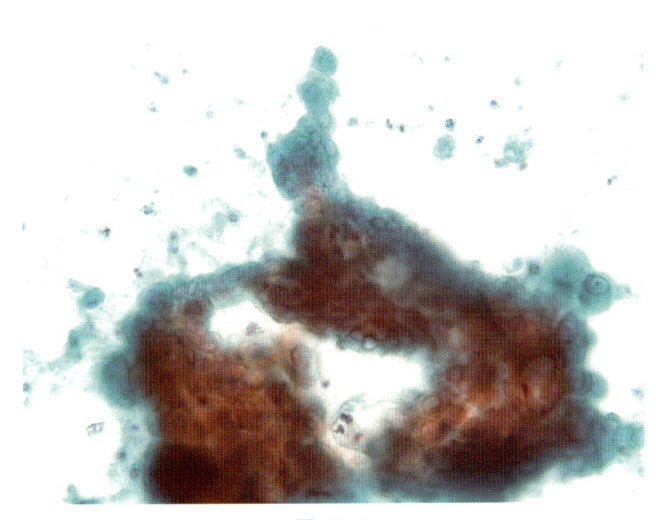

図35-7

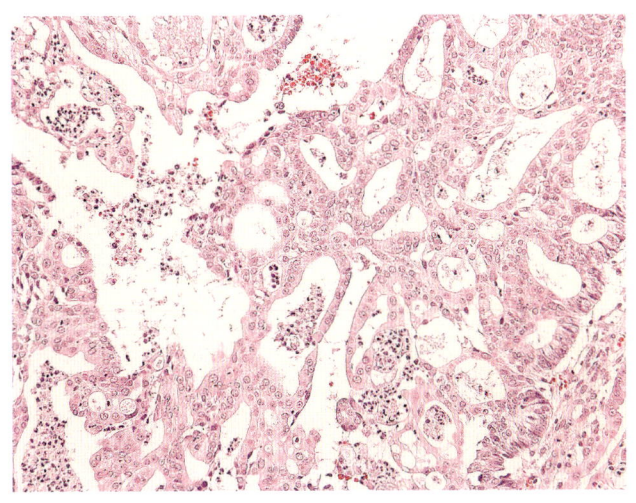

図35-10

121

症例36　細胞質変化（化生）を伴う類内膜癌，G1
Endometrioid carcinoma, grade 1, with cytoplasmic (metaplastic) changes

60歳代　エンドサイト直接塗抹

　細胞質変化（化生）の種別は，細胞診標本において，しばしばその鑑別に苦慮する。しかし，細胞質変化（化生）の種別が良悪性の判定に直接的な影響を及ぼすことはほとんどなく，両者の鑑別は重要とはいえない。種々の細胞質変化（化生）が，様々な割合で混在することを理解し，細胞所見を観察することが肝要である。図36-1〜5は，高分化な類内膜癌に好酸性変化（化生）を伴った症例の細胞像である。不整形突出集塊を形成して出現している。強拡大では，好酸性細胞質変化（化生）の特徴である厚い細胞質と円形核が観察される（図36-3）。

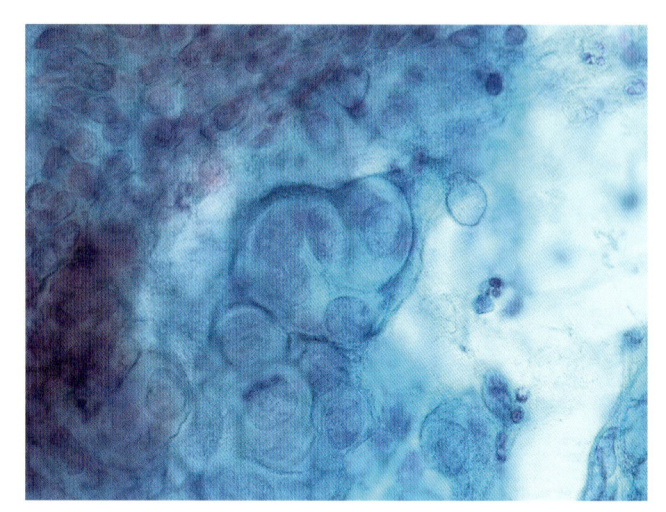

図36-3

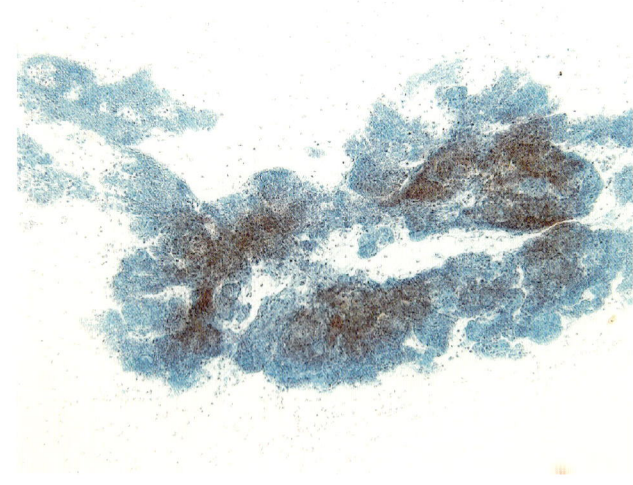

図36-1

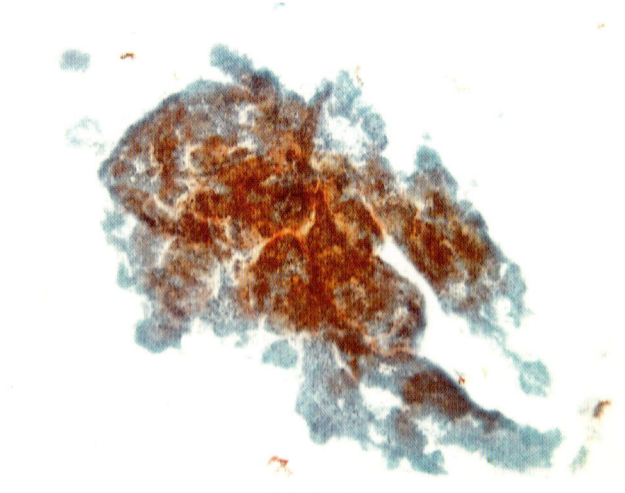

図36-4

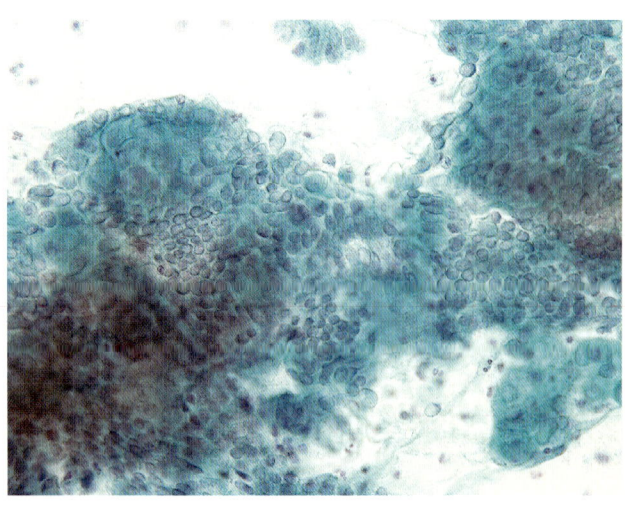

図36-2

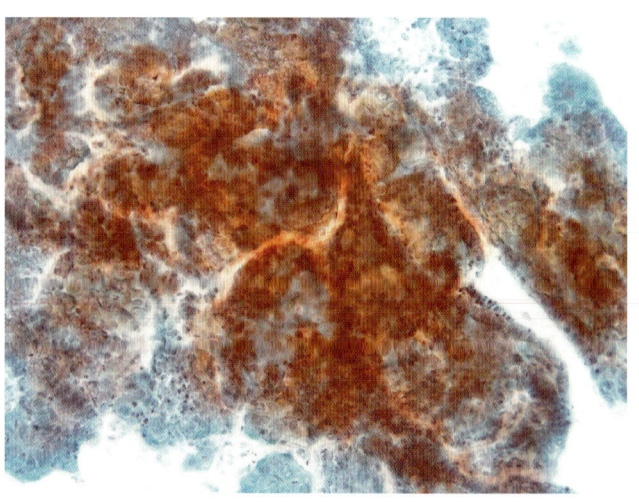

図36-5

別視野では，上部左側の高分化類内膜癌由来と思われる小型異型細胞と連続して，広い細胞質を有する細胞の増殖が観察される（図36-6, 7）。強拡大では，細胞境界明瞭，細胞質内にオレンジ色に染まる微細な顆粒を有しており，好酸性変化（化生）を示す腫瘍細胞であることが確認できる（図36-8）。好酸性変化（化生）の細胞質内顆粒は常に観察されるわけではなく，細胞診標本における染色性も一定ではない。組織標本では，種々の細胞質変化（化生）を伴う腫瘍細胞が，不整形腺管構造や篩状構造を示しながら増殖している。充実性増殖部分はほとんどみられず，類内膜癌G1とされた（図36-9, 10）。

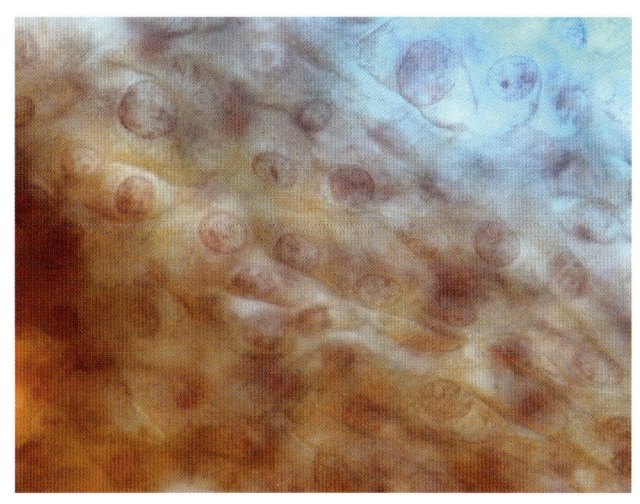

図36-8

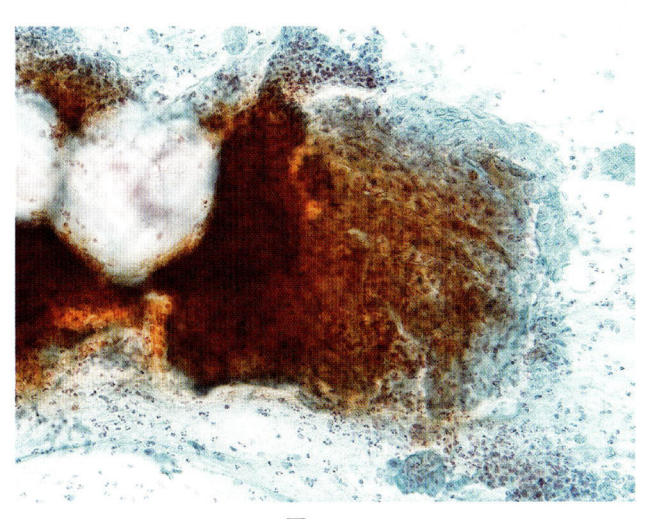

図36-6

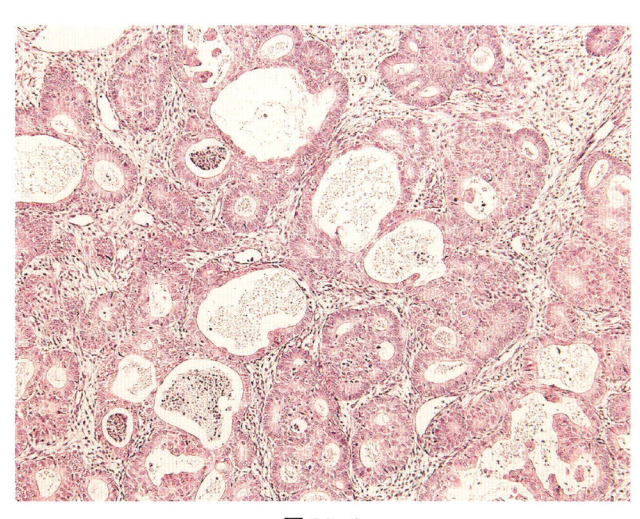

図36-9

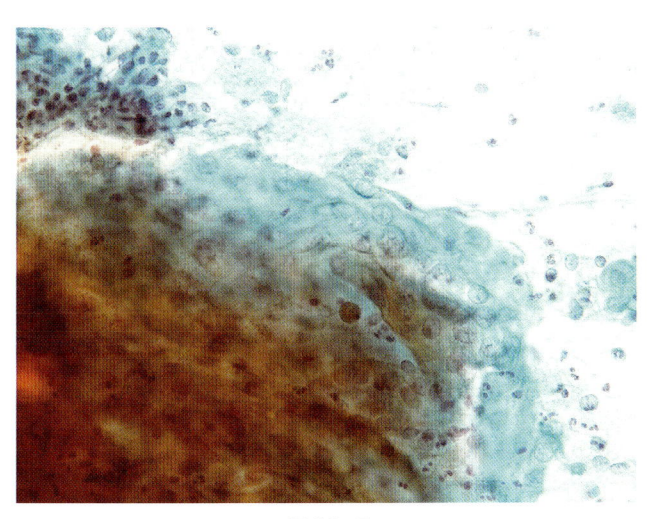

図36-7

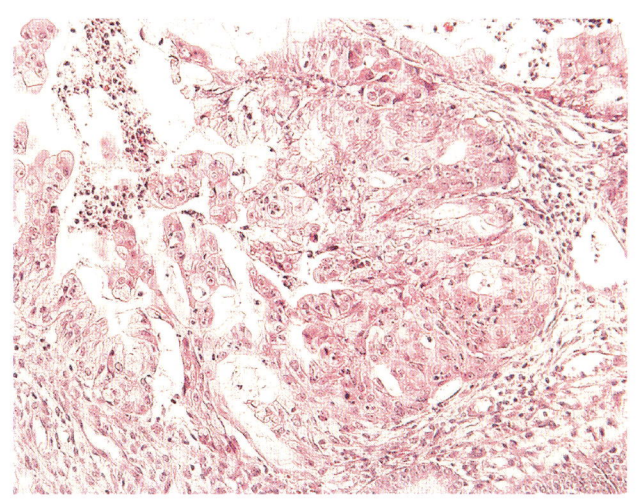

図36-10

123

症例 37　扁平上皮への分化を伴う類内膜癌，G1
Endometrioid carcinoma, grade 1, with squamous differentiation

60歳代　エンドサイト直接塗抹

　類内膜癌には，少なからず扁平上皮への分化が認められる。しかし，角化や細胞間橋を認めることは稀で，核の柵状配列や腺構造を伴わないシート状増殖，明瞭な細胞輪郭，好酸性・濃染性もしくはすりガラス状の細胞質，腫瘍の他の部分より低いN/C比などの項目により判定される。扁平上皮への分化は予後に直接的な影響を及ぼさないが，類内膜癌のgradingにおいて，その有無の認識が重要となる。細胞診においても，その所見を認識することは正診率を高める上で必要である。図37-1～5は，不整形突出集塊と乳頭・管状集塊で出現した腫瘍細胞で，強拡大では厚い細胞質とN/C比の低下がみられる。図37-4, 5の管状構造は毛細血管と思われる。

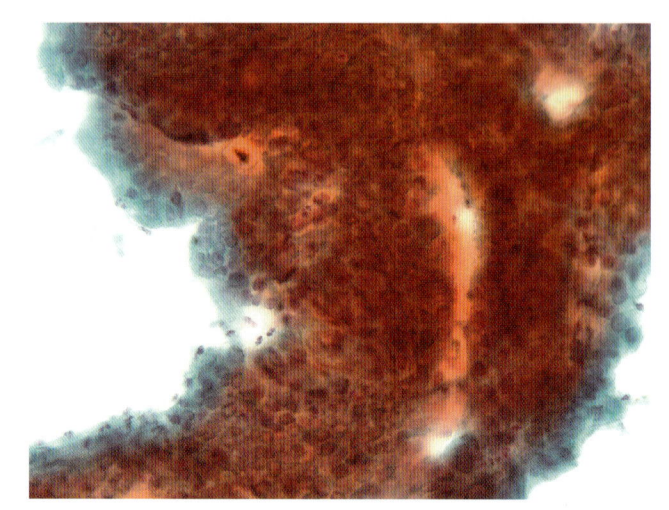

図37-3

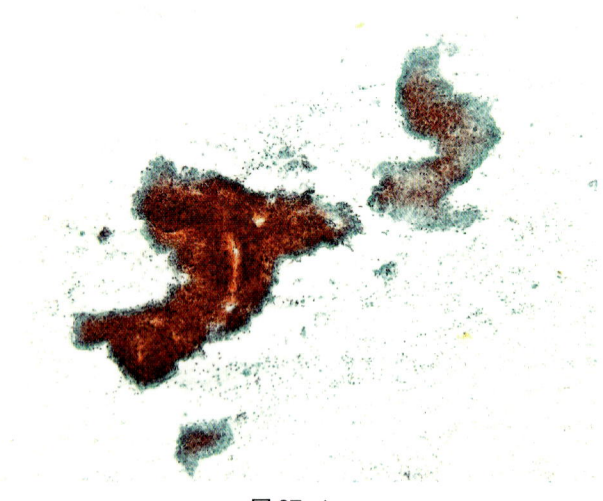

図37-1

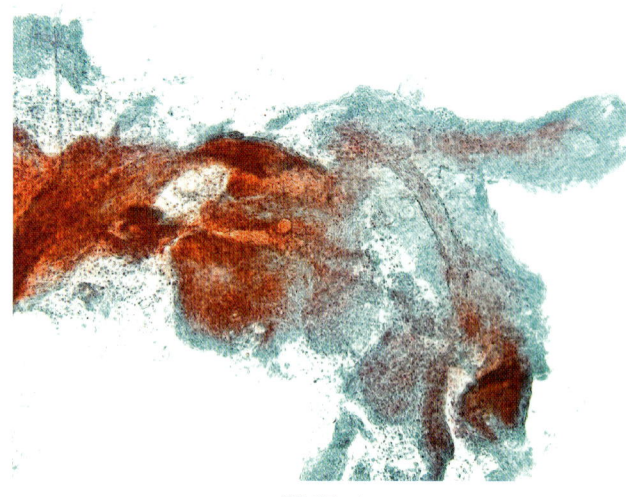

図37-4

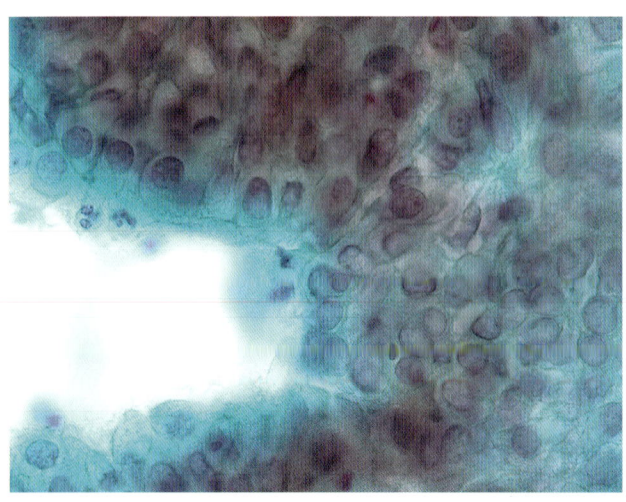

図37-2

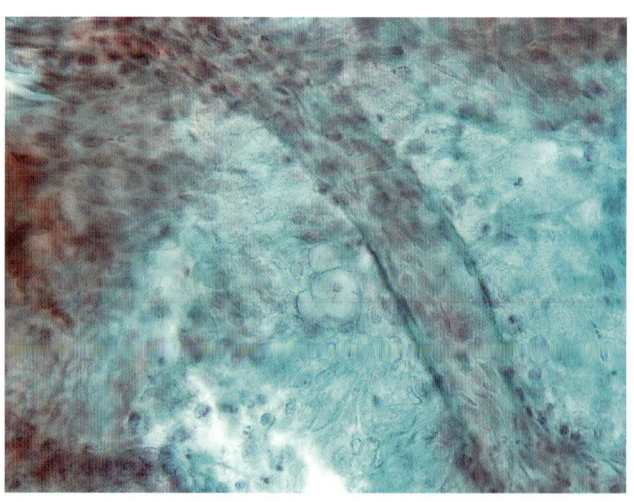

図37-5

124

症例アトラス

平面的な細胞集塊で観察すると，N/C比増大は目立たず，細胞質も厚いため，個々の細胞異型は比較的軽微な印象を受けるが，これらの特徴を認識して細胞判定にあたることが大切である（図37-6〜8）。扁平上皮への分化は，扁平上皮性変化（化生）と同意義であることを理解することも，細胞像の認識に役立つ。症例36でも述べたが，細胞質変化（化生）の種別が良悪性の判定に直接的な影響を及ぼすことはほとんどないので，本症例の細胞像を好酸性変化（化生）と区別する必要はない。組織診断においては，扁平上皮への分化を示す部分は除外しgradingが行われ，充実性増殖部分はほとんどみられないため，類内膜癌G1と診断された（図37-9, 10）。

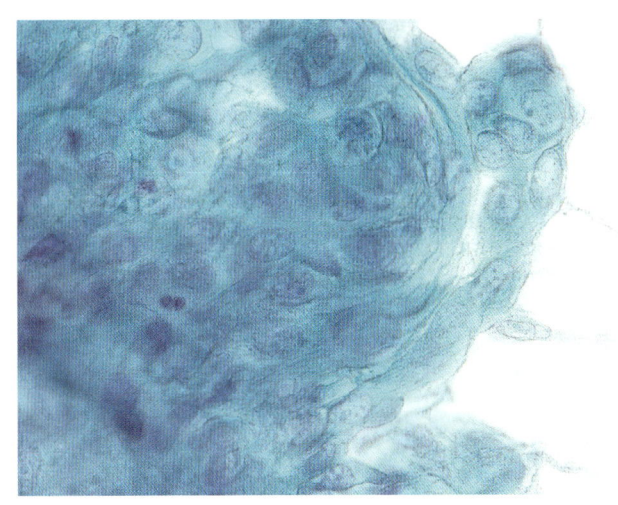

図37-8

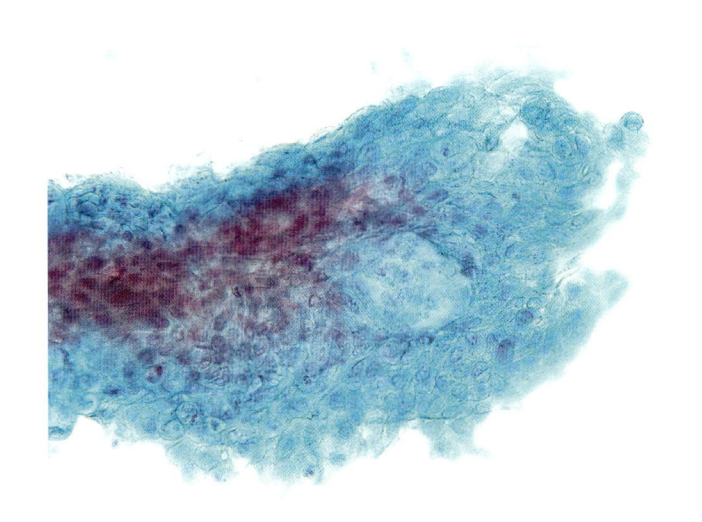

図37-6

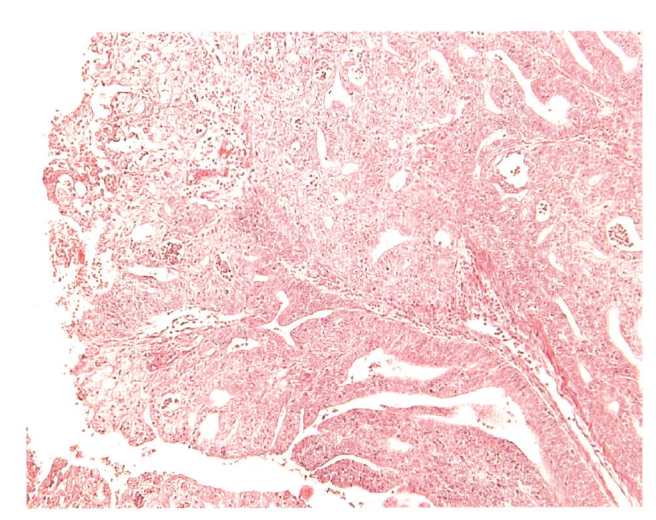

図37-9

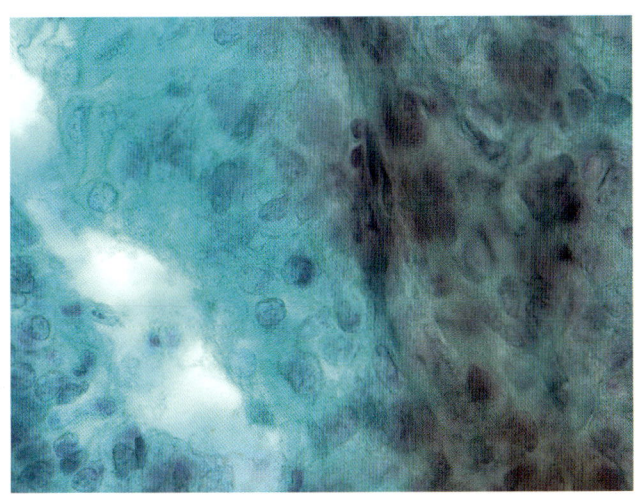

図37-7

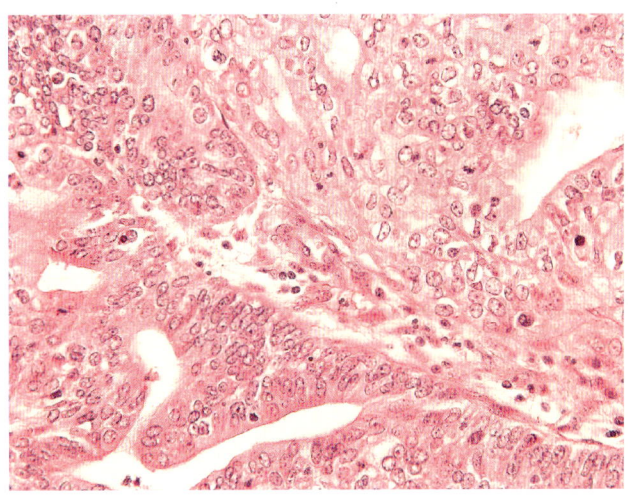

図37-10

125

症例38 扁平上皮への分化を伴う類内膜癌，G1
Endometrioid carcinoma, grade 1, with squamous differentiation

30歳代　エンドサイト直接塗抹

　本症例は，腺腔内に桑実様変化（化生）（morules）を伴った類内膜癌例である。症例23でも解説したが，morulesは扁平上皮性変化（化生）の特殊な形と考えられており，細胞質境界が不明瞭化した多角形細胞が，腺腔内に突出，腺管周囲間質に存在，複数の腺管間に介在する間質内に出現など，様々な形で観察される。細胞診標本でも出現形態が多彩となり，その細胞像の認識が重要であるが，疾患の良悪でmorulesの形態に差異はみられない。図38-1〜5では，morule単独で，もしくは周囲に腺癌細胞を伴って出現している。強拡大におけるmorules内の詳細な細胞所見の観察は困難なことが多いが，その集塊形状から鑑別は十分可能である。

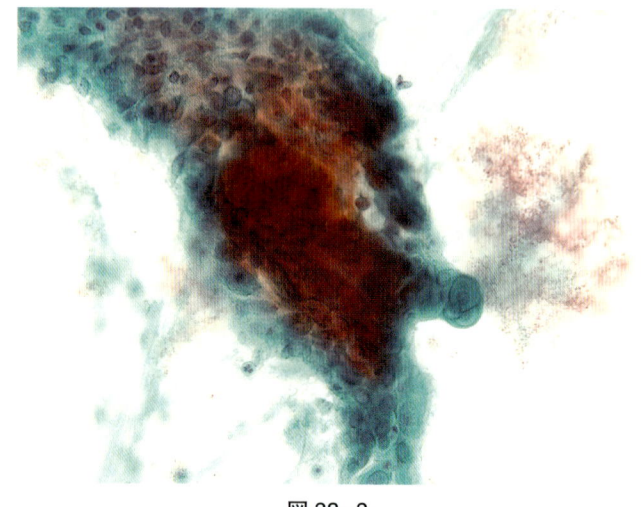

図38-3

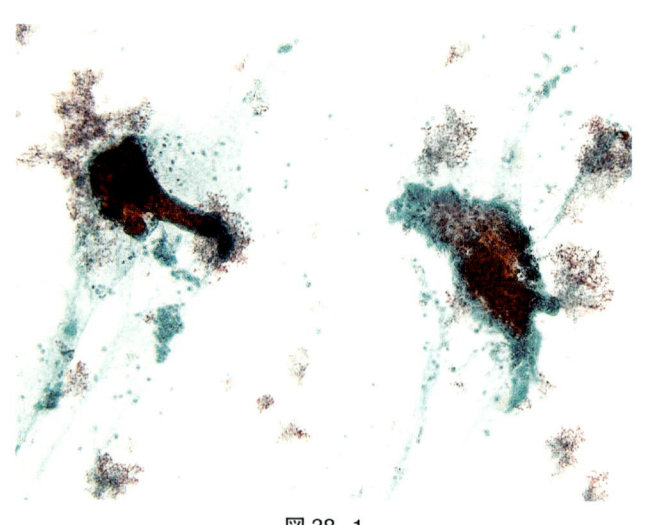

図38-1

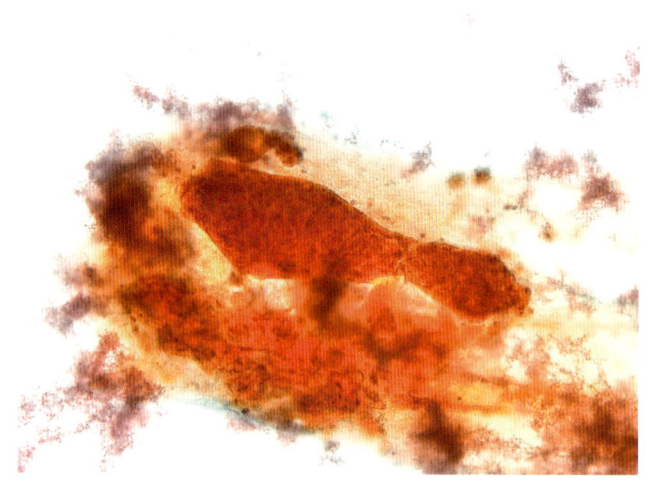

図38-4

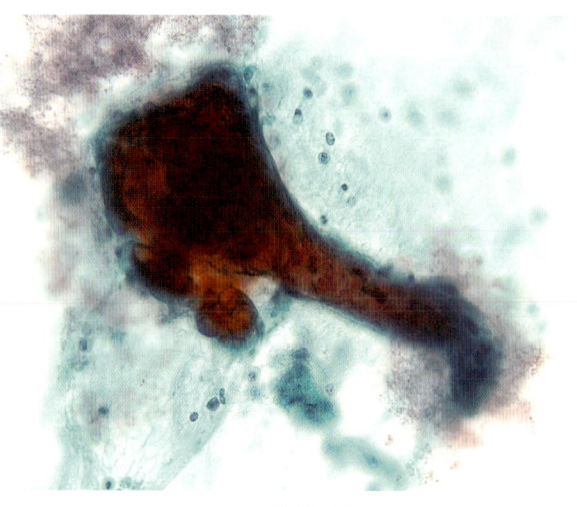

図38-2

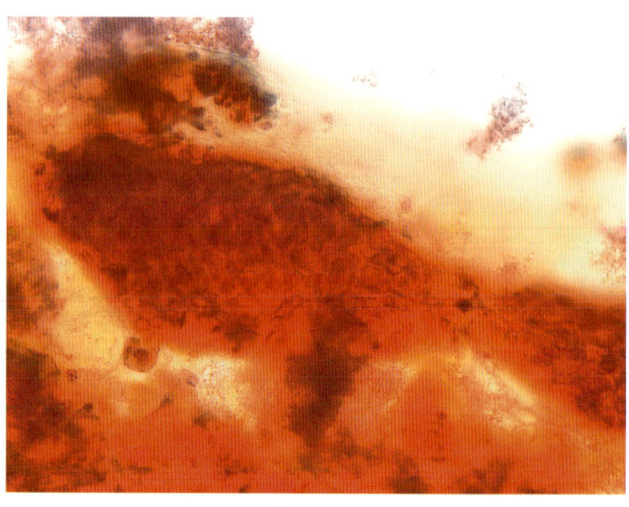

図38-5

図38-6は，図38-4, 5の強拡大であるが，細胞質境界が不明瞭化した多角形細胞により構成されていることが確認可能である。図38-7, 8は，腺癌成分由来と思われる乳頭・管状集塊で，集塊辺縁に内膜間質細胞の付着はみられず，不規則な小乳頭状構造から構成される異常集塊である。扁平上皮への分化の存在を細胞診で指摘することの重要性は低い。ただし，morulesの形態学的特徴と，好酸性変化（化生）との混在や類似形態を示すことが稀ではないことを理解しておくべきである。組織診断においては，扁平上皮への分化や桑実状変化（化生）を示す部分は除外しgradingが行われる。充実性増殖部分はほとんどみられず，類内膜癌G1とされた（図38-9, 10）。

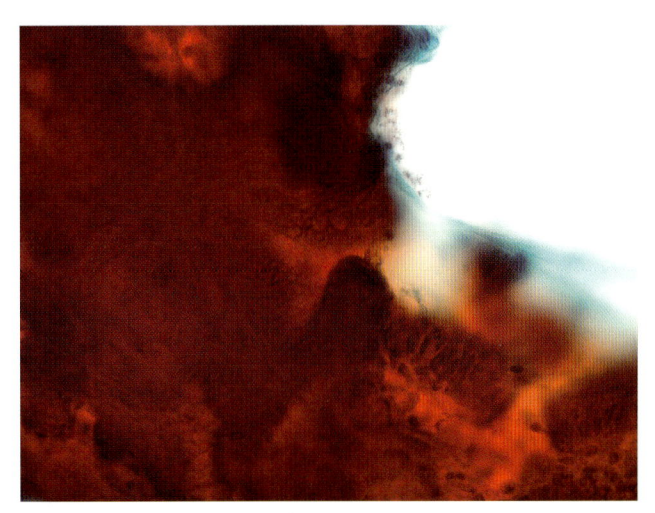

図38-8

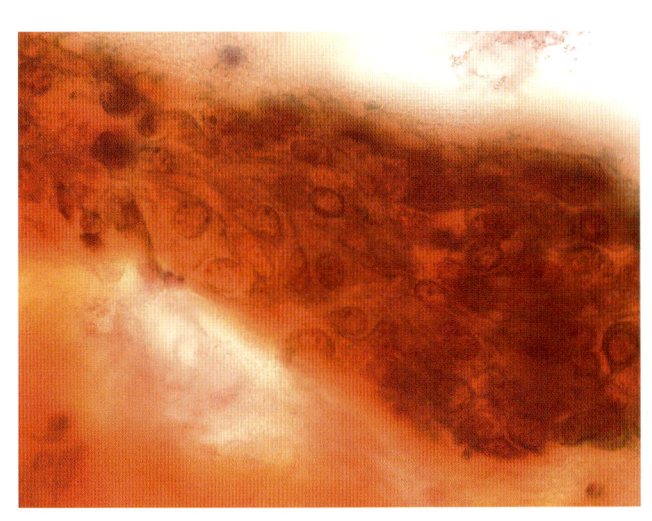

図38-6

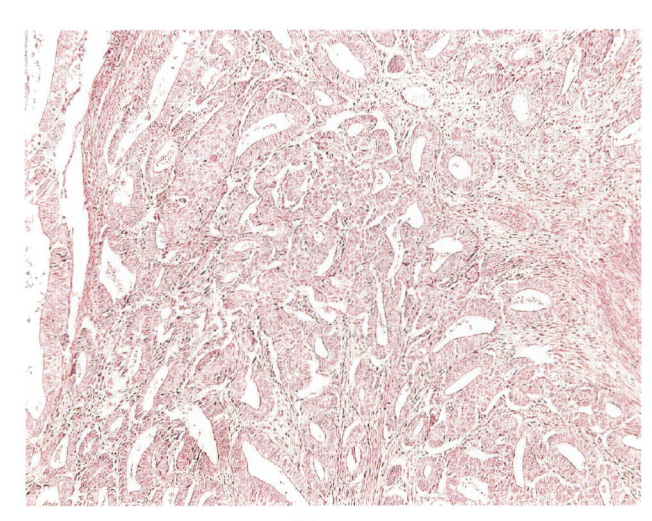

図38-9

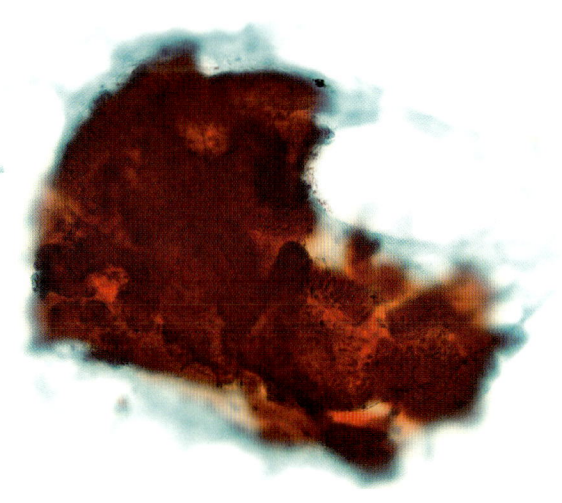

図38-7

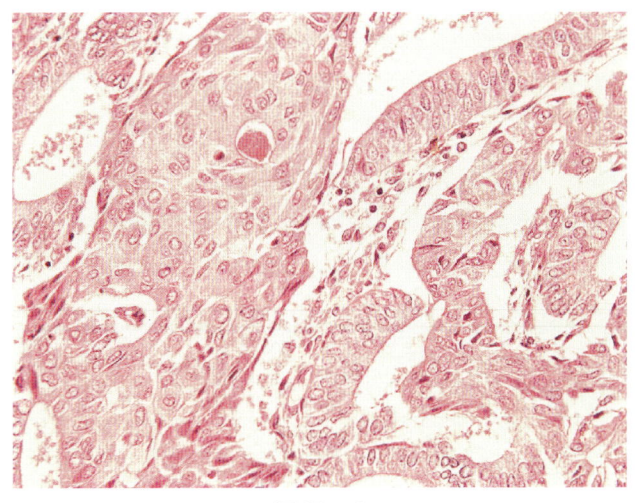

図38-10

症例39　粘液性成分を伴う類内膜癌，G1
Endometrioid carcinoma, grade 1, with mucinous differentiation

70歳代　エンドサイト直接塗抹

　粘液を含む腫瘍細胞が目立つ場合，粘液性成分を伴う類内膜癌と診断される。エストロゲンによる治癒との関連性が知られている。図39-1～5は，乳頭・管状集塊であるが，強拡大では，大小不同性，N/C比増大やクロマチン増量を示す細胞（図39-2）と，比較的揃った小型核に微細レース状の広い細胞質を有する細胞（図39-2, 3）が観察される。また，図39-5では，大小様々な不整形腺管が不規則に増殖する様子が観察される。全体像から高分化類内膜癌の診断は比較的容易であるが，細胞質形態から，頸部腺由来の腫瘍も鑑別に挙がる。

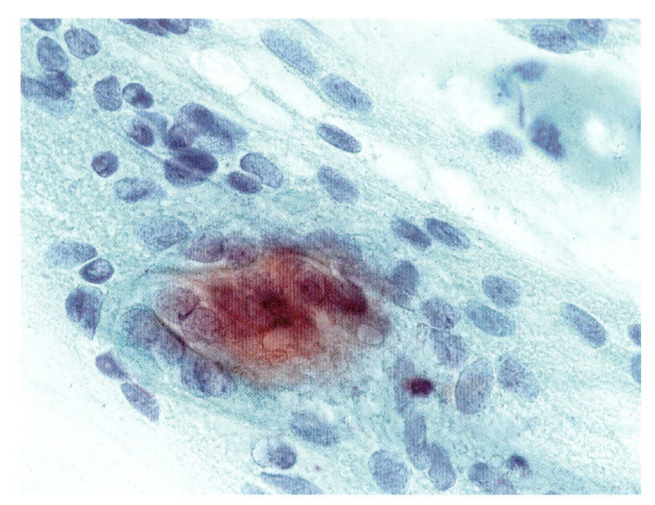

図39-3

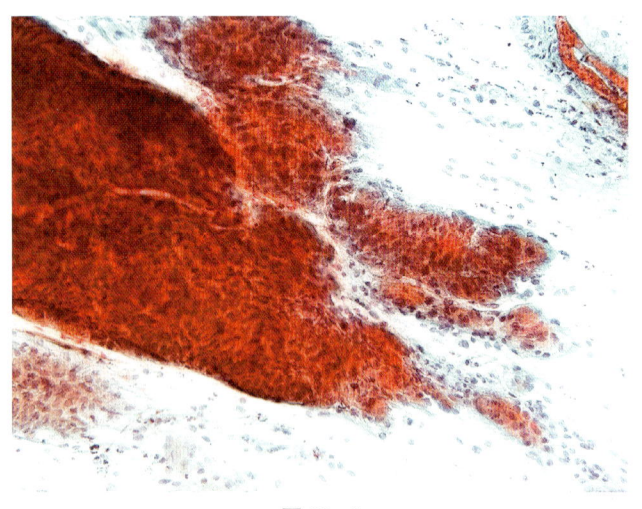

図39-1

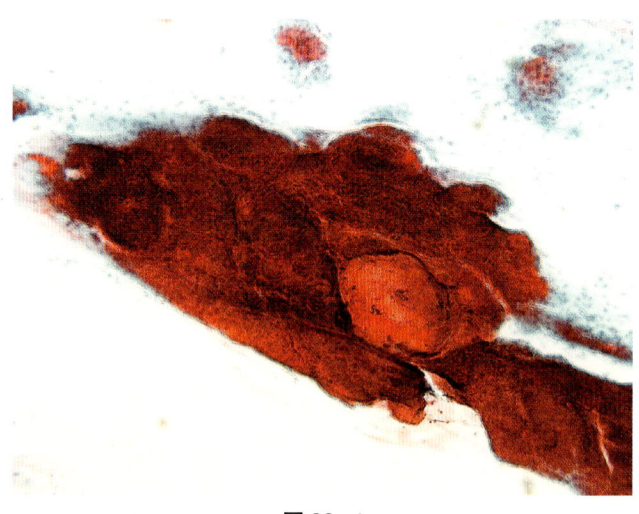

図39-4

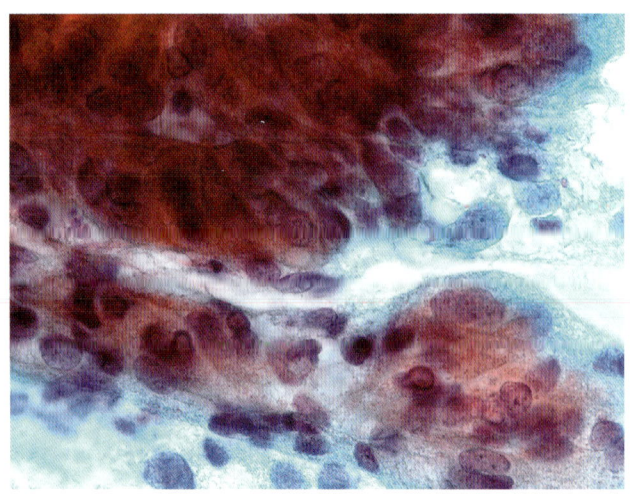

図39-2

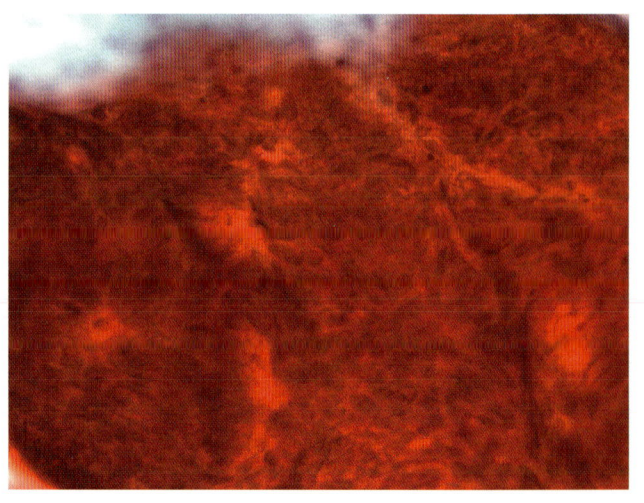

図39-5

別視野では，小型の乳頭・管状集塊（図39-6右上）や平面的な小集塊（図39-6左下）で出現している腫瘍細胞がみられ，乳頭・管状集塊（図39-7）の強拡大では細胞質内粘液が，平面的な小集塊（図39-8）の強拡大では，広く微細レース状の細胞質が観察される。特に，平面的な小集塊（図39-8）では好酸性変化（化生）と類似の形態を示し，核間距離が比較的均等で，良悪の判定にも苦慮する形態を示している。組織像は乳頭状の増殖を主体とする類内膜癌G1で，腺腔内や細胞質内に粘液が貯留していた（図39-9）。核の偽重層がみられるが，N/C比は小さく，個々の細胞異型は比較的軽微である（図39-10）。

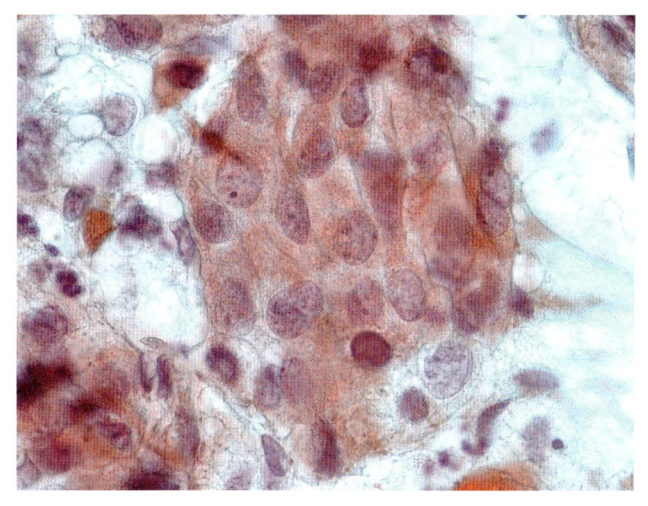

図39-8

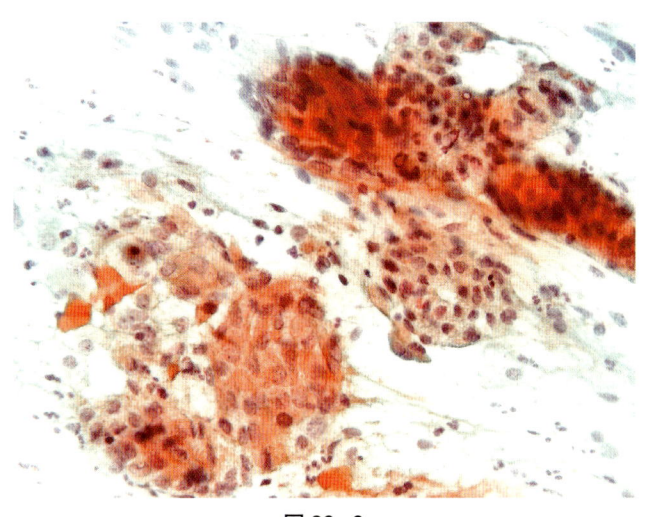

図39-6

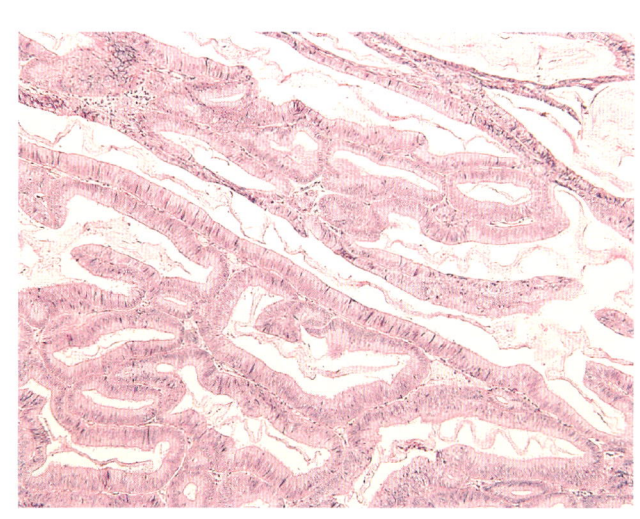

図39-9

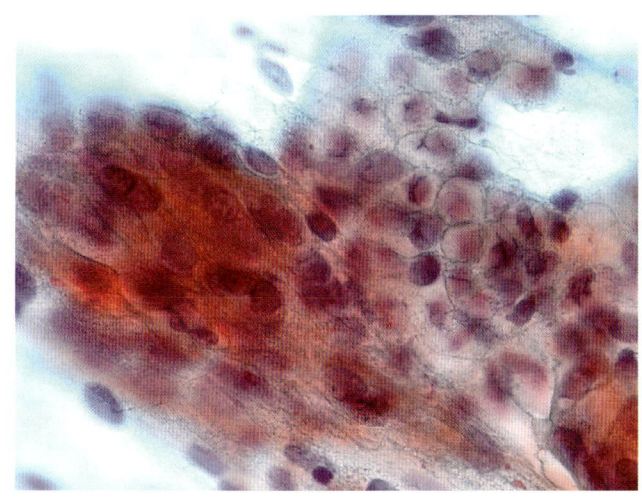

図39-7

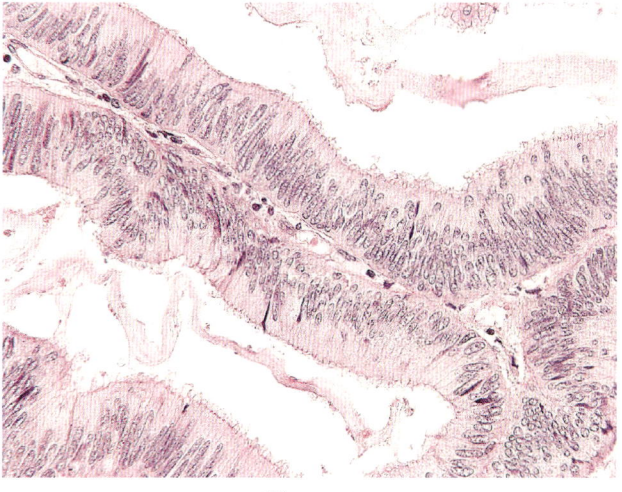

図39-10

症例40　粘液性成分を伴う類内膜癌，G1
Endometrioid carcinoma, grade 1, with mucinous differentiation

40歳代　エンドサイト直接塗抹

　本症例も，症例39と同様に粘液性成分を伴う類内膜癌症例である．腫瘍性背景の中に，周囲に内膜間質の付着を伴わない乳頭・管状集塊が出現し（図40-1～3），高分化な類内膜癌を疑わせる細胞像である．強拡大では，厚く広い立方状の細胞質を有する腫瘍細胞が観察され，好酸性変化（化生）を伴っているものと思われる（図40-4）．集塊辺縁の"ほつれ像"の拡大では，結合性が低下し，核の大小不同性や核形不整を示す腫瘍細胞が炎症細胞とともに観察される．上部の比較的保たれている細胞質は，微細レース状で粘液の貯留を思わせる（図40-5）．

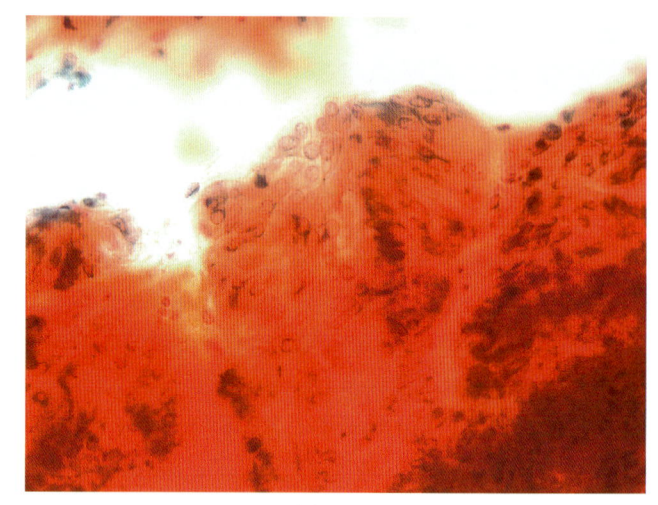

図40-3

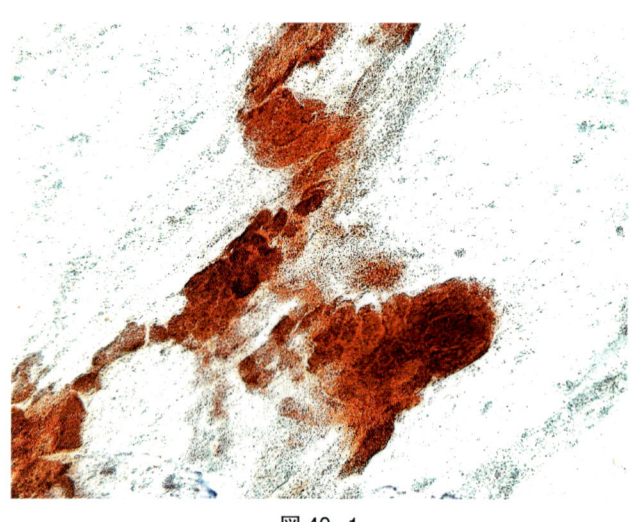

図40-1

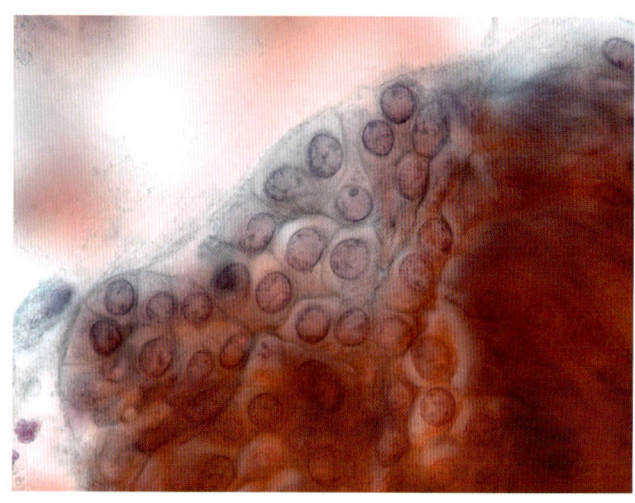

図40-4

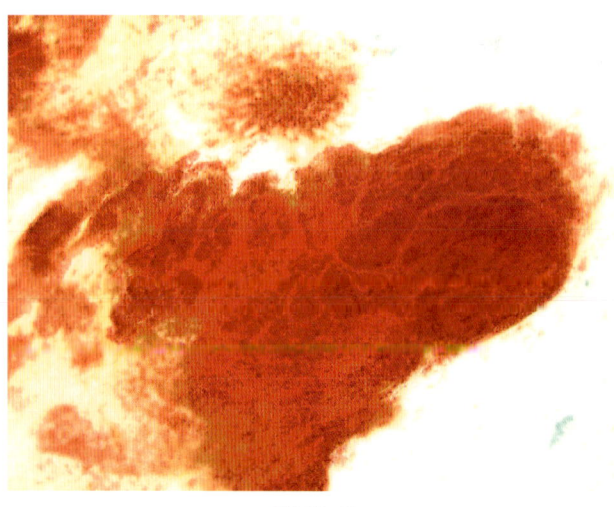

図40-2

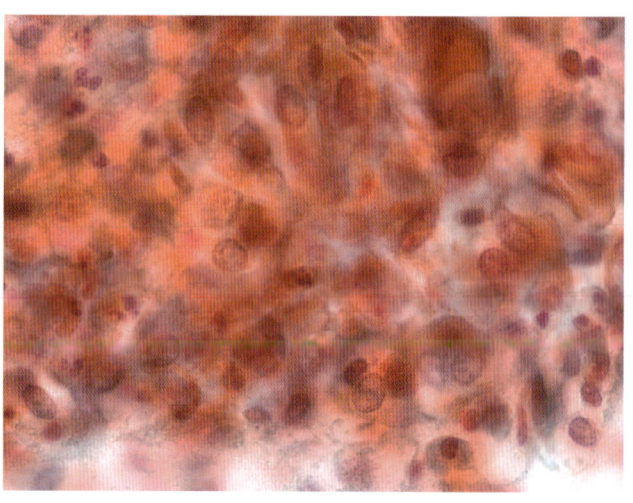

図40-5

症例アトラス

　別視野では，血管結合織（図40-6矢印）が確認される大型の乳頭・管状集塊の出現を認める（図40-6, 7）。背景には，壊死物質とともに出現する結合性疎な上皮性細胞が観察される（図40-8）。これらは，集塊辺縁の"ほつれ像"（図40-5）でみられた細胞と同様の所見を呈し，細胞異型は比較的軽微であるが腫瘍細胞由来と思われる。高円柱状細胞の細胞も散見され，頸管腺由来の正常細胞との鑑別も必要となるが，壊死物質とともに出現していることより癌細胞である可能性が非常に高くなる。組織像は，乳頭状構造を示しながら増殖する類内膜癌G1で，腺腔内には粘液の貯留がみられ（図40-9），好酸性と粘液性の細胞質変化（化生）が観察された（図40-10）。

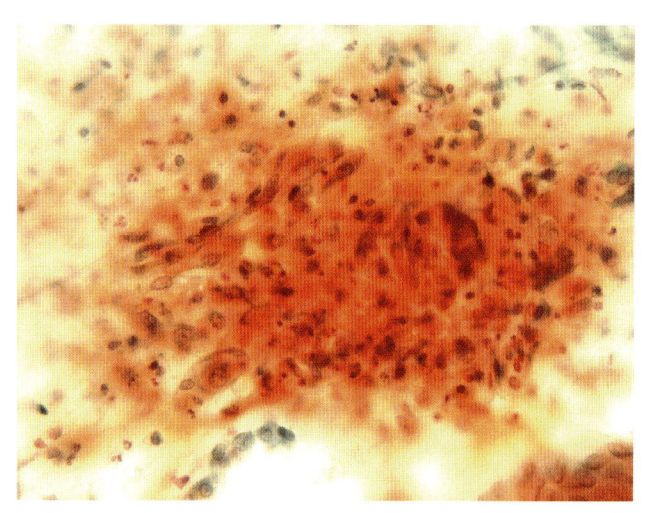

図40-8

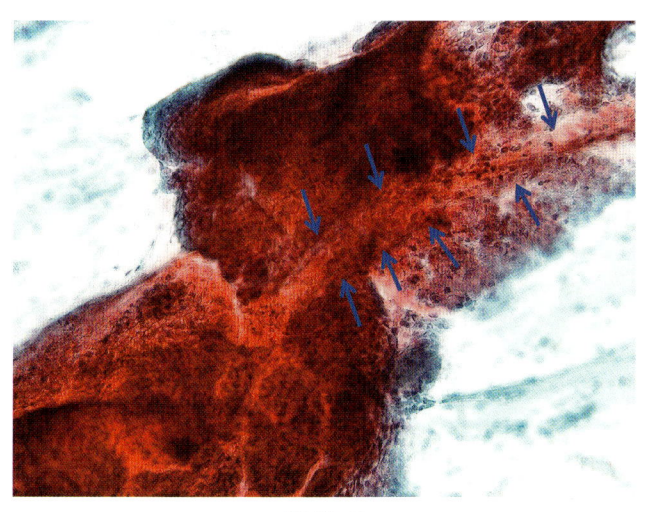

図40-6

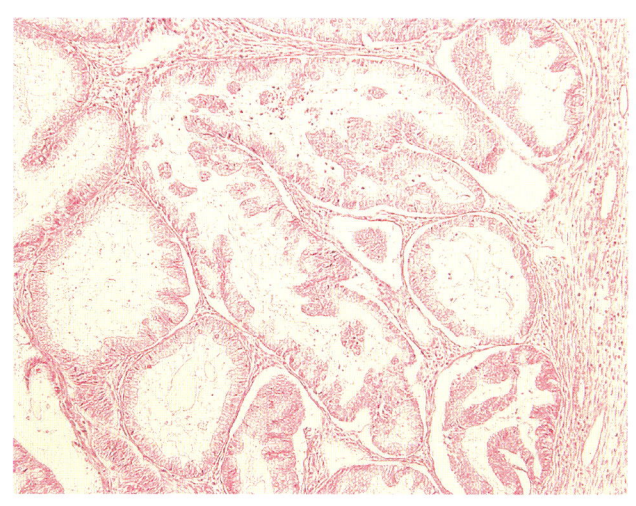

図40-9

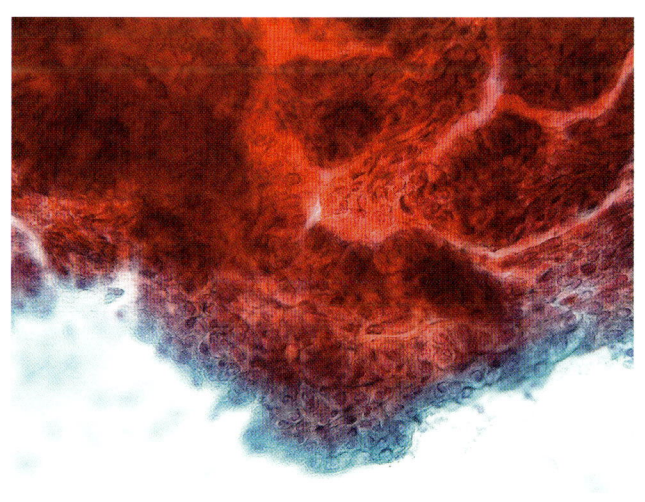

図40-7

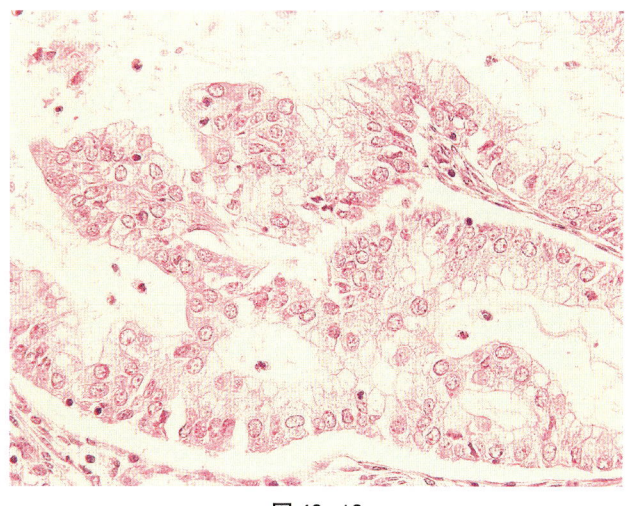

図40-10

131

症例 41 類内膜癌, G2
Endometrioid carcinoma, grade 2

80歳代　ウテロブラシ直接塗抹（ブラシ flicked 法）

　類内膜癌 G2 は，充実性増殖の占める割合が腺癌成分の6〜50％のもの，あるいは，充実性増殖の割合が5％以下でも細胞異型の著しく強いものと定義付けられている。細胞診標本上には，充実性成分の増加は細胞間の結合性の低下や，壊死物質として現れることが多いが，採取される部位や充実性増殖の割合に左右されるため一定ではない。図41-1，2 は，乳頭・管状集塊に連なり，細胞間の結合性が低下した腫瘍細胞が出現している。個々の細胞は，細胞質が比較的保たれているものの，核の大小不同性が目立ち，クロマチン不均等分布や核小体の肥大が観察される（図41-3）。また，図41-4，5 では，集塊辺縁の"ほつれ像"が観察される。

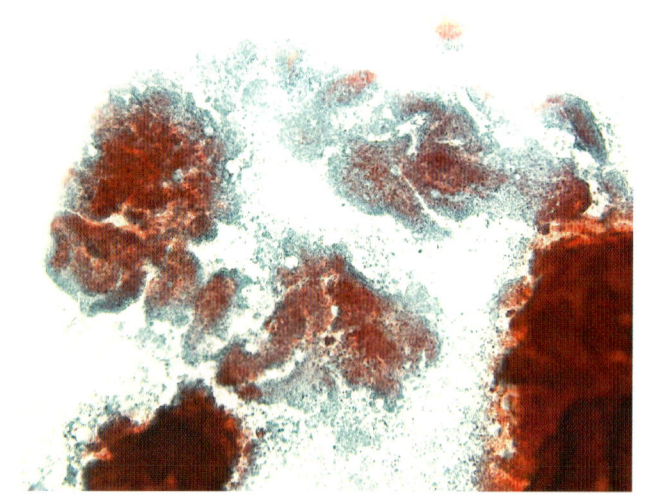

図 41-1

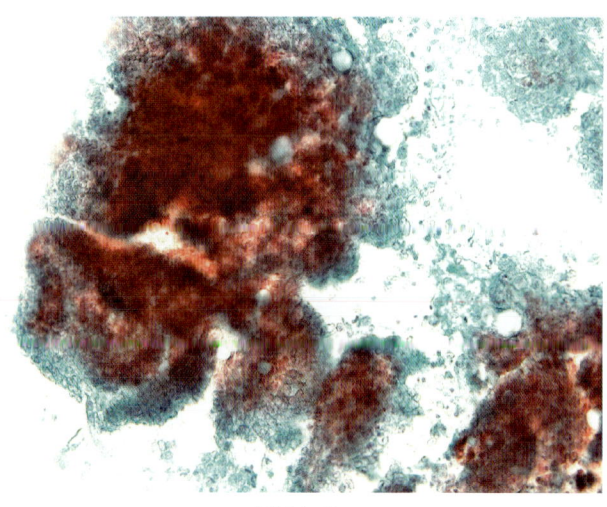

図 41-2

図 41-3

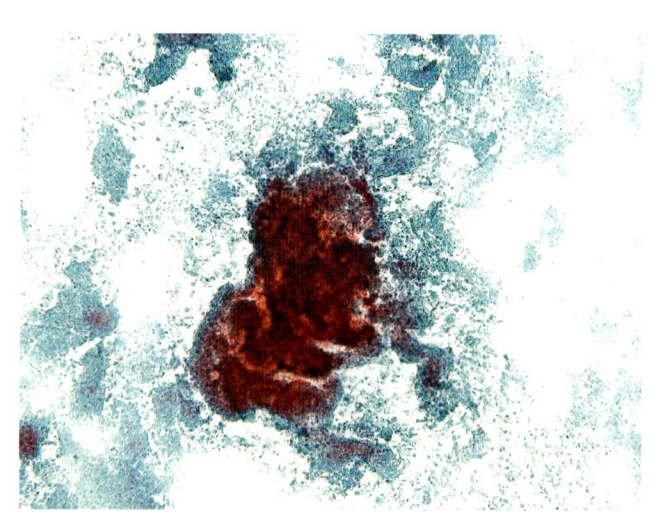

図 41-4

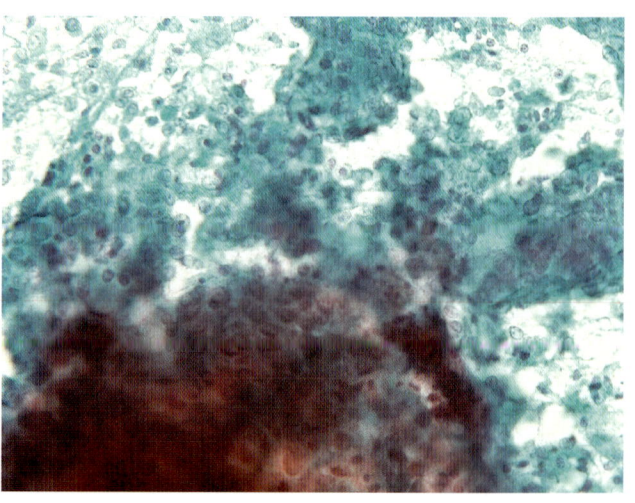

図 41-5

図41-5, 6では，集塊周囲に壊死物質が確認される。強拡大では，核の大小不同性や，核縁肥厚が目立つ腫瘍細胞が観察され，加えて核所見に多様性がみられる（図41-7, 8）。図41-8では活き活きとした核に接してアポトーシスによると思われる変性濃染核が出現している。このような細胞所見は分化度の低下の現れである。組織像は，充実性増殖の占める割合が増加しているものの，腺癌成分の50％以下で，類内膜癌G2とされた（図41-9, 10）。類内膜癌G2が"充実性増殖の占める割合が腺癌成分の6～50％のもの"という基準において診断される場合，観察者間差が生じることも念頭におき，細胞診所見との比較を行うべきである。

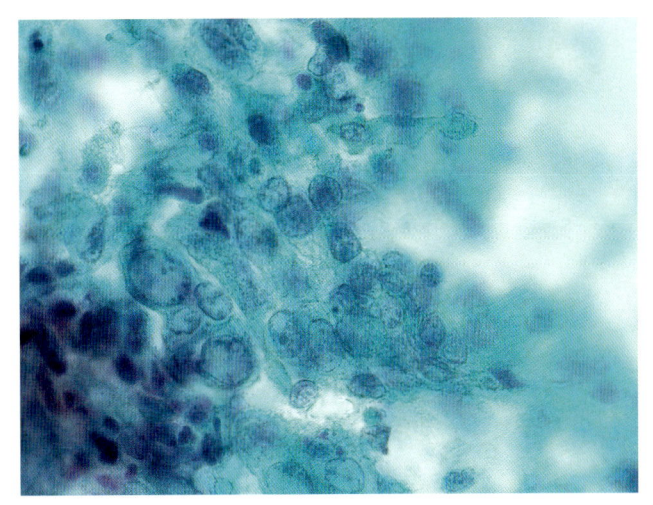

図41-8

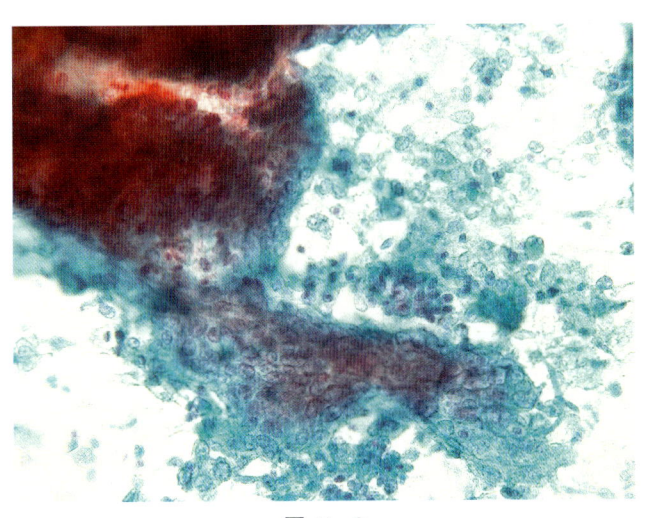

図41-6

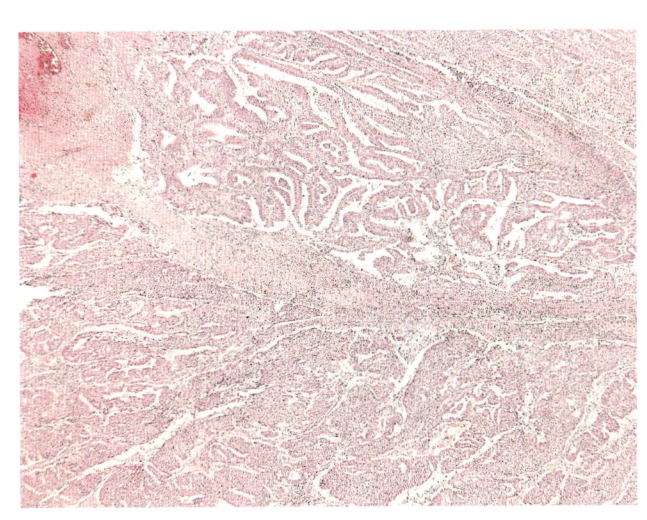

図41-9

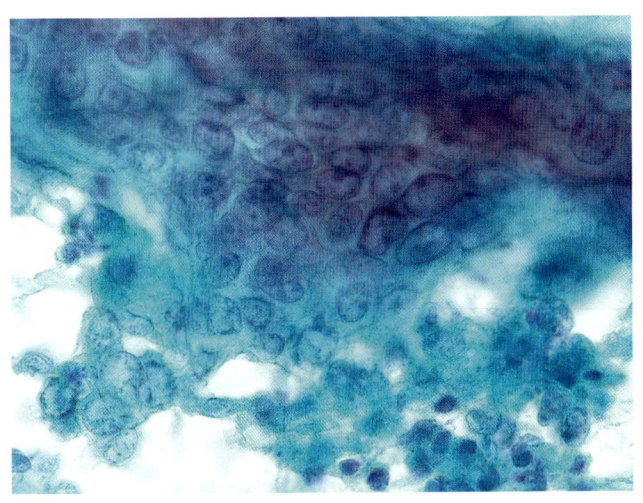

図41-7

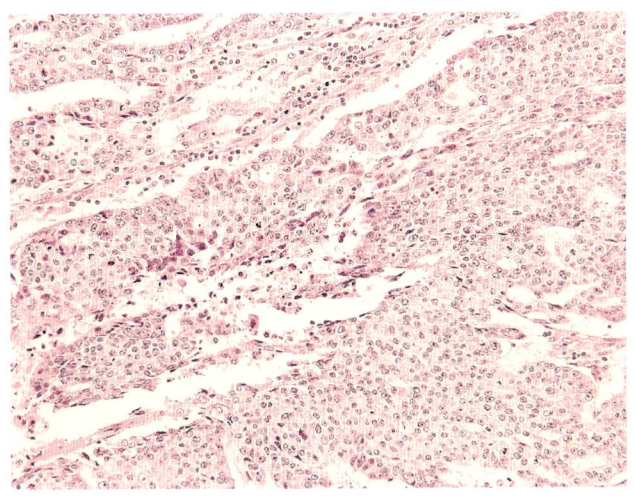

図41-10

症例42 類内膜癌, G3
Endometrioid carcinoma, grade 3

50歳代　エンドサーチ直接塗抹

　類内膜癌G3は，充実性増殖の占める割合が腺癌成分の50％を超えるもの，あるいは，充実性増殖の割合が6〜50％でも細胞異型の著しく強いものと定義付けられている．本症例は，充実性増殖の占める割合が増加した類内膜癌G3であった．腫瘍性背景の中に，腺腔形成や乳頭状構造をほとんど示さず，不整形突出集塊を形成して腫瘍細胞が出現している（図42-1〜5）．強拡大における個々の細胞は，細胞境界が不明瞭となり，核の大小不同性と核濃染が目立つが，核形は概ね類円形である（図42-3, 5）．類内膜癌G3では，本症例のように，著しい細胞異型を伴わず，腺腔形成や乳頭状構造という構造の分化が失われている症例を多く経験する．

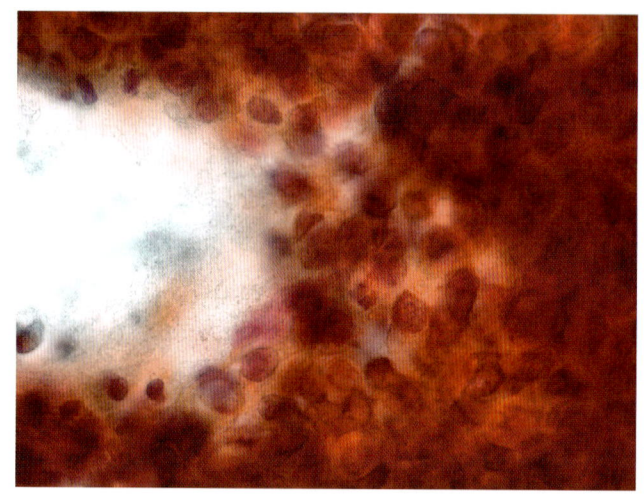

図42-3

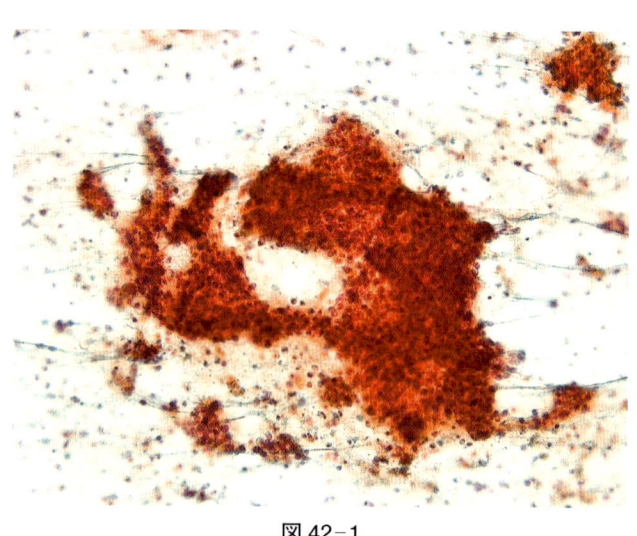

図42-1

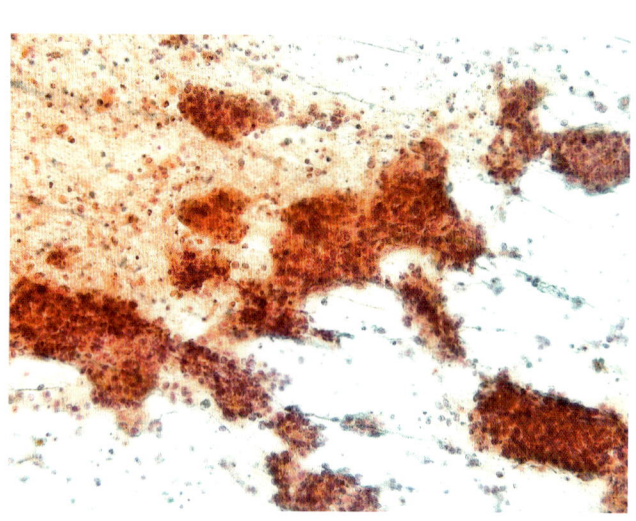

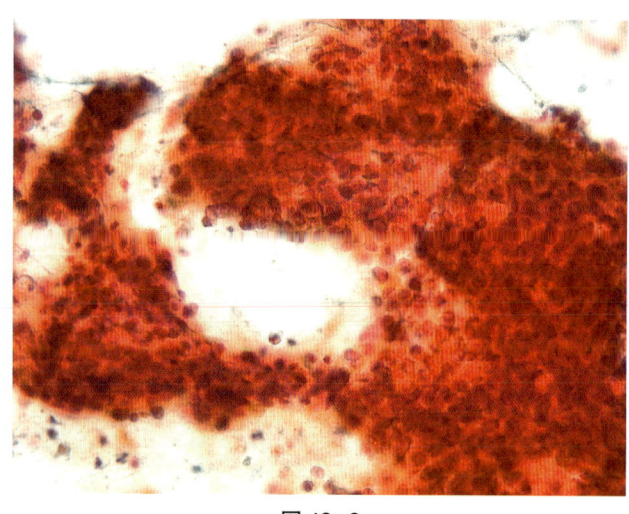

図42-4

図42-2

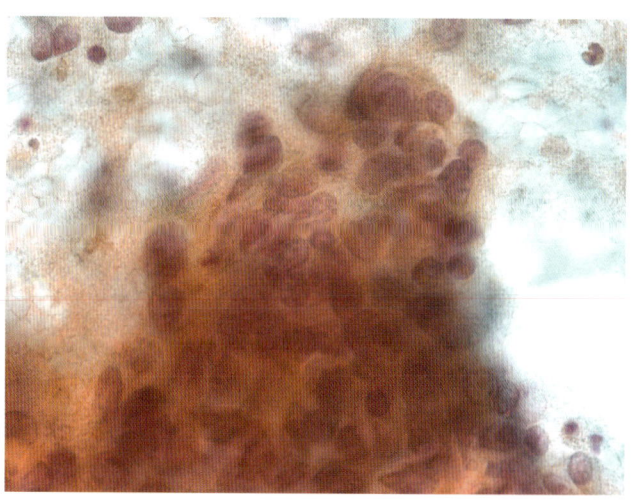

図42-5

症例アトラス

　図42-6では，細胞境界不明瞭な腫瘍細胞が，一部で腺腔様配列を示していた．さらに集塊が小さくなると，腫瘍細胞が小型であることから内膜腺間質破綻（EGBD）症例で出現する内膜間質の変性凝集塊と誤認される場合がある（図42-7, 8）．特に，腫瘍細胞の出現数が少数である場合や，結合性が著しく低下している場合には過小判定が生じやすい．癌由来の集塊は核間距離が一定でなく，集塊のどこかに腺腔形成などの上皮性の配列を示す．また，EGBD症例では，ほとんどの症例で背景に増殖期相当の内膜腺が出現することも参考にするべき所見である．組織像は，充実性増殖の占める割合が高く，腫瘍のほとんどを占めており，類内膜癌G3とされた（図42-9, 10）．

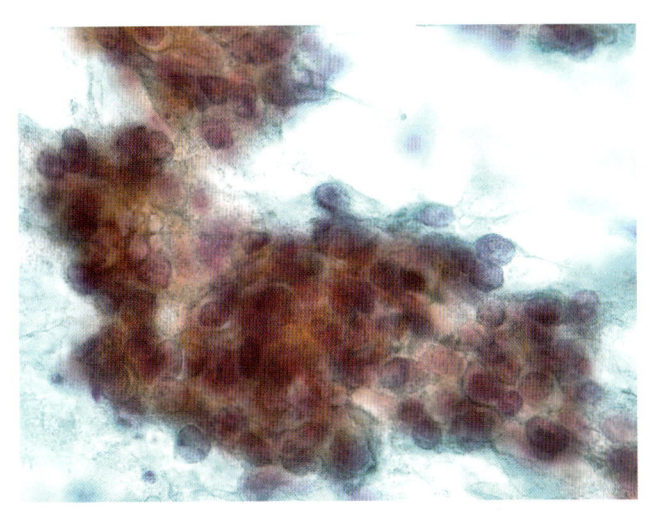

図42-8

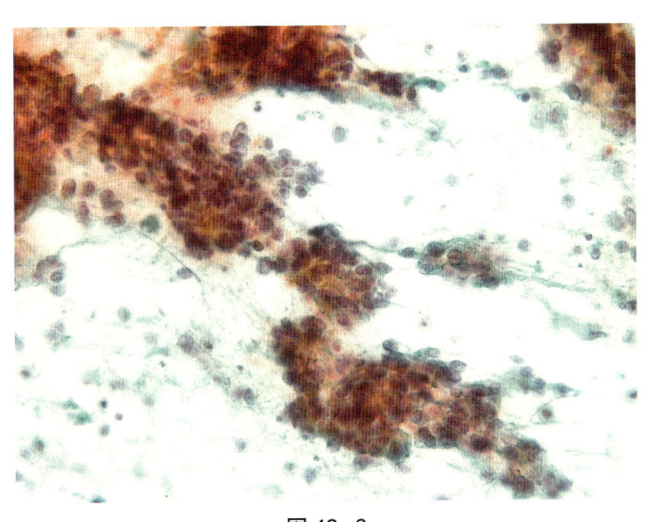

図42-6

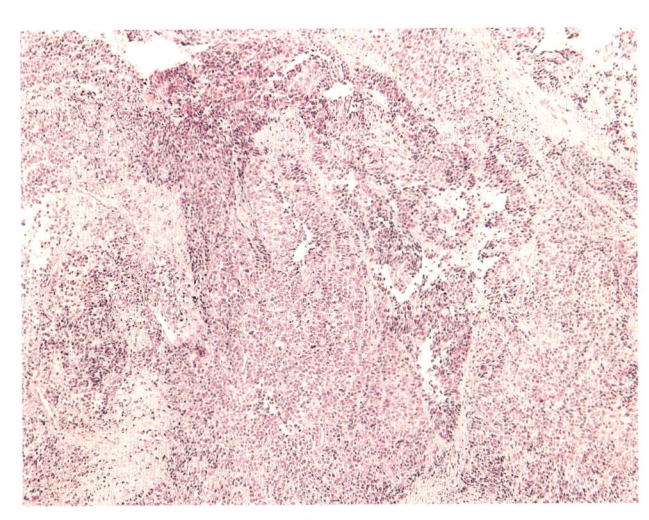

図42-9

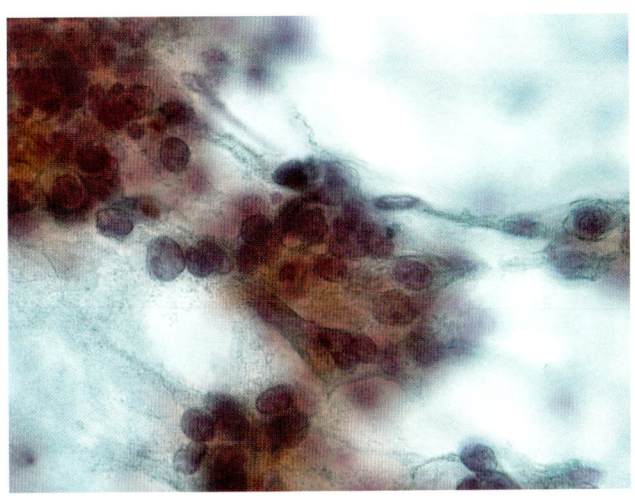

図42-7

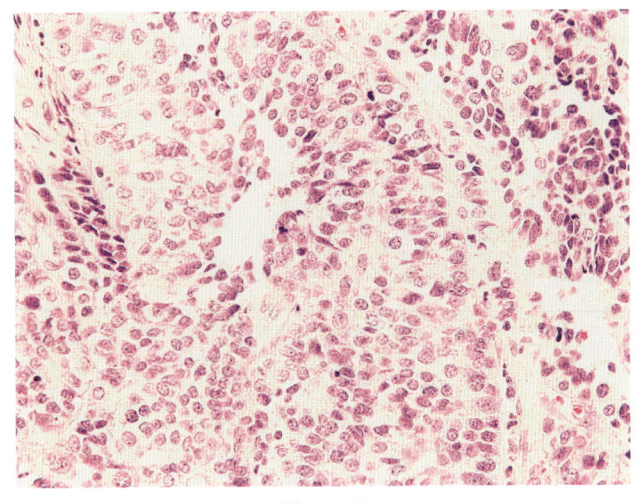

図42-10

135

症例43 漿液性癌
Serous carcinoma

60歳代　エンドサイト直接塗抹

　卵巣の漿液性癌と類似の癌で，組織学的には複雑な乳頭状構造と細胞の芽出像を特徴とする腫瘍である。高齢者に発症し，エストロゲンの影響や内膜増殖症の関与を伴わないⅡ型の子宮内膜癌に分類されている。砂粒体を腫瘍細胞塊の内部に含んでいる像が観察されることもある。高分化な類内膜癌と比較して早期から転移を伴い，予後不良であり，細胞診で本腫瘍を指摘することは意義深い。図43-1, 2では，出血性背景の中に不規則な乳頭状集塊を形成して出現する腫瘍細胞がみられる。背景が清明な部位では，乳頭状集塊を構成する腫瘍細胞の細胞質が厚く，クロマチンが粗く，核小体が肥大している様子が観察される（図43-3〜5）。

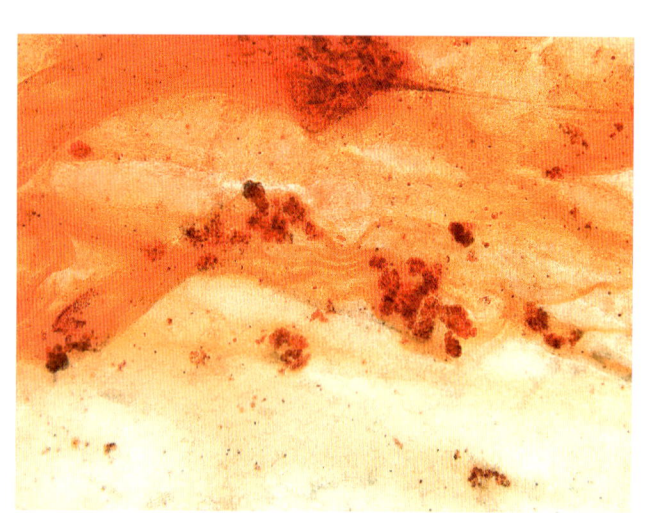

図43-1

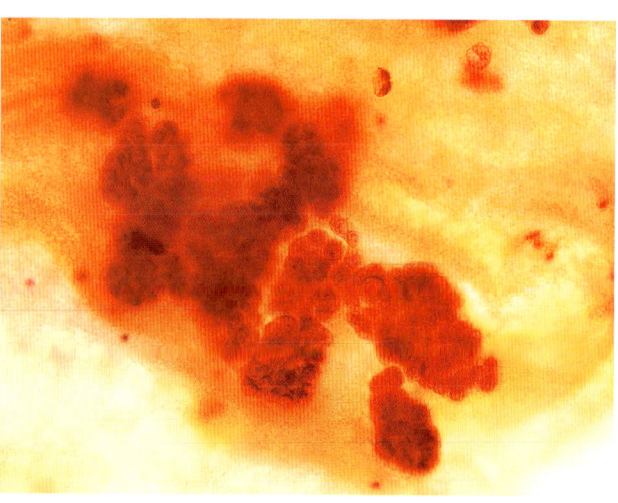

図43-2

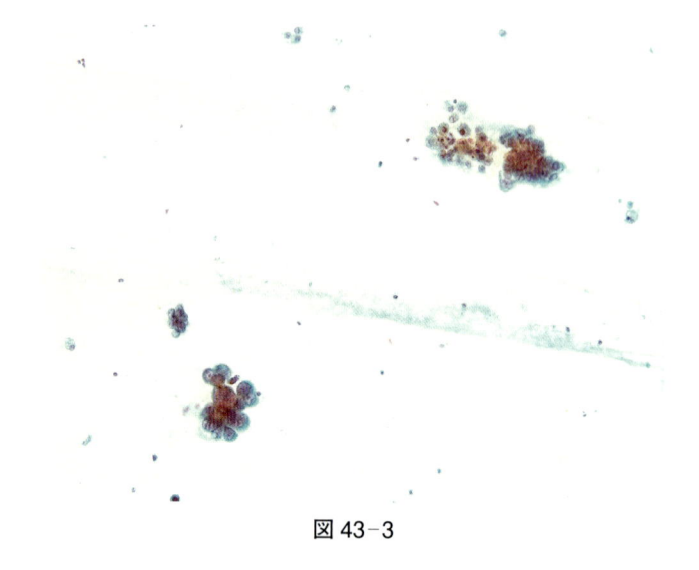

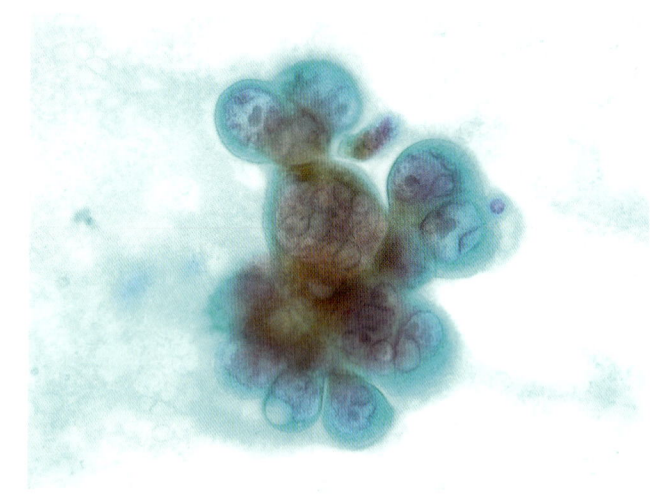

図43-3

図43-4

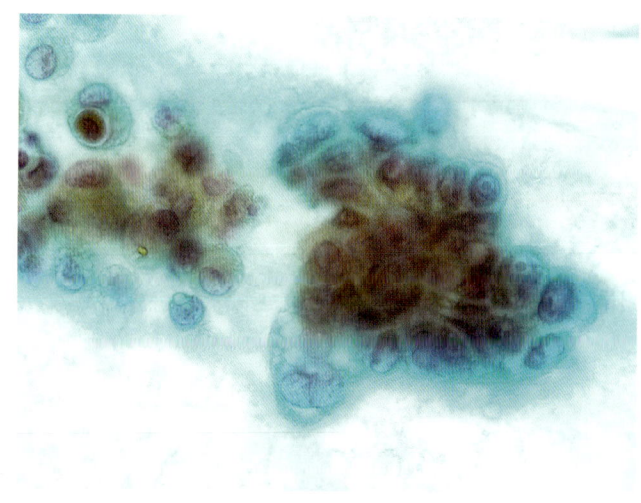

図43-5

症例アトラス

図43-6では，大型化と多核化が観察される。図43-7，8では，形状は不規則なものの，細胞間の結合性が強く，最外層の細胞質が保たれた乳頭状集塊がみられる。これらの所見は漿液性癌の特徴であるが，時として好酸性変化（化生）を伴う細胞との鑑別が必要となる。好酸性変化（化生）を伴う細胞は，多くは表層被覆上皮に生じるため，集塊内に内膜間質細胞の含有やシート状上皮との連続性がみられる。小集塊で出現し，核所見を確認できない場合には組織生検による精査を依頼するべきである。組織像では，萎縮した内膜腺の間質に乳頭状構造を示す腫瘍細胞の増殖が確認され漿液性癌とされた（図43-9）。筋層の脈管内にも侵入がみられた（図43-10）。

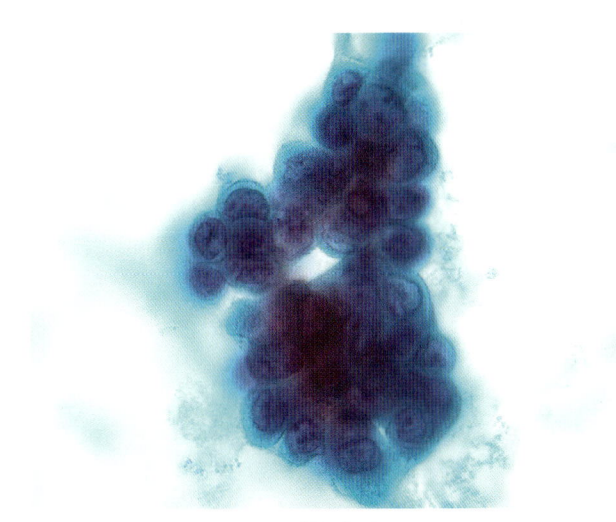

図43-8

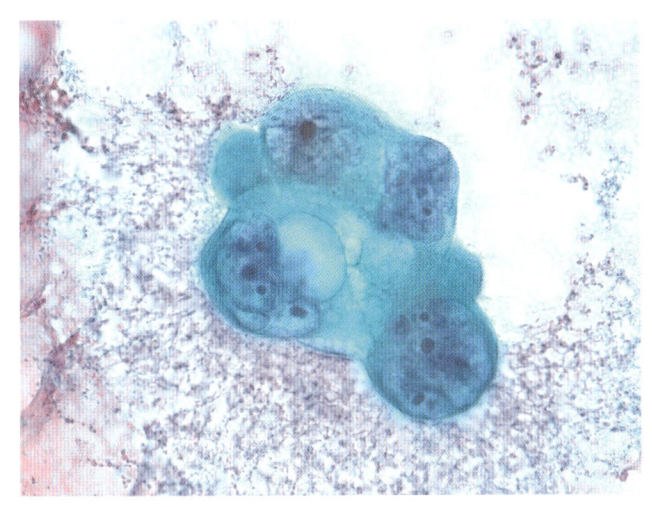

図43-6

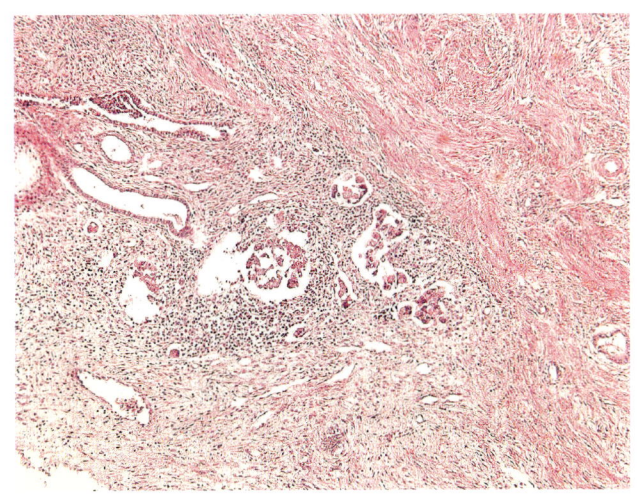

図43-9

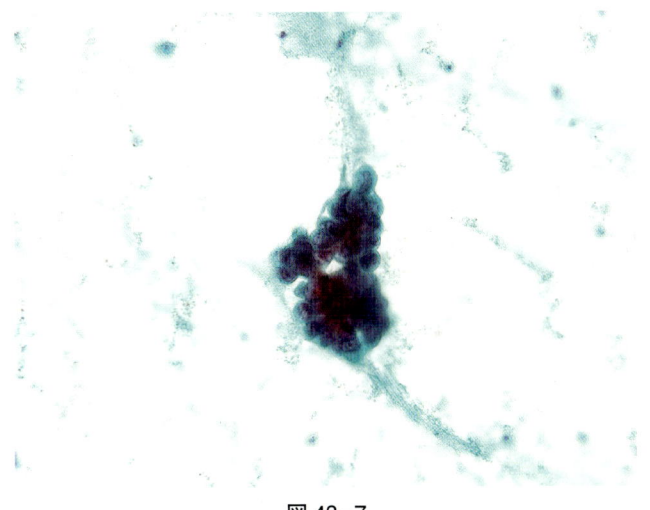

図43-7

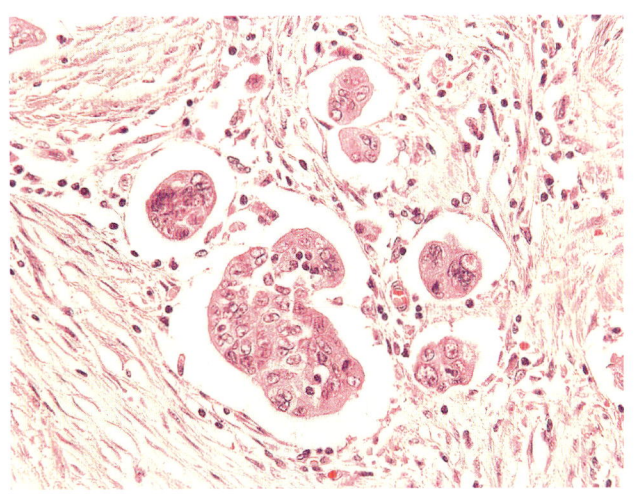

図43-10

137

症例44 漿液性癌
Serous carcinoma

60歳代　子宮内膜直接塗抹（圧挫標本）

　図44-1〜5は，手術材料から作製した圧挫標本に出現した大型乳頭状集塊である。圧挫処理を加えた標本では，直接塗抹に比べ，血管結合織（図44-2矢印）を観察する頻度が高まる。漿液性癌症例に出現する乳頭状構造は，大型で複雑であることが多い。血管結合織の太さは不均一で，"うねり"がみられることがある（図44-3）。内膜細胞診では，分泌期において太く蛇行した血管が観察されることを症例2の解説において述べたが，漿液性癌が発生する閉経後の標本内にには，通常ほとんど認めない。図44-5では，腫瘍細胞が血管結合織に垂直に単層で付着し，一部が小乳頭状に増殖する像が観察される。

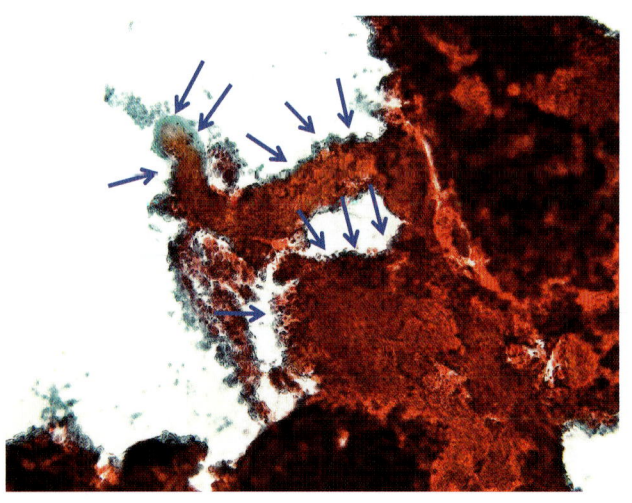

図44-1

図44-2

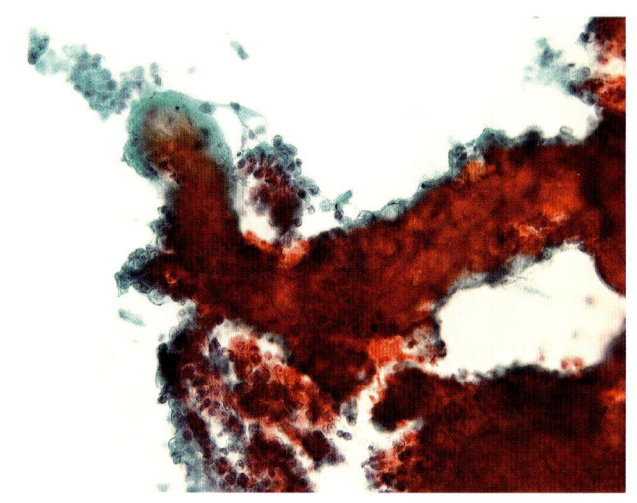

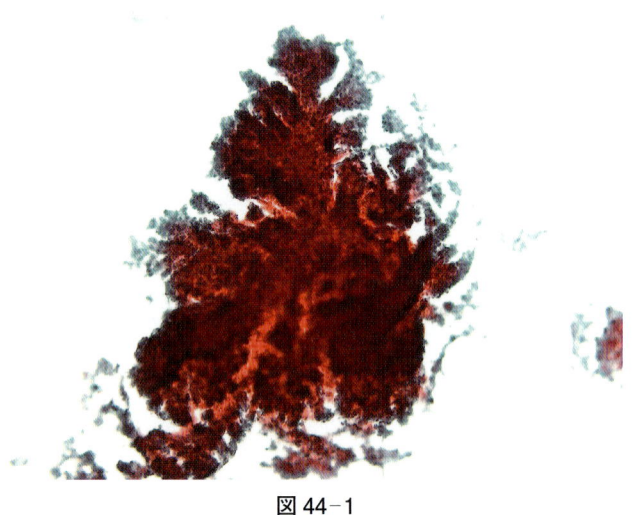

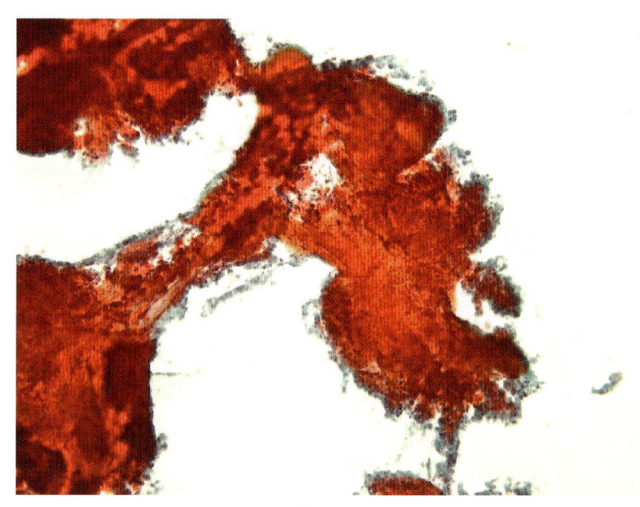

図44-3

図44-4

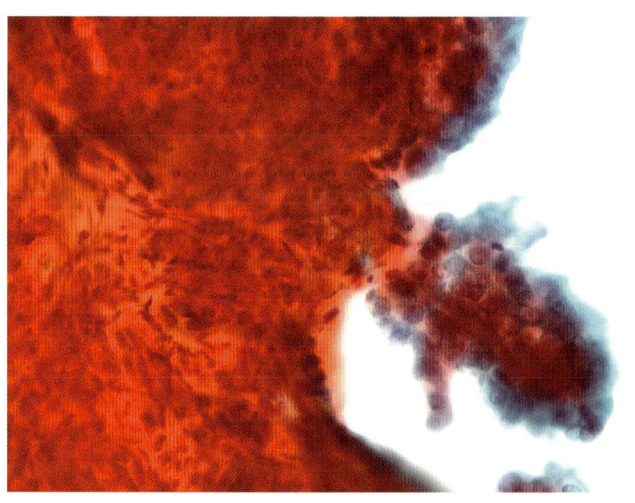

図44-5

症例アトラス

　血管結合織から外れた腫瘍細胞を強拡大で観察すると、大型で、細胞境界が比較的明瞭であり、N/C 比が増大し、細胞質が厚く、クロマチンが増量している（図 44-6〜8）。新鮮な状態で固定された腫瘍細胞であるので、クロマチンは微細で核小体は目立たない。図 44-7, 8 では、核所見の多様性が確認可能である。このように微細な細胞所見を観察可能な場合には、好酸性変化（化生）を伴う細胞との鑑別は容易である。組織像では、複雑な乳頭状構造と細胞の芽出像を特徴とする漿液性癌であった（図 44-9, 10）。

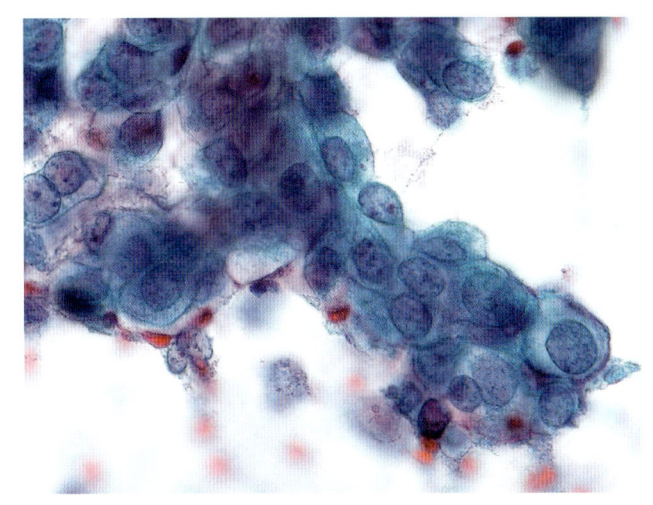

図 44-8

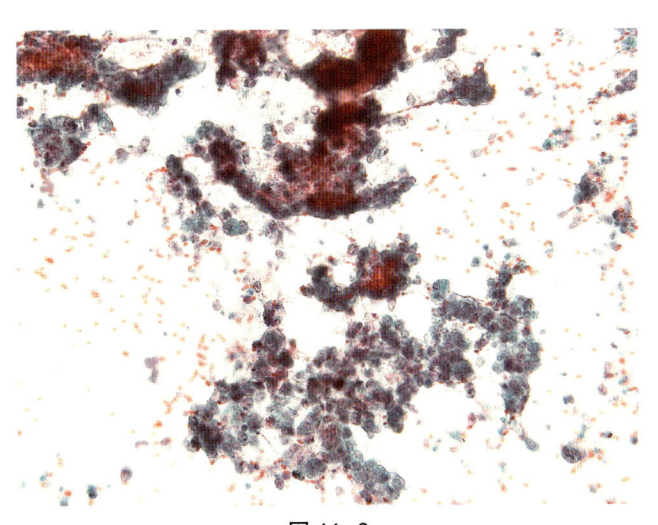

図 44-6

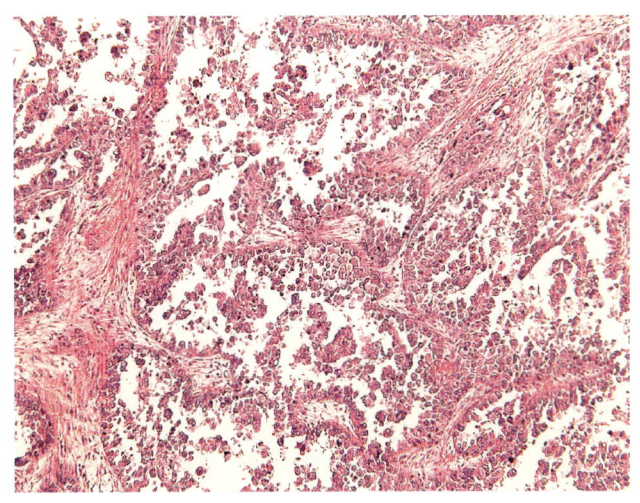

図 44-9

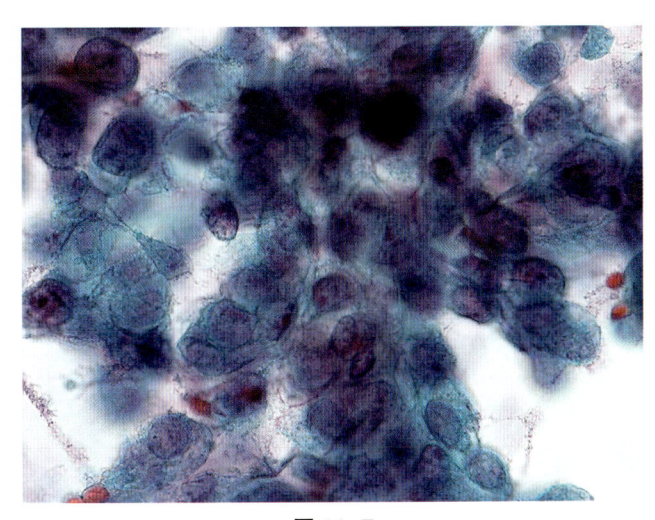

図 44-7

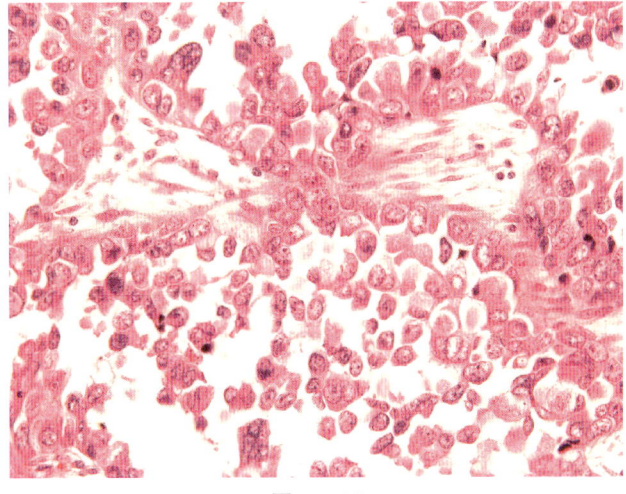

図 44-10

索 引

【あ】

圧挫処理　　114, 138
Arias-Stella 現象　　20, 21, 24, 33

【い】

Ⅰ型　　4, 28, 36
Ⅰ型体癌　　28

【え】

ATEC-A　　15, 16, 17, 18
ATEC-AE　　15, 16, 17, 18, 31, 47, 49
ATEC-US　　15, 16, 18, 31, 47, 48
液状化検体細胞診（LBC）　　17, 31, 42, 60, 74〜79, 96, 97, 118, 119
エストロゲン（E）　　2, 3, 5, 21, 31, 50, 94, 102, 107, 120, 128, 136
MELF（microcystic, elongated, fragmented）パターン　　38
MMR 蛋白の発現消失　　38
MMR-deficient　　29, 37

【お】

黄体形成　　2
黄体形成ホルモン（LH）　　2, 3, 6

【か】

海綿層　　19
核下空胞　　20
拡張・分岐集塊　　42, 45, 51, 65, 94, 99, 104〜107
化生性不整形突出集塊　　53, 54, 57, 83
間質細胞凝集塊　　52
管状・シート状集塊　　42, 45, 95

【き】

偽重層核　　19
記述式内膜細胞診報告様式　　15, 31, 47
基底層　　2, 3, 19, 45
基底層動脈　　19
基底膜物質　　46
機能性出血　　2
機能層　　2, 3, 19, 45
鋸歯状変化　　64, 72

【け】

経腟超音波検査　　4, 6, 87
Ki-67　　34, 58
血管結合織　　66, 112〜117, 131, 138, 139
月経　　2, 3, 6, 19, 80

【こ】

コイル状動脈　　3
好酸性　　20, 24, 31, 32, 52, 53, 83〜92, 94〜98, 107, 111, 120〜131, 136〜139
好酸性変化（化生）　　24, 25, 31, 32, 47, 48, 53, 83〜92, 94〜98, 107, 111, 120〜131, 136〜139
合胞状乳頭状変化（化生）　　31, 33, 34
混合癌　　16, 27, 29, 35

【さ】

cyclin A　　58
サイトライト液　　60, 76〜79, 97, 119
細胞質変化（化生）　　42, 50, 83〜98, 110, 116〜123, 125, 131
砂粒体　　12, 136

【し】

CDX2　　32
CD10　　32, 61
子宮鏡　　3, 4
子宮筋腫　　11
子宮内膜異型細胞（ATEC）　　16, 31, 47
子宮内膜異型増殖症　　4, 16, 17, 21, 23, 25
子宮内膜上皮内癌（EIC）　　5, 16, 29, 36
子宮内膜増殖症　　2, 4, 16, 21, 22, 23, 36, 45, 51, 65, 102〜105
子宮内膜ポリープ　　4, 6, 16, 24, 34
子宮留膿腫　　11, 91
篩状構造　　25, 26, 109, 123
次世代シーケンサー（NGS）　　29
SurePath　　17, 60, 64, 74, 75, 96, 118
絨毛腺管構造　　26
漿液性癌　　16, 27, 34, 45, 62, 136〜139
ThinPrep　　18, 60, 62, 64, 76〜79, 97, 119

【す】

スイスチーズ様　　21
スプリットサンプル法　　60

【せ】

石灰化小体　　28
線維血管性間質　　28
前脱落膜細胞　　20
腺密集集塊　　45
線毛上皮変化（化生）　　24, 31
線毛性　　52, 53, 54
線毛性変化（化生）　　48, 53, 54, 55, 56, 107

【そ】

桑実様変化（化生） 24, 27, 100, 126
増殖期 3, 7, 16, 19, 31, 42, 45, 50, 64, 70, 74, 76

【た】

脱分化癌 16, 27, 29, 35
脱落膜細胞 20
多嚢胞性卵巣 23, 24
タモキシフェン（TAM） 6, 25
断片化集塊 51, 93, 94

【ち】

緻密層 19, 20
中腎腺癌 27, 29, 35, 36
中腎様腺癌 27, 29, 36
沈降静電法 61
沈降法 60, 74, 77, 79, 97, 118, 119

【て】

TP53 変異 34, 36

【な】

内分泌療法 6, 9
内膜腺間質破綻（EGBD） 3, 16, 23, 31, 50, 61, 64, 93〜98, 110, 135

【に】

II 型 4, 28, 36, 66, 136
II 型体癌 28, 66

【ね】

乳頭・管状集塊 42, 45, 65, 108〜119, 124〜133
乳頭状変化（化生） 24, 31, 33, 34, 53, 54, 55
乳頭状増殖 34, 38, 43, 45, 112〜117

【ね】

粘液性変化（化生） 24, 25, 47, 48, 55, 86, 131
粘液性癌（胃/腸型） 27, 29, 35, 36

【は】

排卵 2, 3, 19, 23, 50
排卵障害 4
橋渡し構造 26
破綻出血 3, 23, 50

【ひ】

POLE-ultramutated 29, 35, 37
p53-mutant 29, 35, 37
p53 蛋白 39, 58
p53 の変異 5, 29, 35, 37
ヒト絨毛性ゴナドトロピン（hCG） 21
表層合胞状変化（化生） 24
表層被覆上皮細胞 51, 58, 80, 93〜97, 110, 116
鋲釘細胞変化（化生） 31, 33
鋲釘状変化（化生） 24
鋲釘状細胞 28

【ふ】

FISH 対応尿用フィルター 60, 76
フィルター転写法 60

不規則増殖内膜 23
不整形突出集塊 44, 45, 53, 80, 83, 85, 88〜91, 95〜97, 101, 106, 111, 118, 120〜125, 134
不全増殖内膜 23
不調増殖期内膜（DPP） 3, 23, 50, 99, 104
不定形物質 62, 64, 76
プレザーブサイト液 60
プロゲステロン（P） 2, 3, 33
プロゲステロン療法 33
分子遺伝学的予後因子 18
分子分類 35, 36
分泌期 3, 16, 19, 31, 45, 64, 72, 75, 78
分離用試薬 60

【へ】

β-カテニン 5, 28, 32, 38
扁平上皮変化（化生） 24, 27, 32, 33, 55, 56, 90, 91, 125, 126
扁平上皮癌 12, 27, 29, 35, 36

【ほ】

蜂巣状構造 45, 75, 78
ホブネイル細胞 28, 66
ポリープ状異型腺筋腫 16, 25, 100, 101

【み】

密度勾配遠心法 60
未分化癌 12, 27, 28, 29, 35, 40

【む】

無排卵性周期 3, 50

無排卵性周期に伴う機能性子宮出血
　（DUB）　　50, 54, 94

【め】

明細胞変化（化生）　24, 31, 33, 55
明細胞癌　16, 27, 33, 36, 45, 66
メドロキシプロゲステロン酢酸エステル
　（MPA）　　4, 6, 33

【ゆ】

癒合腺管　25, 118, 121

【よ】

ヨコハマシステム　15, 31, 45

【ら】

卵管上皮変化（化生）　24, 25
卵巣機能不全　3
卵胞刺激ホルモン（FSH）　2, 6
卵胞発育　2

【り】

離出分泌像　20
リンチ症候群　39, 40

【る】

類内膜上皮内腫瘍（EIN）　15, 16, 17, 21, 23, 31, 34, 36, 47

【A〜Z】

Arias-Stella 現象　20, 21, 24, 33
ATEC（子宮内膜異型細胞）　16, 31, 47
ATEC-A　15, 16, 17, 18
ATEC-AE　15, 16, 17, 18, 31, 47, 49
ATEC-US　15, 16, 18, 31, 47, 48
CD10　32, 61
CDX2　32
cyclin A　58
DPP（不調増殖期内膜）　3, 23, 50, 99, 104
DUB（無排卵性周期に伴う機能性子宮出血）　50, 54, 94
E（エストロゲン）　2, 3, 5, 21, 31, 50, 94, 102, 107, 120, 128, 136
EGBD（内膜腺間質破綻）　3, 16, 23, 31, 50, 61, 64, 93〜98, 110, 135
EIC（子宮内膜上皮内癌）　5, 16, 29, 36
EIN（類内膜上皮内腫瘍）　15, 16, 17, 21, 23, 31, 34, 36, 47
FISH 対応尿用フィルター　60, 76
FSH（卵胞刺激ホルモン）　2, 6
hCG（ヒト絨毛性ゴナドトロピン）　21
Ki-67　34, 58
LBC（液状化検体細胞診）　17, 31, 42, 60, 74〜79, 96, 97, 118, 119

LH（黄体形成ホルモン）　2, 3, 6
MELF（microcystic, elongated, fragmented）パターン　38
MMR-deficient　29, 37
MMR 蛋白の発現消失　38
MPA（メドロキシプロゲステロン酢酸エステル）　4, 6, 33
NGS（次世代シーケンサー）　29
P（プロゲステロン）　2, 3, 33
p53-mutant　29, 35, 37
p53 の変異　5, 29, 35, 37
p53 蛋白　39, 58
POLE-ultramutated　29, 35, 37
SurePath　17, 60, 64, 74, 75, 96, 118
TAM（タモキシフェン）　6, 25
ThinPrep　18, 60, 62, 64, 76〜79, 97, 119
TP53 変異　34, 36

【ローマ数字】

I 型　4, 28, 36
I 型体癌　28
II 型　4, 28, 36, 66, 136
II 型体癌　28, 66

【ギリシャ文字】

β-カテニン　5, 28, 32, 38

子宮内膜細胞診の実際 -臨床から報告様式まで- 第2版

2012年5月10日	第一版発行
2014年1月15日	第一版2刷
2024年8月30日	第二版発行

編　　　著　　矢野　恵子
発　行　者　　菅原　律子
発　行　所　　株式会社 近代出版
　　　　　　　〒150-0002　東京都渋谷区渋谷2-10-9
　　　　　　　TEL 03-3499-5191　　FAX 03-3499-5204
　　　　　　　E-mail：mail@kindai-s.co.jp
　　　　　　　URL：https://www.kindai-s.co.jp
印刷・製本　　シナノ印刷株式会社

ISBN978-4-87402-300-6　　　　　　　　©2024 Printed in Japan

JCOPY 〈(社)出版者著作権管理機構委託出版物〉
本書の無断複写は，著作権法上での例外を除き禁じられています．本書を複写される場合は，そのつど事前に(社)出版者著作権管理機構(電話03-3513-6969，FAX 03-3513-6979，e-mail：info@jcopy.or.jp)の許諾を得てください．